今，認知症の人やその家族の声が社会を動かしています！！

クリスティーン・ブライデン 氏

写真提供：
シルバー総合研究所
桑野康一氏

丹野　智文（たんの　ともふみ）氏

私（わたし）たち抜（ぬ）きに私（わたし）たちのことを決（き）めないで！

国際（こくさい）アルツハイマー病協会（びょうきょうかい）
2017年（ねん）ADI 国際会議（こくさいかいぎ）

認知症ケアの過去と現在

過去

つなぎ服の着せ方を学んだ時代

認知症の問題行動を軽減するという名目で，認知症の人はつなぎ服を着せられていました。

監視の時代

モニターで認知症の人の行動を監視し，それが賞賛された時代がありました。

現在

なごやかな空気に包まれて，まるで家族のよう

みんなでさつまいもの収穫，楽しいな

「はい，あ〜ん」本当の孫みたい

障害者や児童，認知症の人，いっしょにだれもがあたりまえに過ごせる場所やともに生きることを支援することが大切です。

集団処遇の時代

廊下に並んでいっせいに体操。昔は「利用者の生活リズムをつくる」と推奨されていました。

個別性の排除された時代

私物のない部屋でいっせいに食事をさせられていました。

洗車活動

働くこと，社会とつながることが生きがいに

RUN 伴

タスキでつながる，安心できる街づくりへの想い

認知症カフェ

認知症の人と家族が地域の人と理解し合う場

認知症は進行性の疾患が原因です。そのため，できるだけ早期から地域の人との出会いの場をつくり，これまでの生活を続ける支援が大切です。

1	2	3	4
5	6	8	9
7		10	

写真提供
1～4：田邊順一
5，6，7：デイサービスこのゆびとーまれ
8：DAYS BLG！／9：土曜の音楽カフェ♪
10：認知症フレンドシップクラブ

アルツハイマー型認知症にともなう脳の変化

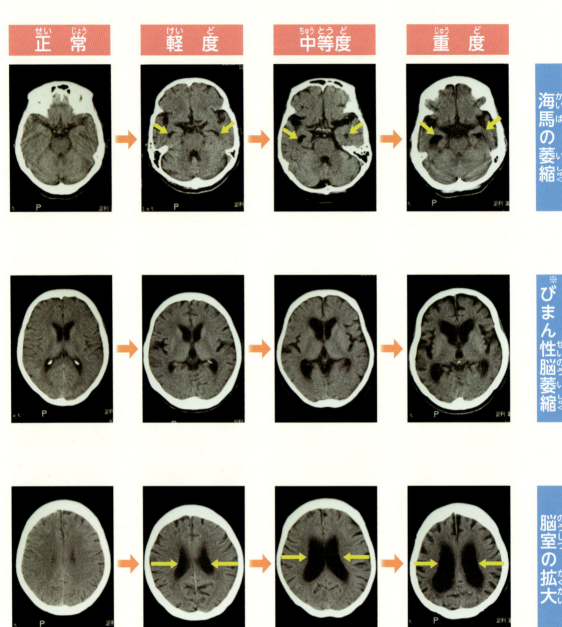

※びまん性……病変がはっきりと限定することができず，広範囲に広がっている状態のこと。

写真提供：医療法人根岸会足利富士見台病院
院長　根岸協一郎

最新 介護福祉士養成講座 13

編集 介護福祉士養成講座編集委員会

認知症の理解

第2版

中央法規

『最新 介護福祉士養成講座』初版刊行にあたって

　1987（昭和62）年に「社会福祉士及び介護福祉士法」が制定され、介護福祉職の国家資格である介護福祉士が誕生してから30年以上が経ちました。2018（平成30）年11月末現在、資格取得者（登録者）は162万3974人に達し、施設・在宅を問わず地域における介護の中核をになう存在として厚い信頼をえています。

　近年では、世界に類を見ないスピードで進む高齢化に対応する日本の介護サービスは国際的にも注目を集めており、アジアをはじめとする海外諸国から知識と技術を学びに来る学生が増えています。

　もともと介護福祉士が生まれた背景には、戦後の高度経済成長にともなう日本社会の構造的な変化がありました。資格誕生から今日にいたるまでのあいだも社会は絶えず変化を続けており、介護福祉士に求められる役割と期待はますます大きくなっています。そのような背景のもと、今後さらに複雑化・多様化・高度化していく介護ニーズに対応できる介護福祉士を育成するために、2018（平成30）年に10年ぶりに養成カリキュラムの見直しが行われました。

　当編集委員会は、資格制度が誕生した当初から、介護福祉士養成のためのテキスト『介護福祉士養成講座』を刊行してきました。福祉関係八法の改正、社会福祉法や介護保険法の施行など、時代の動きに対応して、適宜記述内容の見直しや全面改訂を行ってきました。そして今般、本講座を新たなカリキュラムに対応した内容に刷新するべく『最新 介護福祉士養成講座』として刊行することになりました。

　『最新 介護福祉士養成講座』の特徴としては、次の事項があげられます。

① 介護福祉士養成のための標準的なテキストとして国の示したカリキュラムに対応
② 現場に出たあとでも立ち返ることができ、専門性の向上に役立つ
③ 講座全体として科目同士の関連性も見える
④ 平易な表現や読みがなにより、日本人学生と外国人留学生がともに学べる
⑤ オールカラー（11巻、15巻）、ＡＲ（拡張現実：6巻、7巻、15巻）の採用などビジュアル面への配慮

　本講座が新しい時代にふさわしい介護福祉士の養成に役立ち、さらには本講座を学んだ方々が広く介護福祉の世界をリードする人材へと成長されることを願ってやみません。

2019（平成31）年3月
介護福祉士養成講座編集委員会

はじめに

　本書では、認知症の本質や認知症の人の心理状態、認知症特有の症状やケア、認知症を取り巻く社会環境などを正しく理解し、認知症の人に対する適切な全人的ケアを提供できるようになる知識を伝えます。もちろん、認知症の有無にかかわらず重要な自立支援・自律支援・尊厳の保持といったケアの理念も同時に伝えます。

　ここで、「認知症の本質や特有の症状」について、具体例で説明します。夕食が待ちきれず、何度も「まだですか」と怒り気味にたずねる重度アルツハイマー型認知症の人に対して、「夕食は6時ですからあと30分待ってください」とていねいに答えるケアは、相手が認知症でなければ適切なケアです。しかし、重度アルツハイマー型認知症の人は時間の概念が薄れています。今何時かがわかっていない人に6時まで待つようにと伝えることは無意味であるばかりか、相手を余計にイライラさせてしまいます。このように、認知症の本質を理解しないでケアをすると、認知機能が正常な人に対しては適切なケアが不適切なケアとなってしまいます。時間の概念が薄れた人に対しては、「そのときそのときに解決するケア（たとえば、「いっしょに用意しましょう」など）」が必要です。本人の発するサインに気づき、本人の視点に立って考え、本人の声を聞くことが適切なケアにつながるでしょう。

　そのほかにも、病識低下という認知症特有の課題や、認知症終末期には運動麻痺や嚥下障害をともない、それが死因になるという課題など、これまでの介護のテキストではあまりふれられていない問題点もしっかり学ぶ必要があります。

　また、怒りっぽくて介護に困るという同じ言動でも、原因がアルツハイマー型認知症の場合は適切な対応でうまくいくことが多いですが、前頭側頭型認知症の場合はどんなにうまく接しても怒る、つまり怒るのは介護福祉職が悪いからではない、というように、原因疾患を知ることが介護負担の軽減にもつながります。レビー小体型認知症の場合も、いきなり失神するので、どんなに注意していても転倒は防ぎきれないということを介護福祉職側が理解し、それを家族に伝えていれば、家族とのトラブルを防ぐことができます。

　認知症ケアのめざすところは、「認知症の人が笑顔で楽しく生きられる」だけでなく、「家族介護者や施設介護者、介護支援専門員（ケアマネジャー）など支援する人々がみんな笑顔で生きられること」です。そのためには、正しい知識をもつことが第一歩となります。本書がその一助になれば、著者一同もみんな笑顔です。

編集委員一同

最新 介護福祉士養成講座13 **認知症の理解** 第2版

目次

『**最新 介護福祉士養成講座**』初版刊行にあたって

はじめに

第 **1** 章 認知症の基礎的理解

第 **1** 節 認知症のある高齢者の現状と今後 ……………………………… 2

1 認知症のある高齢者数の推移 … 2

2 認知症の有病率 … 3

第 **2** 節 認知症とは何か ……………………………………………………… 4

1 認知症の定義と診断基準 … 4

2 認知症初期に生じる生活の支障（生活障害）… 6

3 認知症の症状の全体像 … 7

4 認知症の特徴 … 9

演習1-1 認知症の定義・診断基準 … 13

第 **3** 節 脳のしくみ ………………………………………………………… 14

1 脳の構造・機能 … 14

2 認知症の病理 … 17

3 アルツハイマー型認知症の進行は発達を逆行 … 18

4 脳の構造と症状との関係 … 20

5 意識障害でないことの理解 … 21

6 うつとアパシーの理解 … 23

7 老化と認知症の関係 … 24

演習1-2 認知症と区別すべき症状 … 26

第 **4** 節 認知症の人の心理 ………………………………………………… 27

1 不安・喪失感 … 27

2 不安・うつと病識低下 … 29

3 不安・うつの病態 … 29

4 認知症の人のこころの理解 … 30

演習1-3 認知症の人の心理 … 31

最新 介護福祉士養成講座13 認知症の理解 第2版

第2章 認知症の症状・診断・治療・予防

第1節 中核症状の理解 ……………………………………………… 34

1 中核症状とは … 34
2 記憶障害 … 34
3 見当識障害 … 36
4 遂行機能障害 … 36
5 空間認知障害 … 37
6 視覚認知障害（視覚失認）… 38
7 社会脳（社会的認知機能）の障害 … 38
8 失語・失行・失認のような症状 … 39
9 病識低下 … 40
10 認知障害以外の症状（神経症状）… 41

第2節 生活障害の理解 ……………………………………………… 42

1 生活障害 … 42
2 IADL障害 … 42
3 ADL障害 … 43
4 家庭内での家族との関係 … 46
5 社会参加 … 47
演習2-1 認知症の生活障害の理解 … 48

第3節 BPSDの理解 ………………………………………………… 49

1 BPSDの定義 … 49
2 BPSDの要因（背景因子）… 52
3 BPSDの誘因 … 56
4 主要なBPSD … 57
5 BPSDの評価尺度 … 62
演習2-2 BPSDのさまざまな要因 … 64

第4節 認知症の診断と重症度 ……………………………………… 65

1 診断 … 65
2 認知症の重症度判定 … 73
演習2-3 認知症の評価尺度 … 77

第5節 認知症の原因疾患と症状・生活障害 …………………… 78

1 重複病変 … 79
2 アルツハイマー型認知症 … 79

3	血管性認知症 … 81
4	レビー小体型認知症 … 83
5	前頭側頭型認知症 … 86
6	治療可能な認知症 … 88
7	認知症の原因疾患の鑑別 … 90
8	若年性認知症 … 92
演習2-4	認知症の症状と経過の理解 … 95

第6節 認知症の治療薬 …… 96

1	神経伝達物質の基礎的理解 … 96
2	アルツハイマー型認知症治療薬 … 96
3	BPSD治療薬 … 99
演習2-5	認知症の治療薬の理解 … 102

第7節 認知症の予防 …… 103

1	予防の考え方 … 103
2	認知症のリスクを下げる要因 … 105
3	認知症のリスクを高める要因 … 105
演習2-6	認知症を予防する要因 … 107

第3章 認知症ケアの歴史と理念

第1節 認知症の人を取り巻く状況　これまで－今－これから … 110

1	認知症の人への偏見が生まれた背景 … 110
2	認知症ケアの変遷 … 111
3	認知症の人主体の社会をめざして … 117

第2節 認知症ケアの理念と視点 …… 121

1	認知症ケアの理念とは … 121
2	認知症ケアにおける倫理とは … 123
3	認知症ケアにおける権利擁護の視点とは … 127
4	本人主体のケア … 132
演習3-1	認知症ケアの理念の理解 … 135
演習3-2	認知症の人との適切なかかわり … 135

第3節 認知症当事者の視点からみえるもの …… 136

| 1 | 認知症の人の思い … 136 |
| 2 | 認知症による体験が生活に及ぼす影響 … 140 |

最新 介護福祉士養成講座13 **認知症の理解** 第2版

3 認知症の人の思いを尊重したサポート方法 … 144

演習3-3 認知症の人の気持ち … 152

演習3-4 認知症の人ができるだけ自分でできるように … 152

第 **4** 章 認知症ケアの実際

第 **1** 節 パーソン・センタード・ケア ……………………………………… 154

1 パーソン・センタード・ケア … 154

2 「聞く」「集める」「見つける」の3つのステップ … 157

演習4-1 認知症の人たちが感じている世界 … 163

第 **2** 節 認知症の人の理解と認知症の人の特性をふまえた アセスメント・ツール ……………………………………… 164

1 認知症の人を理解するために … 164

2 センター方式 … 167

3 ひもときシート … 172

4 健康状態のアセスメント … 182

演習4-2 ひもときシートを用いた事例 … 190

第 **3** 節 認知症の人とのコミュニケーション ……………………………… 191

1 認知症の人とのコミュニケーション … 191

2 認知症の人とのコミュニケーションの実際 … 195

第 **4** 節 認知症の人へのケア ……………………………………………… 197

1 食事の準備——IADL障害のケア … 197

2 服薬管理——IADL障害のケア … 197

3 ごみの処理——IADL障害のケア … 198

4 食事——ADL障害のケア … 198

5 排泄——ADL障害のケア … 205

6 入浴——ADL障害のケア … 209

7 清潔保持——ADL障害のケア … 211

8 休息と睡眠のケア … 213

9 活動・生きがいのケア … 216

10 BPSDのケア … 219

第 **5** 節 認知症の人へのさまざまなアプローチ ………………………… 225

1 ユマニチュード … 225

2 バリデーション … 229

3 その他の各種アプローチ … 232

第6節 認知症の人の終末期医療と介護 ……… 239

1 高齢者全般に関する終末期医療と介護 … 239
2 認知症の人に関する終末期医療と介護 … 241
3 認知症の人の終末期のおもな課題 … 243
演習4-3 終末期における認知症の人の意思決定 … 247

第7節 環境づくり ……… 248

1 認知症と環境 … 248
2 環境と向き合う力 … 249
3 物理的な環境の重要性 … 249
4 自宅と施設での環境づくり … 251
5 環境づくりのポイント … 252
6 環境要素に配慮した具体的な工夫 … 256
演習4-4 心地よい環境づくり … 261

第5章 介護者支援

第1節 家族への支援 ……… 264

1 家族の状況 … 264
2 認知症の人の家族の心理過程と葛藤 … 269
3 認知症の人の家族へのレスパイトケア … 273
4 介護福祉職が行う認知症の人の家族への支援 … 277
演習5-1 家族介護者への支援 … 281

第2節 介護福祉職への支援 ……… 282

1 働きやすい職場環境の整備 … 282
2 ケアモデルを実践するための環境整備 … 291
演習5-2 働きやすい職場環境の整備 … 298
演習5-3 ケアモデルを実践するための環境整備 … 298

第6章 認知症の人の地域生活支援

第1節 地域包括ケアシステムにおける認知症ケア ……… 300

1 オレンジプランから認知症施策推進大綱へ … 300
2 認知症の人の地域生活支援 … 303

| | 3 | 認知症当事者の活動 … 311 |

第 2 節　多職種連携と協働 ……………………………………………………… 314

	1	多職種連携と協働の基本的な考え方 … 314
	2	多職種連携と協働に必要な要素 … 319
	3	認知症ケアにたずさわる多職種 … 324
演習6－1		多職種連携と協働の実践 … 332

索引 ……………………………………………………………………………………… 333

執筆者一覧

本書では学習の便宜をはかることを目的として、以下のような項目を設けました。

● 学習のポイント … 各節で学ぶべきポイントを明示
● 関連項目 ………… 各節の冒頭で、『最新 介護福祉士養成講座』において内容が関連する他巻の章や節を明示
● 重要語句 ………… 学習上、とくに重要と思われる語句について色文字のゴシック体で明示
● 補足説明 ………… 専門用語や難解な用語・語句をゴシック体で明示するとともに、側注でその用語解説や補足的な説明を掲載
● 演　　習 ………… 節末や章末に、学習内容を整理するふり返りや、理解を深めるためのグループワークなどの演習課題を掲載

第 **1** 章

認知症の基礎的理解

第 **1** 節 **認知症のある高齢者の現状と今後**

第 **2** 節 **認知症とは何か**

第 **3** 節 **脳のしくみ**

第 **4** 節 **認知症の人の心理**

第 **1** 節

認知症のある高齢者の現状と今後

学習のポイント

■ 認知症高齢者数の推移を理解する
■ 年代別有病率が加齢とともに急増することを理解する

1 認知症のある高齢者数の推移

　認知症高齢者数は、全国10か所の実態調査結果から2012（平成24）年は462万人と推計されました。有病率（高齢者人口全体のなかでの認知症者の割合）は15.0%でした。この発表前は、介護保険利用者のデータから全国で約300万人・有病率10%と推計されていましたので、この全国実態調査結果で認知症高齢者の推計数が約1.5倍に増えました。そして、この調査結果をもとに、各年齢の認知症有病率が将来にわたって一定の場合と、糖尿病などの増加により各年齢の認知症有病率が今後上昇

表1−1　認知症高齢者数の将来推計

年	平成24年 (2012)	平成27年 (2015)	令和2年 (2020)	令和7年 (2025)	令和12年 (2030)	令和22年 (2040)	令和32年 (2050)	令和42年 (2060)
各年齢の認知症有病率が一定の場合の将来推計人数/（率）	462万人 15.0%	517万人 15.7%	602万人 17.2%	675万人 19.0%	744万人 20.8%	802万人 21.4%	797万人 21.8%	850万人 25.3%
各年齢の認知症有病率が上昇する場合の将来推計人数/（率）		525万人 16.0%	631万人 18.0%	730万人 20.6%	830万人 23.2%	953万人 25.4%	1016万人 27.8%	1154万人 34.3%

資料：「日本における認知症の高齢者人口の将来推計に関する研究」（平成26年度厚生労働科学研究費補助金特別研究事業　九州大学　二宮教授）による速報値

する場合の2通りで、認知症高齢者数の将来推計が報告されました（**表1-1**）。この推計では、2020（令和2）年には認知症高齢者数が600万人を超え、2025（令和7）年には約700万人（有病率約20％、5人に1人）に達すると予測されています。

2 認知症の有病率

認知症の年代別有病率を**図1-1**に示しました。この図のもとになった前記の全国調査や若年性認知症の調査（第2章第5節8参照）から、年齢が5歳上がるごとに有病率がほぼ倍増することがわかっています（90歳以上では倍にまでは増えません）。このことから、加齢こそが認知症の最大リスク要因だとわかります。95歳以上では有病率が約80％という数字は、「日本人は長生きできるようになったが、95歳以上まで長生きしていると大部分の人が認知症になる」ということを示しています。ちなみに、日本人の高齢者は、死亡するまでに約50％が認知症になるといわれます。そして、認知症者の約半数は85歳以上、約9割が75歳以上です。

男女を比較すると、男性よりも女性のほうが、有病率が高いです。そして、男性よりも女性の平均寿命が長いため、高齢になるほど女性の占める割合が増加します。

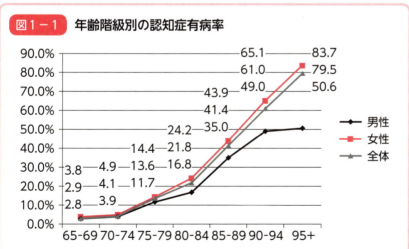

図1-1 年齢階級別の認知症有病率

資料：朝田隆「都市部における認知症有病率と認知症の生活機能障害への対応」（平成21～24）総合研究報告書より、認知症・虐待防止対策推進室にて数字を加筆
厚生労働科学研究費補助金認知症対策総合研究事業総合研究報告書より、認知症・虐待防止対策推進室にて数字を加筆

第2節 認知症とは何か

学習のポイント
- 脳病変と認知機能障害と生活障害の関係を理解する
- 認知症の全体像をとらえる
- 認知症の特徴を理解する

関連項目
- ⑪『こころとからだのしくみ』 ▶ 第1章第3節「こころのしくみの基礎」
- ⑪『こころとからだのしくみ』 ▶ 第7章第2節「心身の機能低下が排泄に及ぼす影響」
- ⑫『発達と老化の理解』 ▶ 第4章「老化にともなうこころとからだの変化と生活」

1 認知症の定義と診断基準

　人の脳には、記憶をはじめ、注意、見たり聞いたりしたものの認知やその分析、意思や行動の決定、さまざまな作業の遂行など、たくさんの認知機能があります。これらの認知機能が発達して成人になった後に、障害を受けて認知機能が低下し、その結果、生活に支障が生じた状態を**認知症**といいます。

　介護保険法第5条の2では、認知症は「アルツハイマー病その他の神経変性疾患、脳血管疾患その他の疾患により日常生活に支障が生じる程度にまで認知機能が低下した状態として政令で定める状態をいう」と定

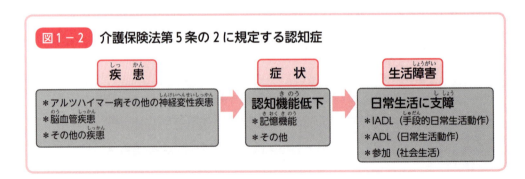

図1-2　介護保険法第5条の2に規定する認知症

第2節　認知症とは何か

義されています（**図1-2**）。つまり、単にもの忘れをするだけでは認知症とはいえず、生活に支障が出てはじめて認知症とされるのです。この介護保険法の定義は、認知症の人の運転を禁じている道路交通法でも使われているので、覚えておきましょう。

　また、WHO（World Health Organization：世界保健機関）の国際的な診断基準であるICD-10では、①記憶障害があること、②意識混濁がないこと（意識障害ではないこと）、③日常生活動作や遂行能力に支障をきたす症状などが6か月以上継続していること（注：精神障害者保健福祉手帳は初診日から6か月以上経過後に申請できる）などを条件に加えています。

　一方、アメリカ精神医学会の診断基準であるDSM-5❶（**表1-2**）では、❶ICD-10では必須の記憶障害が必須ではなく、❷従来の診断基準ではふれられていなかった社会的認知機能（社会脳）が障害された場合でも認知症に含まれるようになりました。社会のルールを守ったり、他者への思いやりのある行動がとれるなどの認知機能が社会脳です。

　アルツハイマー型認知症の場合を例に、具体的に定義を説明しましょう。たとえば、もの忘れをする利用者A・B・Cさんが認知症かどうかを考えてみます。

　Aさんは、もの忘れをしますが、その自覚があり、メモ帳をつける対策を講じていて、生活にはまったく支障がありません。→Aさんはおそらく正常です。

　Bさんは、もの忘れをしますが、その自覚があります。しかし、最近はもの忘れがひどくなってきて、約束を忘れてしまったり、同じ話を繰

❶DSM-5
記憶障害を必須とし、社会脳についてふれていなかった従来の診断基準（DSM-Ⅳ-TR）では行動障害が主症状の前頭側頭型認知症を認知症と診断できなかった点が、改善された。

表1-2	DSM-5の認知症の診断基準（A〜Dのすべてを満たす）	
A	認知障害	6領域（注意、学習と記憶、言語、遂行機能、運動・感覚（失行・失認）、社会的認知）のうちの1領域以上で明確な障害（以前よりも低下）
B	認知障害にもとづく生活障害	自立（独立）した生活の困難（金銭管理・服薬管理などの複雑なIADL（生活管理能力）に最小の援助）
C	意識障害	せん妄ではない
D	精神疾患	認知障害は、精神疾患（うつ病や統合失調症）に起因するものではない

出典：DIAGNOSTIC AND STATISTICAL MANUAL OF MENTAL DISORDERS FIFTH EDITION, American Psychiatric Association, 2013. 山口晴保意訳

❷MCI
記憶などが低下して正常とはいえないが、生活管理はできるので認知症とはいえない中間の状態。アルツハイマー型認知症だけでなく、ほかの認知症の場合もある。

り返してしまったりします。ただし、生活管理はできています。→Bさんは正常とアルツハイマー型認知症の中間段階のMCI❷（Mild Cognitive Impairment：軽度認知障害）であると思われます。

　Cさんは、薬を飲み忘れるようになりました。支援しようとすると、もの忘れの自覚にとぼしく支援を拒否します。→おそらくCさんはアルツハイマー型認知症です。記憶障害という認知機能低下にともなって生活（この例では内服管理）に支障が生じているので、認知症の定義を満たしています。

　このように、目の前の人が認知症かどうかを考えるときは、①低下している認知機能はないか、②生活に支障はないかの2つの点から、ともに「あり」で、その状態が「変動せずに何日も続く」のであれば、認知症が強く疑われます（医師は、❶認知テストで認知機能低下を確認し、❷うつ病など精神障害ではないことや、❸せん妄などの意識障害ではないことを確認して認知症の診断をします）。認知症にはしばしばせん妄が合併しますが、せん妄は認知症の症状ではありません。認知症は認知機能低下、せん妄は覚醒レベル低下（意識障害）ですので、区別するのが原則です。

2 認知症初期に生じる生活の支障（生活障害）

　「認知機能の低下にともなって生活に支障が生じると認知症」という定義を解説しました。では、どのような生活障害が出現するのでしょうか。

　ここでは、SED-11Q（Symptoms of Early Dementia-11 Questionnaire：認知症初期症状11項目質問票）を示します（**表1-3**）。この11項目を介護者がチェックして、3項目以上チェックがつけば認知症が疑われます。アルツハイマー型認知症の初期では平均5〜6項目、中期では8〜9項目を介護者がチェックしました。

　初期にはIADL（Instrumental Activities of Daily Living：手段的日常生活動作）障害として生活管理能力が低下します。

第2節　認知症とは何か

第1章　認知症の基礎的理解

| 表1-3 | SED-11Q（認知症初期症状11項目質問票） |

項　　目
同じことを何回も話したり、尋ねたりする
出来事の前後関係がわからなくなった
服装など身の回りに無頓着になった
水道栓やドアを閉め忘れたり、後片づけがきちんとできなくなった
同時に2つの作業を行うと、1つを忘れる
薬を管理してきちんと内服することができなくなった
以前はてきぱきできた家事や作業に手間取るようになった
計画を立てられなくなった
複雑な話を理解できない
興味が薄れ、意欲がなくなり、趣味活動などを止めてしまった
前よりも怒りっぽくなったり、疑い深くなった

出典：山口晴保研究室ホームページ　http://yamaguchi-lab.net/

3　認知症の症状の全体像

　認知症の人の示す症状は、脳病変の直接的影響を強く受ける**中核症状**（欧米では認知症状）、**知覚認知**[3]・**思考内容**[4]・心理状態・行動に異常が出る**BPSD**[5]（Behavioral and Psychological Symptoms of Dementia：認知症の行動・心理症状）、生活障害に大別されます（**図1-3**）。このほか、終末期には運動麻痺や**パーキンソニズム**[6]、てんかん、失禁、嚥下障害といった症状も脳病変の結果としてあらわれるので、運動障害も認知症の症状の1つだという理解が必要です。さらに、レビー小体型認知症では病変が脳以外の末梢自律神経系にも広がり、便秘や起立性低血圧・失神などの自律神経障害を引き起こします。

　図1-3は症状を分類するとこのようになることを示したものです。しかし実際は、生活障害は中核症状やBPSDにより生じています。アルツハイマー型認知症の繰り返し質問を例にとると、記憶障害という点では中核症状であり、繰り返し行動という点ではBPSDにあたります。中

[3]知覚認知
視覚、聴覚、皮膚感覚などの知覚情報を正しく認識することが知覚認知で、その異常には幻覚や錯覚がある。

[4]思考内容
知覚認知をもとにして大脳で分析し判断するのが思考。思考内容の異常には妄想がある（たとえばみずからのしまい忘れを盗られたと誤って判断する）。

[5]BPSD
p.49参照

❻ パーキンソニズム
体の筋肉が硬くなり、動きが鈍く・少なくなる、手足が震えるなどパーキンソン病でみられる症状。

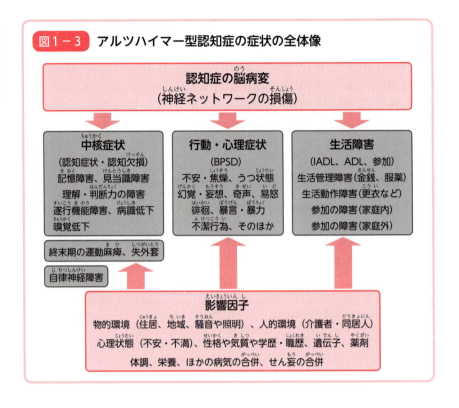

核症状であると同時にBPSDであり、それが生活障害を引き起こしているわけです。レビー小体型認知症の幻視はBPSDであると同時に中核症状でもあります。同様に前頭側頭型認知症の脱抑制にともなう興奮・暴力などもBPSDであると同時に中核症状でもあります。このように、中核症状とBPSDを分けようとするのではなく、これらは視点の違いにすぎないという考え方が必要です[1]。

この考え方で認知症の人の示す症状全体をとらえると、図1-4のようになります。服薬管理を例にとると、日付がわからず（見当識障害）、その日に内服したことを忘れる（記憶障害）など認知機能の視点では中核症状ですが、内服管理ができないという生活の視点では生活管理能力障害（IADL障害）です。錠剤を取り出す作業がうまくできなければ、運動機能の視点では手指の運動障害があるかもしれません。薬は不要だと介護に抵抗すれば、病識低下という認知機能障害（中核症状）であると同時に介護拒否というBPSDでもあります。大切なことは、症状を分類することではなく、認知症の人の示す症状全体を多方面から的確にとらえて全人的に対応することです。その人の認知機能の状態、運動機能や自律神経の状態、生活の状態、心理状態、行動の状態と、多方面（多

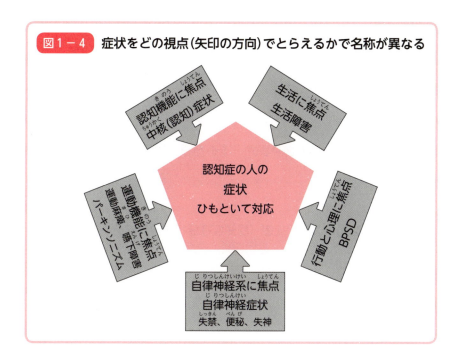

図1-4 症状をどの視点（矢印の方向）でとらえるかで名称が異なる

視点）からアセスメントするのです。

4 認知症の特徴

1 多様な原因疾患

　認知症を引き起こす疾患（病気）は多様です（**表1-4**）。脳の神経回路網にダメージを与えて認知機能を低下させる原因疾患はさまざまですが、頻度の高い疾患は限られています。もっとも高頻度なものはアルツハイマー型認知症で、過半数を占めます。次いで、レビー小体型認知症と血管性認知症です。さらに少ないのが前頭側頭型認知症（ピック病）や正常圧水頭症です。最近は嗜銀顆粒性認知症も注目されています。その他、脳腫瘍や頭部外傷などの脳の病気だけではなく、心臓や肺、腎臓の内科疾患も認知機能低下を引き起こす原因となることがあります。ただし、これらの認知症を引き起こす疾患は、早期の適切な治療で認知症様の症状は改善しますので、**治療可能な認知症**❼といわれます。抗不安薬が原因で認知症の状態になっていたり、うつ病が原因で認

❼**治療可能な認知症**
「6か月以上症状が継続」というICD-10の認知症診断基準にのっとれば、治療可能な疾患は認知症とはいえない疾患となる。

知症の状態になっている事例もしばしばありますが、薬の中止やうつ病の治療で、認知症の状態から回復するため、真の意味での認知症ではありません。

　上記に示したように原因疾患が多様であるだけでなく、高齢になるほど原因疾患が重複します。アルツハイマー型認知症とレビー小体型認知症の症状を併せもつ例もあります。そのため、90歳以上の超高齢者では

表1-4　認知症の原因疾患（認知症様症状を示す疾患を含む）

Ⅰ．変性型認知症
　　1）皮質性認知症：アルツハイマー病、レビー小体型認知症、前頭側頭型認知症（ピック病やFTDP-17を含む）、嗜銀顆粒性認知症
　　2）皮質下性認知症：進行性核上性麻痺、認知症を伴うパーキンソン病、大脳皮質基底核変性症
　　3）辺縁型認知症：神経原線維変化優位型老年期認知症
Ⅱ．脳血管性認知症
　　1）大脳皮質病変型
　　2）皮質下病変型
　　3）重要部位病変型
　　4）血管炎：SLE、結節性多発動脈炎
Ⅲ．脳内病変によるもの
　1．脳を圧迫する疾患※
　　1）正常圧水頭症
　　2）慢性硬膜下血腫
　　3）脳腫瘍、脳膿瘍
　2．感染症
　　単純ヘルペス脳炎（後遺症）、AIDS脳症、進行麻痺、プリオン病（クロイツフェルト・ヤコブ病）
　3．自己免疫疾患※
　　多発性硬化症、神経ベーチェット病
　4．頭部外傷後遺症
Ⅳ．全身性疾患に伴うもの※
　1．内分泌・代謝性疾患
　　1）カルシウムなどの電解質：副甲状腺機能低下症、腎不全
　　2）糖代謝：低血糖、高血糖
　　3）甲状腺機能：甲状腺機能低下症
　2．欠乏症：ビタミンB_{12}、B_1（ウェルニッケ脳症）
　3．中毒：アルコール、有機水銀、鉛、シンナー
　4．低酸素症：呼吸不全、心不全、貧血、CO中毒

※：治療で改善する可能性があるもの

資料：山口晴保編著『認知症の正しい理解と包括的医療・ケアのポイント──快一徹！脳活性化リハビリテーションで進行を防ごう　第3版』協同医書出版社、p.18、2016年

第2節　認知症とは何か

1つの原因疾患に決めつけてしまうことの弊害も生じます。

2　進行性の経過

　アルツハイマー型認知症や**レビー小体型認知症**[8]、前頭側頭型認知症は、進行性の経過をたどります。適切な治療で一時的に症状が改善しても、長期的には進行していきます。血管性認知症は、適切な治療やリハビリテーションで進行が停止したり、改善し、その状態が継続することもあり、必ずしも進行性ではありません。

　アルツハイマー型認知症を例にとって、脳病変の進行と合わせた症状の進行を説明します（**表1−5**）。アルツハイマー型認知症の脳病変ができはじめても、そのダメージが少ないうちは症状が出ません。この状態が約20年続きます。脳病変が広がりダメージが強くなってくると、健忘症状が出ますが、生活管理能力は保たれているMCIのステージとなり5年くらい続きます。そして、さらにダメージが広がると、認知症を発症し、発症以降をアルツハイマー型認知症といいます。そして、健忘と見当識障害、IADLの低下が中心の軽度のステージ、入浴や更衣などのADL（Activities of Daily Living：日常生活動作）が低下しはじめる中等度のステージ、そしてADLには手助けが必要で認知機能が正常な人には理解しがたい行動や尿失禁が出てくる重度のステージを経て、運動機能の低下から歩行困難、パーキンソニズム、発語困難、そして嚥下障害が出て誤嚥性肺炎を頻発する終末期にいたり、全経過10年から15年で死亡します（死亡にいたる期間は個人差が大きいです）。

　認知症の進行は、脳病変の影響だけでなく、環境や本人の生き方などの影響を強く受けます。その人に日課や役割があり、自己決定が尊重されて、生きがいを感じながら生活していると、進行が遅れる傾向があります。一方、役割や他者との交流がなく、不活発で閉じこもった生活を送っていたり、自己決定がうばわれ、何でもしてもらえる介護環境にいると、進行が早まる傾向があります。自立・自律支援の適切なケアが、生命予後を改善します。

---

[8]**レビー小体型認知症**
治療で症状がほぼ消失したり、年余にわたりよい状態が継続することがある。

第1章　認知症の基礎的理解

11

表1-5　アルツハイマー型認知症の進行過程

	無症状期	MCI期	軽度期	中等度期	重度期	終末期
HDS-R※	30〜26	25〜21	20〜15	14〜9	8〜0	測定不能
症状	なし	健忘のみ	健忘、見当識障害	左記＋遂行機能障害	左記＋失行・失認症状	会話不能
生活	自立	自立	生活管理が困難	生活管理破綻、ADL一部介助	ADL介助	寝たきり、嚥下困難

※：HDS-R（長谷川式認知症スケール）の値は目安。HDS-Rについては第2章第4節を参照。

注：事例ごとにばらつきが大きい。

◆ 引用文献

1）山口晴保・藤生大我「認知症の症状は「分類」から「視点」への転換を〜BPSDを中心に」Dementia Japan　第35巻第2号、pp.226-240、2021年

◆ 参考文献

● 山口晴保『紙とペンでできる認知症診療術──笑顔の生活を支えよう』協同医書出版社、2016年

● 山口晴保『認知症の正しい理解と包括的医療・ケアのポイント──快一徹！　脳活性化リハビリテーションで進行を防ごう　第3版』協同医書出版社、2016年

演習1−1　認知症の定義・診断基準

認知症の定義・診断基準を比べて、その特徴を整理してみよう。

定義・診断基準	特徴
介護保険法 第5条の2	
DSM-5	
ICD-10 （WHO）	

第3節

脳のしくみ

学習のポイント

- 脳の構造・機能と症状の関係を理解する
- 認知症と区別すべき状態を理解する
- 老化にともなう脳の変化を知り、認知症との関連を理解する

関連項目
⑪『こころとからだのしくみ』▶ 第1章第3節「こころのしくみの基礎」
⑫『発達と老化の理解』▶ 第4章「老化にともなうこころとからだの変化と生活」

1 脳の構造・機能

顕微鏡で調べると、脳を構成する細胞は神経細胞とグリア細胞に大別されます。神経細胞の特徴は、ほかの神経細胞からの信号（興奮しなさい、または興奮しないようにという興奮・抑制の2種類の命令）をシナプス❶で受け取るアンテナのような樹状突起と、神経細胞の興奮（活動電位という電気信号）を次の神経細胞に伝える軸索をもつことです（図1-5）。一方、グリア細胞は、神経細胞の活動を支えたり（星形グリア）、髄鞘を形成したり（オリゴグリア）、異物を掃除したり（ミクログリア）と、神経細胞の活動を支えます。

肉眼で見た脳は、大脳（皮質と白質）、大脳の中心部に位置する大脳基底核、脳幹（中脳、橋、延髄）とその後方にある小脳（皮質と白質）に分けられます（図1-6）。大脳は、左右の半球からなり、脳梁で左右がつながれています。左脳（左半球）には言語中枢があり、理知的に考えることが得意な傾向があります。右脳（右半球）は非言語的な感性を大切にする脳といわれます。大脳は、前から前頭葉、側頭葉、頭頂葉、後頭葉に分割されます。

脳は全体が1つのシステムとしてはたらくので、それぞれの部位が完全に分業しているわけではありませんが、脳のある部位が壊れるとその

---

❶シナプス
神経細胞から次の神経細胞への情報伝達を効率よく行うための特殊な場として、シナプスという部位がある。ここで軸索終末側から放出される神経伝達物質を樹状突起側の受容器が受け取ることで、信号が伝達される。

第 3 節　脳のしくみ

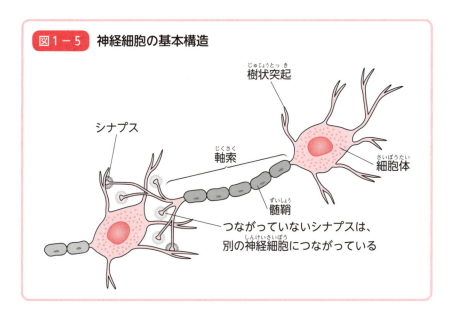

図1-5　神経細胞の基本構造

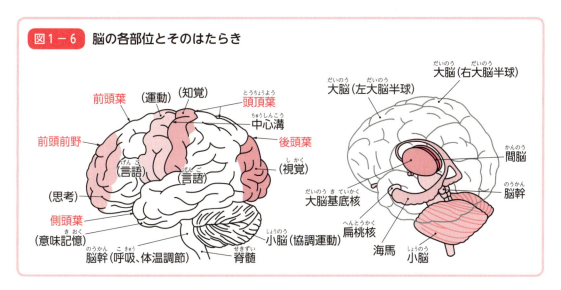

図1-6　脳の各部位とそのはたらき

壊れた部位に特有の症状があらわれることから、その特定部位が特定の機能と密接に関係していることがわかります。そのような研究から、脳各部位のはたらきが明らかになっています。前頭葉、とくに**前頭前野**❷といわれる前頭葉の前方半分は、ヒトで高度に発達した部位で、「人間らしさ」や理性と密接に関係した領野です。前頭葉の後方半分は身体の運動に関係した部位で、この運動野が壊れると、基本的に反対側の半身の運動麻痺を生じます。左の前頭葉には運動性言語中枢のブローカ野があり、発語（しゃべる機能）に関係しています。

❷前頭前野
前頭前野の外側面は作業記憶（ワーキングメモリー）や遂行機能など、内側面は他者への共感・同情や内観（自分をふり返る）など、底面（眼窩面）は理性による行動の抑制など、「人間らしさ」の機能を担っている。

15

❸意味記憶

言語で覚えた知識全体をいう。たとえば、リンゴの名前がわかる、赤くて丸い形をしている、甘酸っぱい味がするなど、国語辞典や百科事典のように学習で知識をためこんで形成される。学力テストのために暗記する情報は意味記憶となる。

❹連合野

ヒトで発達している領域で、一次領野からの各種感覚情報や運動の情報を統合し、知識や判断など高次脳機能を担当する。連合野が局所的に壊れると、部位特有の高次脳機能障害が出現する。

側頭葉には聴覚野があり、音声情報が集まり、分析されます。ヒトの声の意味理解は、感覚性言語野（ウェルニッケ野：聞いた言葉を理解する）がある左側頭葉が担当します。側頭葉には過去の体験（エピソード記憶）や意味記憶❸が蓄えられ、たくさんの経験や学習が知識として詰まっています。そして、後頭葉から送られてくる視覚情報（色や形など）から見たものが何かわかる、顔からだれかわかるなどのはたらきをします。頭頂葉の前方には感覚野があり、反対側半身の感覚情報が集まり分析されます。視覚情報は後頭葉から頭頂葉に送られると、見たものが三次元空間のなかのどの位置にあるのかや、どの方向に動いているのかが分析されます。後頭葉には視覚情報が届く視覚野があり、見たものの形や色や動きが分析され、ほかの部位に送られます。

大脳皮質は、大きく一次領野と連合野❹に分けられます。一次領野は、脳以外からの情報が脳に最初に入る部位である感覚野、聴覚野、視覚野などと、脳以外の部位に運動命令を出力する前頭葉運動野があります。一方、連合野は一次領野の周辺の領域です。頭頂葉を例にとって説明すると、一次領野である感覚野に集まった情報を頭頂連合野が分析します。右手に何かが触れたとき（触覚刺激が加わったとき）に、それが自分でものを触ったために生じた感覚なのか、それとも他者が自分を触ったために生じた感覚なのかを区別するのが頭頂連合野です。この部位に前頭葉運動野から送られてくる自分の運動状況の情報と、感覚情報を照合します。こうしてその触覚が自分の動きにともなうものか他者からもたらされたものかを判別します。そして自分の動きにともなう感覚であれば意識にのぼらず無視され、他者からもたらされたものであれば危害を加えられる可能性があるので敏感に感じて意識にのぼります。これは連合野における情報分析のほんの一例です。

大脳辺縁系は、大脳の深部に位置し、嗅覚や風景・場所の記憶に関係するような古い皮質、情動に関係する扁桃体、自律神経系の中枢がある視床下部、記憶に関係する海馬などが含まれます。

第3節 脳のしくみ

2 認知症の病理

アルツハイマー型認知症を例にとって説明します。アルツハイマー型認知症の脳を顕微鏡で調べると、**老人斑❺**と**神経原線維変化❻**という2つの病理変化がみられることをアルツハイマー（Alzheimer, A.）医師が1911年に報告しました。この老人斑は、**βたんぱく❼**というたんぱくが神経細胞の周囲に多量に異常蓄積して生じたものだということや、神経原線維変化はタウたんぱくが神経細胞内に多量に異常蓄積して生じたものだということが1980年代に明らかにされました。この2つのたんぱくがどのように蓄積してアルツハイマー型認知症を引き起こすのかを図1-7で説明します。

アルツハイマー型認知症発症から25年さかのぼると、大脳皮質のごく一部にβたんぱくが老人斑として沈着しはじめます。この沈着は徐々に範囲を広げていくのですが、はじめの20年くらいは無症状です。それは、認知機能には余力があるので、少しくらいのダメージでは症状が出ないのです。βたんぱくの異常蓄積が始まって10年以上経過すると、タウたんぱくの異常蓄積が徐々に始まり、量を増やしていきます。こうしてβたんぱくの沈着開始から20年くらいすると、もの忘れが目立つようになります。しかし、もの忘れが強くなっても生活管理能力が保たれていれば認知症ではないのでMCI（Mild Cognitive Impairment：軽度認知障害）となるのです。そして、MCIが5年ほど経過すると、生活管理に破綻が生じて、いよいよアルツハイマー型認知症を発症します。そのころにはβたんぱくとタウたんぱくの異常蓄積が大脳皮質連合野全体に広がっています。発症したあとは、脳病変の進展にともなって認知機能障害が進行するだけでなく、終末期には一次領野にも拡がり身体の運動機能や嚥下機能も損なわれ、個人差が大きいですが、おおむね10～15年の経過で燃え尽きるように死亡します。βたんぱくの異常蓄積が始まってから亡くなるまでの全期間（約40年間）を**アルツハイマー病❽**、そして認知症が発症したあとの期間をアルツハイマー型認知症といいます。このように、長い年月をかけて脳病変がじわじわと進展し、症状がゆっくり進行する疾患を神経変性疾患といいます。

レビー小体型認知症では、αシヌクレインというたんぱくが中枢神経系だけでなく、末梢自律神経系にも異常蓄積します。そして、蓄積が始

---

❺老人斑
神経細胞の外にβたんぱくが重合したアミロイド線維として多量に沈着したもので、球状のものが多い。特殊な染色をして顕微鏡で見つかる病変。

❻神経原線維変化
神経細胞のなかにタウたんぱくが線維状に異常蓄積した構造物。徐々に大きくなり、いずれ神経細胞が死んでしまうと、細胞の外に取り残される。特殊な染色をして顕微鏡で見つかる病変。

❼βたんぱく
大きなたんぱく（βたんぱく前駆体）の一部分が切り出されて産生される。正常な脳でも産生されているが、ある年齢（早いと40歳代）から脳に沈着が始まる。

❽アルツハイマー病
βたんぱくの蓄積が始まっても無症状な時期、MCIの時期、認知症の時期の全期間をあらわす用語としてアルツハイマー病が使われる。

17

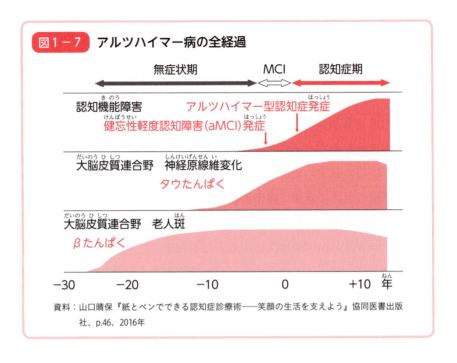

まっても認知機能低下がしばらくのあいだは出現せず、便秘やうつなどが認知機能低下よりも先にあらわれます。これも、神経変性疾患です。

3 アルツハイマー型認知症の進行は発達を逆行

　小児の発達過程から考察すると、見る、聞く、動くといった生活に必須な活動に関する一次領野は早くから発達します。一方、高次脳機能を分担する連合野は時間をかけて思春期までにゆっくりと発達します。そして、アルツハイマー型認知症では連合野に病変がたくさんできてダメージが強く、その一方で、一次領野の病変は比較的軽く、末期に近づくまで機能が保たれる傾向があります（**図1−8**）。これは、アルツハイマー型認知症は終末期近くまで歩くことができ、見たり聞いたりもできますが、情報分析力（連合野のはたらき）は早期から低下するということからもわかります。

　人間が生まれたときの脳重量は400g程度です。それが成人では1300gほどに発達します。約3倍の重さになるのは、神経細胞の数が増えるのではなく軸索という神経突起に**髄鞘**❾が巻きついて、神経伝導速度が速くなることと関係しています。髄鞘のない無髄神経線維が有髄化するこ

❾ **髄鞘**
髄鞘のない無髄神経線維は秒速1m以下の伝導スピードであるが、髄鞘がある有髄神経線維は秒速50m以上の伝導スピードになる。

図1-8 大脳皮質の髄鞘化の進行とアルツハイマー型認知症の病変密度との関係

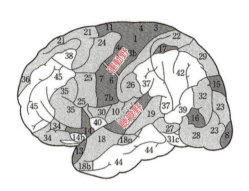
脳の髄鞘化の進行モデル

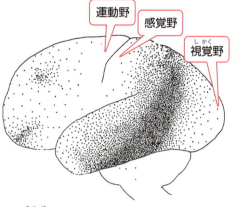
アルツハイマー型認知症の病変分布

運動野や聴覚野など色の濃い部分は髄鞘化が早い領域。一方、前頭連合野や頭頂連合野、側頭連合野は色が白く、髄鞘化が遅いことを示している。

点の密度が高い部位の病変が強い。髄鞘化が遅い部位（連合野）から病変（老人斑など）が広がる。

資料：Flechsig, P. E., "Gehiru und Seele", *Leipzig*, Veit und Campagnie, 1896., Brun, A., 'An overview of light and electron microscopical changes', Ed: Reisberg, B., *Alzheimer's Disease*, The Free Press, pp.37-47, 1983.

とで、情報処理スピードが上がると同時に脳重量が増えるのです。この髄鞘化は一次領野が先行します。そして連合野はゆっくりと髄鞘化していきます（図1-8）。

思春期に向かってゆっくりと連合野（高次脳機能の領域）が発達することを述べましたが、アルツハイマー型認知症の進行過程はこの発達過程を逆行します。FAST（表1-6）に示すように、日常生活機能は軽度の段階で8歳〜思春期に相当、中等度では5〜7歳に相当、重度では乳幼児に相当します。髄鞘化が遅かった連合野から障害されるので、遂行・思考・判断などの人間で発達した高次脳機能から先に障害されます。そして、あとから一次領野も障害されるようになって、最後は赤ちゃんの認知機能・身体機能の状態に近づきます。だからといって、終末期の人を赤ちゃんのように扱うケアは誤りです。

終末期が近づくと運動麻痺やパーキンソニズムやてんかんといった認知機能低下以外の症状もあらわれます。これらは廃用で二次的に生じるのではなく、アルツハイマー型認知症の脳病変が直接引き起こします。

表1-6	アルツハイマー型認知症の日常生活機能にもとづく重症度（FAST）		
ステージ	臨床診断	特　　　徴	機能獲得年齢
1	正常成人	主観的にも客観的にも機能障害なし	成人
2	正常老化	物忘れや仕事が困難の訴え、他覚所見なし	
3	境界域	職業上の複雑な仕事ができない	若年成人
4	軽度AD*	パーティーのプランニング、買物、金銭管理など日常生活での複雑な仕事ができない	8歳～思春期
5	中等度AD	TPOに合った適切な洋服を選べない 入浴させるためになだめることが必要	5～7歳
6 a	やや重度AD	独力では服を正しい順に着られない	5歳
b	同上	入浴に介助を要す、入浴をいやがる	4歳
c	同上	トイレの水を流し忘れたり、拭き忘れる	48か月
d	同上	尿失禁	36～54か月
e	同上	便失禁	24～36か月
7 a	重度AD	語彙が5個以下に減少する	15か月
b	同上	「はい」など語彙が1つになる	12か月
c	同上	歩行機能の喪失	12か月
d	同上	座位保持機能の喪失	24～40週
e	同上	笑顔の喪失	8～16週
f	同上	頭部固定不能、最終的には意識消失	4～12週

＊：Alzheimer's disease

資料：Reisberg, B., 'Dementia：a systematic approach to identifying reversible causes', *Geriatrics*, 41（4）, pp.30-46,1986.

4 脳の構造と症状との関係

　これまで脳の各部位とその部位がおもに担当する機能を説明しました。次に、脳の各部位と症状との関係を説明します。

　認知症疾患（タイプ）のなかで前頭葉の萎縮が強い行動障害型前頭側頭型認知症では、行動の抑制が効かず理性的な行動がとれない（脱抑制）、他人の気持ちに共感できない、社会のルールを守れないなど、社会脳機能の障害があらわれます。側頭葉萎縮が強い意味性認知症では、聞いた言葉の意味がわからない、顔を見てもだれだかわからない（相貌失認）といった症状があらわれます。アルツハイマー型認知症は頭頂連

合野の機能低下が早期からみられ、視点取得困難（他者の視点でものを
みられない）や視空間認知障害があらわれます。アルツハイマー型認知
症は、側頭連合野や前頭連合野の機能低下もともないます。そして、海
馬領域の病変により、新しいエピソードを記憶できないという症状があ
らわれます。

　後頭葉の機能低下がほかの部位よりも強いのが、レビー小体型認知症
です。よって、**幻視**⑩など視覚に関する症状が出ます。レビー小体型認
知症の病変は大脳基底核や脳幹部にもあらわれるので、症状（覚醒レベ
ル）の変動やパーキンソニズムなどを引き起こします。さらに、中枢お
よび末梢の自律神経系の障害が便秘や起立性低血圧などの認知機能障害
以外の症状を引き起こします。

　嗅脳にはアルツハイマー型認知症とレビー小体型認知症で早期から病
変が出現し、嗅覚低下が初期からあらわれます。認知症でダメージを受
ける部位は大脳皮質に限りません。

　血管性認知症は、血管障害が生じた場所に応じて異なる症状が出ま
す。大脳皮質の障害部位に応じた遂行機能障害、失行、失認、失語など
のさまざまな**高次脳機能障害**⑪や前頭葉白質の虚血による**アパシー**⑫や
うつ、大脳基底核の病変によるパーキンソニズム、両側大脳白質病変によ
る偽性球麻痺（構音障害と嚥下障害）など、多様な症状があらわれま
す。

5　意識障害でないことの理解

　認知症では基本的に覚醒レベルが保たれていますが、レビー小体型認
知症では意識を保つ系統にダメージが及ぶために覚醒レベルが変動し、
覚醒レベルが低下したときに認知機能の悪化や幻視、せん妄などがあら
われます。また、血管性認知症ではとくに夜間に覚醒レベルが低下し、
夜間せん妄をともないやすい傾向があります。

　覚醒レベルが軽度に低下し、同時に注意障害などの認知機能に障害を
ともなっている状態が**せん妄**⑬です。せん妄は意識障害の一種で、認知
症とは区別すべき病態です。しかし、前述のようにレビー小体型認知症
や血管性認知症ではせん妄を合併した状態がしばしばあらわれます。

　また、アルツハイマー型認知症でもせん妄を合併すると、認知機能が

---

⑩幻視
実際には見たものを別な
ものと見間違える錯視で
あることが多い。

⑪高次脳機能障害
大脳の一次領野がになう
知覚や運動などの低次の
脳機能に対して、連合野
がになう知覚の統合、解
析、判断、行動の決定、
社会のルールとの照合、
他者の意図の推測などの
高次な認知機能を高次脳
機能という。その障害は
p.82を参照。

⑫アパシー
　p.60参照

⑬せん妄
DSM-5のせん妄の診断
基準を意訳すると、①注
意障害と意識障害があ
る、②①の症状は短期間
で出現し、日内変動もあ
る、③認知障害をともな
う、④①と③を認知症で
はうまく説明できない
し、昏睡ではない、⑤原
因や誘因があるの5条件
を満たすこととなる。

表1-7	せん妄と認知症の鑑別	
	せん妄	認知症
病態	意識障害	認知障害
関係	認知症に、しばしばせん妄が合併	
誘因	あり	なし
変動	あり	なし※
経過	一過性	持続性
治療	①誘因除去・原因薬剤中止 ②治療薬剤投与	抗認知症薬

※レビー小体型認知症を除く

出典：山口晴保『紙とペンでできる認知症診療術——笑顔の生活を支えよう』協同医書出版社、p.94、2016年を一部改変

悪化しBPSD（Behavioral and Psychological Symptoms of Dementia：認知症の行動・心理症状）が増悪します。しかし、せん妄は一時的なのが特徴で、たとえば夜間にせん妄があらわれていても、ぐっすり眠るとせん妄が消失し、翌日は認知レベルが元に戻り、せん妄によるBPSDも消失します。

　表1-7にせん妄と認知症の鑑別をまとめました。せん妄の特徴は、①ぼーっとしていたり、目つきが変わっていて覚醒レベルが低下している、②注意障害があり、呼びかけたときの反応がいつもと異なり適切でなかったり、簡単な命令に応じたりすることができない、③睡眠覚醒のリズムが乱れ、昼夜逆転することもあるといったことで、これらがあればせん妄を疑います。多くの場合、せん妄には誘因があります。高齢者の認知症で脳がもろくなった状態では、脱水、便秘、発熱、疼痛、身体拘束などで容易にせん妄が生じます。せん妄は適切な対応と治療薬で改善するので、せん妄に気づくことが大切です。興奮して過活動の状態となる過活動性せん妄は見つかりやすいのですが、ぼーっとしているだけでおとなしい低活動性せん妄は見過ごされやすいので注意します。

第3節 脳のしくみ

6 うつとアパシーの理解

うつ[14]とは、気分が落ちこみ、自分は生きている価値がないといった悲哀を感じている状態です。健常者も失敗すれば気持ちが落ちこみますが、時間の経過とともにもち直します。しかし、うつ状態が継続し、そこから抜け出せない状態が2週間以上続くのがうつ病です。このうつ病の状態で記憶機能が低下し、軽度の認知症様の症状となると偽性認知症といわれます。

では、認知症疾患とうつとの関係はどのようなものかといいますと、血管性認知症は、前頭葉白質に病変があるとうつ症状があらわれます。レビー小体型認知症では初期からうつがその症状の1つとなります。アルツハイマー型認知症の場合も初期には自分の記憶が失われていくという喪失体験からうつ症状が出ることがありますが、進行とともにうつが消え多幸的になる傾向があります。

うつと区別が必要な症状にアパシーがあります（表1-8）。自発性が低下・欠如した状態です。うつでも意欲が減退しますが、うつではそのこと（現実）を自覚し、現実と理想とのギャップに葛藤しています。一方、アパシーは、やる気のなさ（無気力）の自覚に乏しく、平然としていて無感情、そして悲哀的ではない点が特徴です。アパシーは、血管性認知症に多く出現する傾向があります。また、どの型の認知症でも、重度になるとアパシーが出現します。

[14] うつ
うつ状態が続くと海馬の神経細胞が減り記憶障害が引き起こされることが示されている。

第1章 認知症の基礎的理解

表1-8 うつとアパシーの特徴

	うつ	アパシー
気分	悲哀、絶望	無感情、無気力
自己洞察	悲観的、病識過剰	無関心、病識低下
葛藤	あり（理想と現実）	なし

23

7 老化と認知症の関係

　知能は、瞬時の判断力などの流動性知能と、経験を集積した知識である結晶性知能に分かれます。結晶性知能は高齢になるまで高まり続けますが、流動性知能は30歳代をピークに加齢にともない徐々に低下していきます。末梢神経の電気的興奮が伝わる速度（神経伝導速度）を調べても、加齢とともにそのスピードが徐々に低下します。これらの低下はだれにでもみられる加齢変化なので、生理的な（健常な）老化現象といえます。

　一方、認知症になると、流動性知能や結晶性知能が同年齢の人たちに比べていちじるしく低下します。そして、知能低下によって日常生活に支障が出た状態が認知症です。このように「日常生活の自立」という基準を使うことで正常な状態（健常）と異常な状態（認知症）のあいだに線を引くことができます（図1-9）。

　では、それぞれの認知症タイプの脳病変と老化との関係をみていきましょう。アルツハイマー型認知症・レビー小体型認知症・前頭側頭型認知症といった主要な認知症の脳に生じる変化は、特定のたんぱくが異常

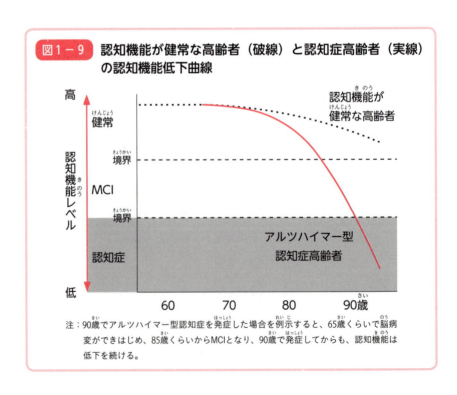

図1-9 認知機能が健常な高齢者（破線）と認知症高齢者（実線）の認知機能低下曲線

注：90歳でアルツハイマー型認知症を発症した場合を例示すると、65歳くらいで脳病変ができはじめ、85歳くらいからMCIとなり、90歳で発症してからも、認知機能は低下を続ける。

に多量蓄積することです。ところが、これらのたんぱくが脳にたまりはじめてもすぐには症状が出ません。いわば認知症の潜伏期（脳に病変はできはじめているが症状が出ない20年のあいだ）と健常な高齢者を区別することは容易ではありません（**図1-10**）。しかし、診断技術の進歩により、たとえばアルツハイマー型認知症の脳で多量蓄積するβたんぱくを**アミロイドPET**[15]という特殊な脳画像検査で見える化する方法は開発されているので、発症の10年前に異常蓄積を見つける技術が生み出されています（保険適用の検査ではありません）。今後、アルツハイマー型認知症の**根本的治療薬**[16]が開発されれば（p.99コラム参照）、この検査で発症の10年前に異常蓄積を見つけて、治療を開始することができます。アルツハイマー型認知症の発症を防げる時代が来ることをめざして、研究が進行しています。

[15]アミロイドPET

βたんぱくが重合したアミロイド線維に結合する物質に放射性同位元素をつけて注射し、脳にどの程度取りこまれるかを、放射線の量から画像化する装置。老人斑アミロイドが見つかる。

[16]根本的治療薬

βたんぱくやタウたんぱくの蓄積を阻止する薬剤や、蓄積を取り除く薬剤がアルツハイマー型認知症の根本的治療薬。発症後に使うと進行が止まるが正常には戻らないので、発症前投与が望ましい。

図1-10　脳病変の例示

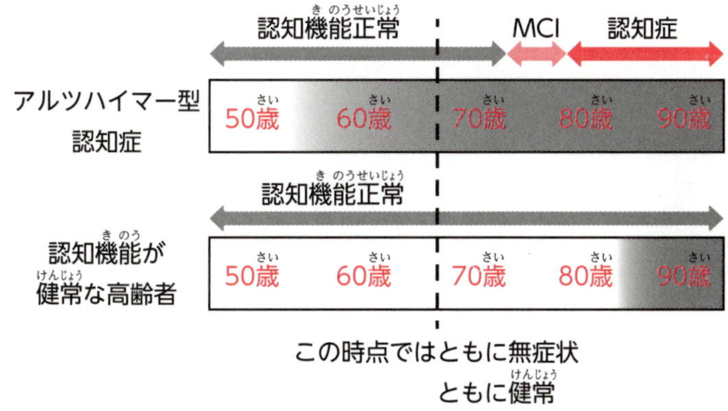

認知機能正常　　MCI　認知症

アルツハイマー型認知症
50歳　60歳　70歳　80歳　90歳

認知機能正常

認知機能が健常な高齢者
50歳　60歳　70歳　80歳　90歳

この時点ではともに無症状
ともに健常

注：50歳代で脳の変化が始まり80歳でアルツハイマー型認知症を発症した事例と、80歳で脳の変化が始まり90歳でも無症状の事例の対比。
脳の変化はじわじわ進行し、最初の20年間は症状が出ないので、70歳ではともに無症状で健常と判別される。下段の認知機能が健常な高齢者も脳の変化は80歳から始まっているので、100歳でMCIになると推測される。上段の事例も、破線の時点で根本的治療薬による治療ができれば、それ以上進行しなくなり発症しない。

◆ **参考文献**

● 山口晴保『紙とペンでできる認知症診療術――笑顔の生活を支えよう』協同医書出版社、2016年

● 山口晴保『認知症の正しい理解と包括的医療・ケアのポイント――快一徹！ 脳活性化リハビリテーションで進行を防ごう 第3版』協同医書出版社、2016年

演習1−2　認知症と区別すべき症状

認知症とうつ病とせん妄の特徴を整理してみよう。

	認知機能障害	覚醒レベル	心理症状	経過
認知症				
うつ病				
せん妄				

第**4**節

認知症の人の心理

学習のポイント

- 不安・喪失感を抱く理由を理解する
- 視点取得という認知機能をフル活用したケアについて理解する

関連項目 ⑫『発達と老化の理解』▶ 第4章「老化にともなうこころとからだの変化と生活」

1 不安・喪失感

　不安は**BPSD**（Behavioral and Psychological Symptoms of Dementia：認知症の行動・心理症状）の1つですが、同時に多くのBPSDに共通する背景要因でもあるので、BPSDを解説する前に、認知症の人に生じる不安・喪失感について解説します。

　認知症の人はなぜ不安になるのでしょうか？　アルツハイマー型認知症を例にとって説明します。健康な人は、これまで積み重ねてきた経験（エピソード記憶）が脳に蓄積していき「自分」が形成されていきます（記憶障害がない）。そして、1人の社会人として自分のおかれた状況を把握し（見当識があり）、生活を管理し、尊厳が保たれ、そして、将来の展望をもっています。いわば、過去→今→未来につながる時間軸を保持しています（**図1−11**）。

　一方、アルツハイマー型認知症の人は、軽度のステージでも、記憶がつながらないことから見当識があやふやになり、適切な状況判断ができなくなり、場の空気を読むような高度の認知機能も低下します。記憶がつながらないだけでも「自分が壊れていく」漠然とした不安の要因となりますが、生活で失敗が増えると、引っ込み思案になり、趣味活動などをやめ、友人との外出頻度も減り、さらに家族からは失敗をとがめられ、役割をうばわれることが多くなります。このようなさまざまな要因が重なり、不安・喪失感が募っていきます（**図1−11**）。アルツハイマー

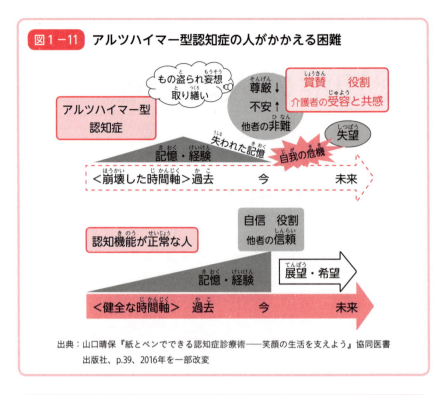

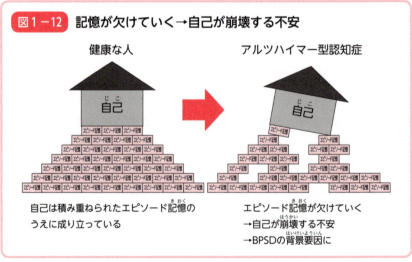

　型認知症が進行すると、今を真剣に生きていても近い過去の記憶が抜け落ち、将来の展望ももてない「時間軸が壊れた状態」になります。城にたとえると、健康な人はエピソード記憶がしっかり積み上がったうえに自分という櫓が建っています。一方、アルツハイマー型認知症の人は、エピソード記憶という石垣の石が抜け落ちた不安定な城壁のうえに櫓が建っていて、今にも崩れ落ちそうな「不安な」状態です（図1-12）。

第 4 節　認知症の人の心理

第1章　認知症の基礎的理解

　このような不安定な自己（不安や喪失感がいっぱいの状態）になると、自信は喪失し、自分がしまい忘れて見つからない物をだれかに盗られたと他者に責任転嫁して自己防衛するような心理的反応（防衛機制）が出てきます。アルツハイマー型認知症では、一見ニコニコと取り繕うので不安がないようにみえても、漠然とした不安感（病感）が隠れています。

2 不安・うつと病識低下

　失敗体験の蓄積が不安やうつをもたらします。しかし、アルツハイマー型認知症の人は、進行とともに自分の失敗体験も忘れるようになり、**病識が低下**❶し（認知機能低下の自覚がとぼしくなり）、他人の前では明るく振る舞い、不安を見せないようになります。ただし、程度の差こそあれ、不安・喪失感は認知症の人の行動の背景にずっとつきまとっています。

❶病識低下
p.40参照

　レビー小体型認知症や血管性認知症では、初期からうつ的なことが多く、病識は比較的保たれ（時には過剰で）、不安も強い傾向があります。これが、レビー小体型認知症においては幻視に起因する妄想や嫉妬妄想の背景要因となります。血管性認知症でも、被害的な妄想の背景要因となります。

3 不安・うつの病態

　アルツハイマー型認知症の不安やうつは、脳病変の影響だけでなく、失敗体験から二次的にもたらされる部分もあります。血管性認知症では、前頭葉白質や大脳基底核の病変がうつと関連することが示されています。レビー小体型認知症のうつや不安も大脳基底核や脳幹部の脳病変と密接に関連しています。

　認知症の人の不安やうつをかかわり方による二次的な反応（従来の周辺症状の考え方）としてとらえるだけではなく、脳病変の影響が大きいという理解が必要です。

29

4 認知症の人のこころの理解

**❷ パーソン・セン
タード・ケア**
p.154参照

認知症の人へのケアでは、本人のかかえる不安・喪失感を理解したうえで、本人の考えや気持ちを尊重してケアする必要があります。認知症の人へのケアの理念である**パーソン・センタード・ケア❷**では、相手のその人らしさ（パーソンフッド）を大切にすることが基本とされています。ケアの相手を1人の人間として対峙し、その人の考えていること・感じていること・行動意図を推測し、理解し、対応します。このとき必須の認知機能が視点取得です。視点取得とは、積極的に第三者の視点に立って、その人の状況・思考・行動を推測する認知機能です。これは、**認知的共感❸**ともいえます。「この人はなぜこんな行動をとるのだろうか？」と本人視点で考える際に、自分ごととしてとらえるのではなく、あくまで相手の立場でとらえます。こうして、本人のこころのうちを探り、それを大切にしてケアするのがパーソン・センタード・ケアです。自分ごととととらえて感情移入しすぎると、客観的なケアができなくなると同時に、燃え尽きの要因ともなります。

❸ 認知的共感
たとえば、見て「かわいそう」と直感するような情動的共感ではなく、その人の立場に立って推測する認知機能。

視点取得をはたらかせて相手のこころのうちを読み取っても、あくまでも相手は他人です。ゆえに、推測が正しいとは限りません。「他人のこころ」というブラックボックスを、垣間見た言動から推測しているに過ぎません。その限界はわきまえておく必要があります。

◆ 参考文献
- 山口晴保『紙とペンでできる認知症診療術——笑顔の生活を支えよう』協同医書出版社、2016年
- 山口晴保・北村世都・水野裕『認知症の人の主観に迫る——真のパーソン・センタード・ケアを目指して』協同医書出版社、2020年

演習1−3　認知症の人の心理

1 認知症の人が不安になりやすい要因をあげてみよう。

2 認知症の当事者が書いた本を読み、当事者のかかえる困難や当事者の思いを理解してみよう。

第 **2** 章

認知症の
症状・診断・治療・予防

第 **1** 節	中核症状の理解	
第 **2** 節	生活障害の理解	
第 **3** 節	BPSDの理解	
第 **4** 節	認知症の診断と重症度	
第 **5** 節	認知症の原因疾患と症状・生活障害	
第 **6** 節	認知症の治療薬	
第 **7** 節	認知症の予防	

第 **1** 節

中核症状の理解

学習のポイント

- ■ 中核症状とは何かを理解する
- ■ 代表的な中核症状と脳の病変部位との関係を理解する

関連項目 ⑪『こころとからだのしくみ』▶ 第1章第3節「こころのしくみの基礎」

1 中核症状とは

中核症状は認知障害で、欧米では認知症状や認知欠損といわれます。中核症状とBPSD（Behavioral and Psychological Symptoms of Dementia：認知症の行動・心理症状）は明確に分けられるものではありません。たとえば、異食は食行動の異常という視点ではBPSDですが、食べ物と誤認したのなら失認という中核症状ですし、手に触れたものを何でも口に入れるのなら口唇傾向という中核症状です。このように、ある症状を認知障害の視点でみれば中核症状、行動障害の視点でみればBPSDとなります。ほかにもレビー小体型認知症のリアルな幻視、血管性認知症のうつやアパシーなども、中核症状であると同時にBPSDです。

以下、代表的な中核症状を解説します。

2 記憶障害

記憶は、①言語であらわすことができるエピソード記憶（出来事の記憶：記憶という言葉はこれをさすことが多い）と意味記憶（物の名前や意味など百科事典のような記憶）と、②言葉ではあらわせない手続き記憶（自転車の乗り方など体で覚えた記憶）とプライミング❶（無意識に

34

すりこまれた記憶）に分けられます。

　ここで述べるエピソード記憶は、記憶している時間により、即時記憶、近時記憶、遠隔記憶に分けられます。短期記憶と長期記憶という分類もありますが、その場合の短期記憶は1分以内の記憶です。よって、10分前のことを覚えていないのは短期記憶障害ではなく長期記憶障害です（近時記憶障害でもあります）。少し前のことを覚えていない症状は、近時記憶障害という用語が適切です。

　今から100年以上前にリボー（Ribot, T. A.）という研究者が、記憶の法則を示しました。記憶は近いものが先に失われ、遠いものほど記憶に残っているという法則です。アルツハイマー型認知症を発症すると、新たな出来事を覚えること（記銘）がむずかしくなりますが、発症前に記憶した昔のことは記憶に残っていますので（保持）、思い出すこと（想起）ができます。

❶プライミング

先行情報が無意識に記憶され、後続情報に影響を及ぼすこと。（例）テレビでおいしそうな菓子の宣伝（先行情報）を見たあとでは、ダイエット中なのに菓子（後続情報）に手が出る。

第2章 認知症の症状・診断・治療・予防

表2－1　加齢による健忘とアルツハイマー型認知症による健忘の違い

分　類	加齢による健忘（生理的健忘）	認知症の健忘（病的健忘）※1
エピソード（出来事）	部分を忘れる（おかずの種類を忘れる）	全体を忘れる（食べたこと自体を忘れる）
	大切でないことを忘れる	大切なことを忘れる
	その日のエピソードを振り返ることができる	数分でエピソードを忘れる
ニュース（報道）	大きな事件、イベントなどの具体的な概要を覚えている	他人事なので、すぐに忘れる
再　認※2	できる（伝言の伝え忘れを指摘されたとたんに思い出す）	できない（伝言の伝え忘れを指摘されると、「そんな話は聞いていない」と怒る）
再　生（思い出すこと）	とっさに思い出せなくても、記憶には残っており、あとで思い出せる	記憶に残っていないので、ずっと思い出せない
健忘の自覚	自覚している	自覚がとぼしい

※1：アルツハイマー型認知症は加齢の延長線上にあり、明確に分けられるものではない。
※2：再認とは、買ったものを見たとたんに、買ったことを思い出すなど、直接の手がかりによって思い出すこと。認知症では、自分で買ったものなのに、「だれが買ったの？」と言い出すことがある。
出典：山口晴保『紙とペンでできる認知症診療術──笑顔の生活を支えよう』協同医書出版社、p.42、2016年を一部改変

記憶障害は老化によってもあらわれます。そこで、年相応の健忘とアルツハイマー型認知症にみられる健忘の違いを**表2−1**に示します。

　ここで、エピソード記憶がつながらないとどんなことが起こるのか想像してみましょう。記憶がつながっている人が、記憶がつながらない認知症の人の世界を理解するのは容易なことではありません。

　あなたは10分前の記憶がありません。前日の記憶もありません。すると、自分は今まで何をしていたのだろう、どうしてここにいるのだろう、これからどうすればよいのだろう…など、きっと不安に包まれます。このように記憶障害は単にもの忘れをするということにとどまらず、時間や場所の見当識低下や病識低下、できごとの顛末がわからないので適切な判断ができないことなど、さまざまな生活障害を引き起こします。さらに、繰り返しの質問やしまい忘れに起因するもの盗られ妄想などのBPSDを引き起こします。

3　見当識障害

　自分のおかれた状況がわかることを見当識といいます。大きく、①時間、②場所、③人物の見当識に分けられ、アルツハイマー型認知症では進行にともなってこの順番に障害されていきます。今日は、何年何月何日の何曜日かわかるかどうかが時間の見当識、今、自分のいる場所や建物がわかることが場所の見当識、目の前の人物がだれで、自分とどのような関係かわかるのが人物の見当識です。

　アルツハイマー型認知症では、エピソードがつながらなくなること（記憶障害）で時間軸（時間のつながり）が崩壊していきます。また、進行すると自分の年齢を実際よりも若く答えるようになり、自分の娘を「姉や妹」などと答えることがありますが、これも見当識障害です。

　エピソード記憶の障害は加齢でもみられますが、見当識障害があらわれたら認知症を疑います。

4　遂行機能障害

　作業の段取りを考え、効率よく作業をこなす能力が**遂行機能❷**です。

36

第1節　中核症状の理解

わかりやすい例は、夕食の準備です。まず、残っている食材をチェックして、それを活用しながら献立を考え、不足しているものがあれば買い物に行き、ご飯とみそ汁とおかずが同時に仕上がるよう並行していくつかの作業を進めます。この段取りがうまくできなくなるのが遂行機能障害です。同時並行で作業を進めるには作業記憶をフルに使う、大変な作業です。よって、アルツハイマー型認知症になると複雑な工程の調理がむずかしくなります。さらに、アルツハイマー型認知症では、つくろうと思った献立をすぐに忘れてしまい、当初の計画とは異なるおかずが仕上がるといったように、遂行機能障害だけでなく記憶障害も調理に大きく影響します。

❷遂行機能
遂行機能には、前頭前野（前頭葉前半部）の外側面が中心的役割をになっている。作業の遂行にはワーキングメモリー（作業記憶（短期記憶））をはたらかせる。

5　空間認知障害

　空間認知には視空間と聴空間の認知があります。フクロウは優れた聴空間認知機能を備えているので、夜間目が見えなくても、ネズミが動く音からネズミの位置を認知して襲います。一方、ヒトの空間認知は視空間認知が中心です（盲目の人は優れた聴空間認知機能をもっています）。

　アルツハイマー型認知症では、早期から視空間認知機能❸が低下します。たとえば、通所介護（デイサービス）の送迎車が到着し、車から地面に降りるとき、認知症の人はビルの屋上から地面に降りるような感覚で足がすくんでしまうといったことが生じます。車の床と地面のあいだは小さな段差ですが、認知症の人は別の感じ方をしている可能性があることに思いをはせなくてはなりません。

　人間は三次元空間のなかで自分のボディーイメージ（身体のイメージ）をもちながら行動しています。そして、車を運転するときは、あたかも車が自分の身体の一部になったように操ることができます。この機能が低下すると、車をこするようになります（注意障害も関係しています）。

　また、自分のボディーイメージと服の空間的位置関係がわからなくなると、服を上手に着られなくなります（着衣失行）。空間認知はアルツハイマー型認知症やレビー小体型認知症で低下してくるのですが、空間認知障害がない人には理解しにくい障害です。それは、自分の身体を無意識に調節して環境に合わせ、三次元空間のなかで上手に生活している

❸視空間認知機能
頭頂連合野には、頭頂葉感覚野からの感覚情報、前頭葉からの運動情報、後頭葉からの視覚情報が集められ、三次元空間のなかで自分の身体の位置や動きを把握する（視空間認知）。この機能により、三次元空間のなかでうまく動作が行える。

❹みえにくい障害
運動麻痺のようにみればわかる障害と異なり、高次の認知機能障害は認知機能が正常な人には理解しにくい。

からです。空間認知障害がない人にとってはあたりまえのことで、着替えるだけで1時間以上かかるといったことが想像できないのです。それゆえ、認知症の人の行動を注意深く観察して、認知機能が正常な人には**みえにくい障害❹**を理解する必要があります。

6 視覚認知障害（視覚失認）

後頭葉機能の低下はレビー小体型認知症の特徴であり、視覚に関連した症状があらわれます。物体の形の認知が低下すると、見間違いが増えます。幻視はレビー小体型認知症の特徴ですが、何もないのに人や動物などが見える真の幻視ではなく、実際に存在するもの（たとえばいすにかかった上着）を人（そこに人がいる）や動物などに見間違える錯視が多くあります。

7 社会脳（社会的認知機能）の障害

社会のなかで生きる人間は、「空気を読み」、周囲の人たちを気づかい、思いやり、そして社会のルールを守って、社会に適応するよう行動します。これに必要な認知機能を社会脳、または社会的認知といいます。この機能は人間らしさの認知機能でもあり、前頭前野（前頭葉の前半分）が大きくかかわっています。

❺前頭前野
p.15参照

脱抑制（がまんできない）、常同行動（同じことにこだわり、特定の行動を繰り返す）、社会的に不適切な言動（ひどくののしる、性的な話）などは人間らしさを損ねる症状です。これらは**前頭前野❺**（とくに眼窩面）が障害されるとあらわれる症状で、**行動障害型前頭側頭型認知症❻**

❻行動障害型前頭側頭型認知症
p.86参照

の「中核症状」です。これらの中核症状は、同時にBPSDでもあります。

さらに、行動障害型前頭側頭型認知症では甘いものをがまんできず、目の前にあると食べ尽くしてしまうこともあり、糖尿病になる人が多くいます。また、こだわりが強い一方で、気が変わりやすく（被動性・転動性亢進）、何かに熱中していても別な刺激が入ると気が変わります。

前頭前野の内側面は共感脳ともいわれ、他人に対して同情したり共感

38

第 1 節　中核症状の理解

したりする認知機能と密接にかかわっています。この機能が障害されると、他者の痛みを感じず、思いやりが失われ、脱抑制も加わって、わが道をいく行動となります。

8　失語・失行・失認のような症状

失語・失行・失認といった高次脳機能障害は、本来は脳卒中など脳が狭い範囲内で壊れて生じる疾患であらわれる症状で、巣症状といわれます。一方、認知症の病変は脳全体に広がり、ダメージは広い範囲にわたるので、ここでは失語・失行・失認のような症状として解説します。

　言語に密接にかかわる脳領域を言語野といいますが、アルツハイマー型認知症やレビー小体型認知症では言語野のダメージが進むのは認知症が進行してからで、言葉は忘れますが、文法などの言語機能は重度期まで保たれています。しかし、進行すると複雑な文章の聴覚的理解が苦手になり、終末期が近づくと発語も少なくなります。一方、**意味性認知症❼**という左側頭葉萎縮が強い前頭側頭型認知症があります。このタイプでは、初発症状が言語機能の低下で、物の名前が出なくなります（語義失語）。このような一部の例外を除くと、言語機能は認知症が重度になるまでほぼ保たれます。

❼**意味性認知症**
p.86参照

　アルツハイマー型認知症が進行すると、いすに座るといった簡単な動作が命じられてもできなくなります。それでいて、何かの拍子にはすっと座ります。運動麻痺で動作ができないのではなく、自動的にはその動作ができ（手続き記憶は保たれている）、命じられると思うようにできないので失行という概念に近いのです。服を上手に着られなくなることは着衣失行といいます。介護現場では、歯ブラシやはさみなどの道具が使えなくなる**観念失行❽**や、指示された動作が行えない**観念運動失行❾**がみられることがあります。

❽**観念失行**
観念失行では、個々の運動はできるが、複雑な一連の運動が困難になる。たとえば、茶葉を急須に入れてお湯を注ぎ、茶碗に注ぐ動作や、はさみを使って封筒を開く動作などが困難になる。

　また、進行するとトイレに行ったとき便器を認識できない、食事のとき、お皿の模様をおかずと間違えて箸でつまもうとするなどの視覚失認もみられます。コントラストが低いと見つけにくいという特徴もあります。血管性認知症で右大脳半球に損傷があると、左の半側空間無視や左半身の身体失認をともなうことがあります。

❾**観念運動失行**
観念運動失行では、自発的な動作は可能なのに、命令されるとその動作ができない。

第2章　認知症の症状・診断・治療・予防

39

9 病識低下

病識とは、自分の障害を自覚して、その程度を正しく把握することです。この病識が低下し、自覚にとぼしい状態が、アルツハイマー型認知症や前頭側頭型認知症では高頻度にあらわれます。そして、病識が低下していると、BPSDが増え、服薬管理ができなくなっているのに服薬支援などの介護の受け入れを拒否したり、運転が危険なのに運転免許返納を拒絶したり、財産管理に支援が必要なのに自分でできると言ってアドバイスを聞き入れなかったりといった介護上の困難をたくさん引き起こします（**表2-2**）。病識が低下するほど本人はうつになりにくいのですが、本人の病識が低下するほど家族の介護負担は増えます。

病識の低下度は、MMSE（Mini-Mental State Examination：ミニメンタルステート検査）やHDS-R（長谷川式認知症スケール）といった認知テストではわかりません。SED-11Q（Symptoms of Early Dementia-11 Questionnaire：**認知症初期症状11項目質問票**❿）を本人と家族に同時に記入してもらうと、その認識の違い（差）から病識低下の程度が判明します。たとえば中等度のアルツハイマー型認知症では、家族介護者が平均9項目チェックしますが、本人は1～2項目しか

❿認知症初期症状11
項目質問票
p.7 参照

表2-2 病識保持事例と病識低下事例の比較

項目	病識保持事例	病識低下事例
障害の自覚	自覚あり	自覚にとぼしく、自信過剰
代償・ケア	可能・受け入れる	不可能・拒否：たとえば服薬支援を拒否
適切な判断	可能	困難：財産管理、受診、運転免許返納など
危険	少ない	高い：運転、外出して戻れないなど
BPSD	少ない	妄想や暴言・暴力などの増加
情動	うつ傾向	多幸傾向、失敗の指摘に対する怒り
本人のQOL	低くなる	むしろ高い
介護者	影響が少ない	介護負担増大、介護者のQOL低下
病型	レビー小体型 血管性	アルツハイマー型、行動障害型前頭側頭型

第1節　中核症状の理解

チェックしません。進行とともに、本人のチェック数は減る傾向があり、介護者によるチェックとの差（乖離）は大きくなります。

　病識の低下については、精神科医の室伏君士や小沢勲が「病識低下こそが認知症の本質だ」と指摘しています。認知症の人の病識がどの程度かを把握することは、本人の気持ちに寄り添ったケアを行ううえで必須です。

10 認知障害以外の症状（神経症状）

　アルツハイマー型認知症では、進行とともに脳病変が大脳皮質連合野から一次領野に拡大していき、終末期には運動機能が低下して、寝たきりとなります。この運動麻痺もアルツハイマー型認知症の脳病変によって引き起こされる症状であり、廃用症候群で寝たきりになるのではありません。そして、運動麻痺だけでなく、パーキンソニズムも生じます。さらに、てんかん、発語不能、嚥下困難、尿失禁なども、脳病変の進展による症状です。最後は大脳皮質全体の機能が失われた失外套状態となり、死を迎えます（嚥下障害により唾液を飲み込めなくなるので、経管栄養を行っても死にいたります）。アルツハイマー型認知症は、死因になるという理解が必要です。

　このほか、アルツハイマー型認知症やレビー小体型認知症では、早期から嗅覚低下があらわれます。また、レビー小体型認知症のREM睡眠行動障害[11]も脳病変によって生じる症状です。レビー小体型認知症では、病変が末梢自律神経系（脳以外）にも生じるので、便秘や起立性低血圧などをともないます。

　本項の症状は中核症状には含まれませんが、脳や末梢自律神経系の病変によって生じる症状として理解してもらいたいので神経症状として、ここで説明しました。

[11]REM睡眠行動障害
夜中に夢を見て反応して大声を出したり、立ち上がったり、ける動作などをする。

◆ 参考文献

● 山口晴保『紙とペンでできる認知症診療術──笑顔の生活を支えよう』協同医書出版社、2016年

● 山口晴保「認知症の人が感じている世界を知る」山口晴保・北村世都・水野裕『認知症の人の主観に迫る──真のパーソン・センタード・ケアを目指して』協同医書出版社、pp. 1-36、2020年

第**2**節

生活障害の理解

学習のポイント

- 認知症の生活障害の重要性を理解する
- IADL、ADL、参加（家庭内と社会）の障害を理解する

関連項目 ⑥『生活支援技術Ⅰ』▶ 第1章「生活支援の理解」

1 生活障害

　　生活障害は、ICF（International Classification of Functioning, Disability and Health：国際生活機能分類）の概念にのっとって、活動として、①IADL（Instrumental Activities of Daily Living：手段的日常生活動作）と②ADL（Activities of Daily Living：日常生活動作）、参加として、③家庭内での家族との関係、家庭外の参加として、④社会参加に分けて解説します。なお、日常生活のなかでごくあたりまえに行っている習慣的な活動・動作がADL、生活を管理するようなより複雑であったり手段的なADLをIADLといいます。

　　認知症による生活障害は、初期にはIADLの障害としてあらわれ、進行するとADLが障害されます。アルツハイマー型認知症でも重度になると、運動麻痺やパーキンソニズムをともなうことでADLがさらに低下し、最後は寝たきりになり、嚥下障害が加わり、死にいたります。また、コミュニケーション能力や意欲の低下にともなって、参加は早期から障害が発生します。

2 IADL障害

　　生活管理能力であるIADLは、認知症の早期から障害されます。金銭

第2節　生活障害の理解

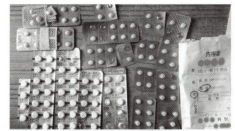

写真2-1　1人暮らしでは薬剤の管理（IADL）が困難で、残薬が多量に見つかる

管理は、認知症になると大部分の人が困難になります。決まった時間に決まった分量の薬を内服する服薬管理も困難になることが多いです。このように、IADLがむずかしくなって生活管理に手助けが必要な状態になったことで認知症と診断されます。ですから、認知症で1人暮らしであれば、何らかの生活支援が必要な状態になっています。

認知症初期集中支援チーム❶の標準的なアセスメントツールであるDASC-21（The Dementia Assessment Sheet for Community-based Integrated Care System-21 items：地域包括ケアシステムにおける認知症アセスメント）では、家庭内のIADLとして「電話」「食事の準備」「服薬管理」を、家庭外のIADLとして「買い物」「外出」「金銭管理」の計6項目を1人でできるか評価します。写真2-1に示すように、1人暮らしの認知症の人は服薬管理ができなくなっています。

❶認知症初期集中支援チーム
p.305参照

3　ADL障害

ADLは、アルツハイマー型認知症の場合は中期以降に障害されます。DASC-21では、「入浴」「着替え」「排泄（トイレ）」「整容（身だしなみ）」「食事」「屋内移動」の6項目を評価します。ここでは、ADLの代表的評価尺度であるバーセルインデックス（Barthel Index：機能的評価）の10項目をもとにした6つのADLを解説します。

1　移動

歩行などの移動動作です。アルツハイマー型認知症と前頭側頭型認知症では終末期に近づくまで保持されますが、終末期はパーキンソニズム

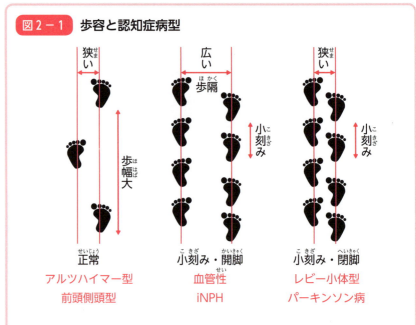

注：どの病型でも初期には正常なことも多い。iNPHは特発性正常圧水頭症。
出典：山口晴保『紙とペンでできる認知症診療術——笑顔の生活を支えよう』協同医書出版社、p.32、2016年

や運動麻痺が加わり、寝たきりとなります。図2-1に歩行の特徴を示しました。レビー小体型認知症ではパーキンソニズムで比較的早くから歩行障害をともない、小刻み歩行となり、転倒リスクが高い点に注意が必要です。血管性認知症では、多発性脳梗塞で血管性パーキンソニズムや運動麻痺による歩行障害が比較的早期からあらわれます。**正常圧水頭症**も、左右に足を広げて足をずるような小刻み歩行が特徴で、早期からあらわれます。

❷ **正常圧水頭症**
p.88参照

2 更衣

アルツハイマー型認知症では、初期から適切な服を選ぶ管理能力（IADL）が低下し、中期以降は服を着る動作が上手にできなくなります。ボディーイメージと服の空間的位置関係がわからなくなって上手に着られなくなり、**着衣失行**❸と表現される状態となります。アルツハイマー型認知症が進行すると、パンツを頭からかぶろうとしたり、バスタオルをズボンと思って足を通そうとしたり、片方の足に靴下を2枚重ねてはくなど、おかしな着衣動作（着衣失行）がみられるようになりま

❸ **着衣失行**
脳卒中では左（劣位）側の頭頂葉病変にともなって出現するが、右（優位）側の病変では出現しない。

す。レビー小体型認知症や血管性認知症でパーキンソニズムや運動麻痺があると、ボタンかけなど細かい動作がむずかしくなります。

3 整容

アルツハイマー型認知症での歯みがきを例にとると、歯みがきをいやがったり、まだ歯みがきをしていないのに「さっきした」などと拒否する場合があります。歯みがきは快刺激ではなく、上手に誘わないとしたがらない動作のように思われます。進行すると歯ブラシを歯ブラシと認識することがむずかしくなったり（失認）、歯ブラシにペーストをつけて歯をみがくという一連の動作が上手にできない失行の症状が出てきます。レビー小体型認知症や血管性認知症でパーキンソニズムや運動麻痺があるときは支援が必要です。

4 入浴

入浴はADLに属しますが、湯の温度や湯量、石けんやタオルなどの入浴用具、着替えなどの管理というIADLの部分もあり、認知症の早期からこれらの管理に支障が出ます。これらが整っていて、入浴動作だけなら中期まではおおむね可能ですが、ただ湯につかって出るだけになっていきます。入浴中は事故が生じやすいので、見守ることは必要です。在宅では入浴がむずかしくなり、通所介護（デイサービス）などで入浴することが必要になります。

5 排泄

排尿動作はADLですが、アルツハイマー型認知症の排尿に関しては、トイレの場所がわからない（見当識障害という中核症状）、便器を認識できない（失認という中核症状）、便器のふたを開けられない（失行・失認という中核症状）、トイレットペーパーを使えない（失行・失認という中核症状）など、認知機能の影響を強く受けた障害がみられます。また、重度になると尿失禁がみられます。トイレの場所がわからず、廊下などにやむなく排尿する異所排尿は、BPSD（Behavioral and Psychological Symptoms of Dementia：認知症の行動・心理症状）で

もあります。正常圧水頭症では比較的早期から尿失禁があらわれます。

❹頻尿
アセチルコリンが増えると副交感神経系が刺激され、膀胱は収縮しやすく、尿道括約筋は弛緩しやすくなり、排尿回数が増えやすくなる。

頻尿❹、とくに夜間頻尿は介護者が困る症状ですが、ドネペジルなどアセチルコリンを増やす**アルツハイマー型認知症治療薬の副作用**によることがしばしばあります。また、心不全や腎不全で昼の排尿量が十分でないと夜間の尿量が増えます。

排便コントロールは排尿よりも長く保たれます。レビー小体型認知症では、消化器系の自律神経障害による重度の便秘をともなうことが多くなります。

❻ 食事

摂食動作です。箸やスプーンを使って食物を口に入れてかんで飲みこむ動作は、アルツハイマー型認知症でも終末期に近づくまで保たれます。しかし、食事に関しては、**食欲低下❺**がしばしばみられ、その原因がドネペジルなどの治療薬の副作用であることが多いです。亜鉛欠乏による味覚低下が背景のこともあります。日ごろのケアに対する不満で食事を拒否することもあります（拒食というBPSD）。また、うつで食欲がないこともあります。アルツハイマー型認知症やレビー小体型認知症では重度になると食物や食器を認識できない失認で食べられないことがあります。終末期が近づくと、咀嚼（かむこと）や嚥下機能そのものが低下して食事が困難になります。

❺食欲低下
アセチルコリンが増えると副交感神経系が刺激され、胃液分泌が増え、消化管の動きが活発化し、嘔気、腹痛、下痢などの原因となる。

4 家庭内での家族との関係

ICFでは、家族との共同作業やコミュニケーションが家庭内の参加です。家族も他者であり、他者と上手につきあうには、相手の気持ちや考えを理解して対応する社会的認知機能（社会脳）が必要ですが、この認知機能の低下にともない、家族内の関係性にきしみが生じます。アルツハイマー型認知症では本人の病識が低下していることが多く、介護者との争いの原因になります。また、身近な人を犯人にしたもの盗られ妄想（BPSD）が家族関係を悪化させます。

アルツハイマー型認知症では進行にともない、比喩や皮肉の理解が低下し、複雑な構文の理解も低下します。これが、家族間の良好な関係性

第 2 節　生活障害の理解

にも影響を及ぼします。

5 社会参加

　認知症を発症すると、失敗を恐れて友人とのつきあいが減る場合が多くあります。病識が低下しているために、自分が忘れた約束を友人のせいにして友人が離れていく場合もあります。認知症を発症したら（そして告知を受けたら）、友人には自分が認知症であることを開示すると、多くの場合は友人が援助してくれます。はずかしがらずに友人には伝えるとよいのですが、本人が認知症だと受け入れない場合はそうできません。

　1人暮らしの場合は、ごみ出しの日を間違える、木の枝が伸び放題で隣家にはみ出している、火の管理ができなくなり隣家が出火を心配する、異臭がする、ごみ屋敷になっているなどの問題が生じ、近隣とのトラブルになることがあります。

　若年性認知症❻で仕事をしている場合は、徐々に仕事が困難になるので、職場との連携が重要になります。働ける通所介護（通所介護の利用者が仕事に出て謝金をもらう有償ボランティア）や**認知症カフェ**ができてきているので、本人が社会参加を続けられるような支援を**若年性認知症支援コーディネーター**❼などと検討する必要があります。

❻**若年性認知症**
p.92参照

❼**若年性認知症支援
コーディネーター**
p.310参照

第 2 章　認知症の症状・診断・治療・予防

47

演習2-1 認知症の生活障害の理解

認知症に特有の生活障害をIADL、ADL、参加（家庭内・家庭外）に分けて整理してみよう。

IADL	ADL	参加（家庭内）	参加（家庭外）

第3節

BPSDの理解

学習のポイント

- ■ BPSDの定義と医学モデルであることを理解する
- ■ BPSDのさまざまな背景要因を理解する
- ■ 個々のBPSDの概要を知る

関連項目 ⑪『こころとからだのしくみ』▶第1章第3節「こころのしくみの基礎」

1 BPSDの定義

　1996年にIPA（International Psychogeriatric Association：国際老年精神医学会）が認知症の行動障害に関する合意会議を開催しました。この会議では、BPSD（Behavioral and Psychological Symptoms of Dementia：認知症の行動・心理症状）の定義、BPSDの病因、臨床症状の記載、研究の方向についての議論が行われ、さらに、1999年のアップデート会議で追加討議が行われた結果、BPSDの定義が示されました。

　BPSDの定義を直訳すると、「認知症患者にしばしば生じる、知覚認識または思考内容または気分または行動の障害による症状」[1] となります（図2-2）。

　具体的には、心理症状は「通常は、主として患者や親族との面談によって明らかにされる」として、妄想、誤認、幻覚、うつ、アパシー、不眠、不安があげられています。行動症状は「通常は患者の観察によって明らかにされる」として、徘徊、焦燥・攻撃性、介護に対する抵抗、不適切な性的行動、破局反応（突然の怒りの爆発）、夕暮れ症候群（夕方になるとそわそわして落ち着かなくなる）、叫声、不穏、文化的に不釣り合いな行動、収集癖、ののしり、つきまといが示されています。しかし、たとえば「不安そうにうろうろしている症状（焦燥）」の心理面をみれば不安という心理症状で、うろうろしている行動は行動症状で

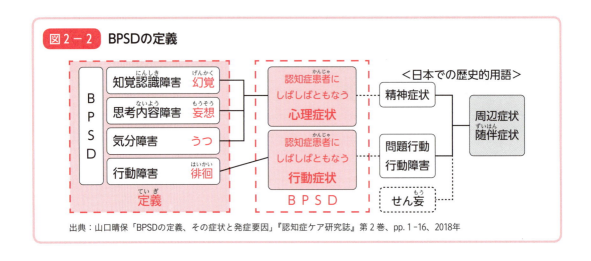

出典：山口晴保「BPSDの定義、その症状と発症要因」『認知症ケア研究誌』第 2 巻、pp. 1 - 16、2018年

す。このように心理症状と行動症状の区別は明確ではありません。

　BPSDは、日本では周辺症状や随伴症状といわれたものにほぼ相当します（図 2 - 2）。中核症状（認知症状）は必ずあらわれますが、BPSDは認知症の人全員にみられるわけではないという意味から、周辺症状や随伴症状などの用語が使われてきた歴史があります。また、周辺症状は中核症状に環境因子などが加わって 2 次的に発症するという考え方がありますが、これはBPSDにはあてはまりません。BPSDは多要因によって生じるもので、中核症状はBPSDの多要因の 1 つに過ぎないとされています。さらに、周辺症状や随伴症状にはせん妄が含まれるとする考え方がありますが、BPSDにせん妄は含まれません。せん妄は意識障害の一種で、認知症の症状であるBPSDとは区別されます。このように、BPSDと周辺症状はそもそもの概念が異なるので、きちんと区別して用いるべきです。

　認知症ケア領域の研究者のあいだでもBPSDという用語の使われ方はまちまちです。長田と佐藤は、「BPSDは非常に包括的な概念である。現在のBPSD概念は、認知症疾患に特有の症状、他の身体疾患および精神疾患が重複して現れる症状、病気になる以前からの性格傾向や環境への反応などの、個別性のある症状などさまざまな要因のものを含んでいる」[2]と指摘しています。そして、100以上の症状を「①中核症状関連の症状・行動：広い意味では中核症状に含まれるが環境や心理的要因の影響を受けているもの、②精神症状：認知症以外の精神疾患でもみられる症状、③行動コントロールの障害：身体状況や環境との相互作用で生じ「外的な行動」に焦点をあてたもの、④対人関係の障害：身体状況や

第3節　BPSDの理解

表2-3　BPSDの分類

分類	行動・心理症状
1. 中核症状関連の症状・行動 ①記憶障害から直接起こる症状・行動	①記憶障害、自分の言ったことを忘れる、ものの収容場所を忘れる、繰り返し同じものを買ってくる、同じ事柄・質問を繰り返す、食事や食べ物を何度も要求する、薬を何度も要求する
②記憶障害からくる日常生活上の障害	②火の不始末、かぎの不始末、水の不始末
③時間の見当識障害 ④場所の見当識障害	③1日の時間帯が分からない、時間の混同、今日が何日か繰り返したずねる、昼夜逆転 ④外出して迷子になる、出口を探して歩き回る、他者の家・部屋に入る、トイレ以外での排泄
⑤失認・誤認	⑤人物誤認、鏡現象、人形やぬいぐるみを生きている子どものように扱う、異食、食べ物以外のものをしゃぶっている
⑥作話 ⑦コミュニケーション障害 ⑧病気の認識 ⑨整容能力の低下 ⑩社会生活上の判断能力	⑥作話、つじつまの合わないことを言う、死んだ人について生きているかのように話す ⑦会話ができない、意思疎通が困難 ⑧病識の欠如、病気であることを認めない ⑨身なりに無頓着、不潔なままでいる ⑩職場で仕事ができなくなる、問題のある契約をしたり連帯保証人になる、つり銭が分からない、日常機器を使用できなくなる、薬を自己管理できない、危険なのに車の運転をしたがる、道路で車の危険が分からない、人前で状況にそぐわない言動をする、他人のものと自分のものの区別がつかない、トイレの水を流さない、トイレに行く途中で失禁する、トイレ以外で排泄する、歩けないのに立ち上がって歩こうとする
2. 精神症状 ①幻覚 ②妄想 ③睡眠障害 ④気分・不安障害 ⑤自発性の低下 ⑥感情コントロールの障害 ⑦その他	①幻視（幻聴・幻触・その他） ②妄想、被害妄想、物盗られ妄想、嫉妬妄想、同居人妄想、被毒妄想 ③睡眠障害（不眠）、夜間不穏、夜に家族を起こす、昼夜逆転 ④抑うつ、不安、強迫、心気、不眠の訴え、薬を何度も要求する、夜に何度もトイレに行きたがる ⑤自発性の低下、無関心、1日中うとうとしている、好褥 ⑥気分の易変、易怒、焦燥、興奮、不機嫌、感情失禁、多幸、人格変化 ⑦被害念慮、邪推
3. 行動コントロールの障害 ①脱抑制 ②性的問題がある ③外出要求 ④徘徊 ⑤食の異常 ⑥不穏行動 ⑦物への執着 ⑧作業への執着 ⑨持続性の低下 ⑩活動性の低下 ⑪その他	①脱抑制、他人の所有物をまちがえても平気である、他人のものを持っていく、他人のものを盗む、独言、大声奇声、自傷行為、オムツをはずして布団に排泄する、不潔行為 ②卑わいな言葉を言う、人前で自慰をする、性的逸脱 ③ひとりで外出したがる、帰宅要求、無断離脱 ④徘徊 ⑤過食、甘味嗜好への変化、拒食、異食 ⑥落ち着きのなさ、夜間不穏、多動 ⑦物が捨てられない、隠ぺい、収集癖、金銭への異常なこだわり、他者の物をいじる、物を執拗にいじる ⑧仮性作業、常同行動、器物破損、破衣 ⑨行動が続かない ⑩無言、無為無動 ⑪自殺企図

4. 対人関係の障害	
①依存	①依存、つきまとい、寂しがる、仕事のじゃまをする、団らん妨害、夜に家族を起こす
②孤立	②孤立、他者とかかわるのをきらう
③拒否	③拒否、拒食、拒薬、着替えを拒否する、入浴を拒否する、家族と話そうとしない、家族と会おうとしない、他者の好ききらいが激しい
④攻撃	④攻撃的行為、器物破損、攻撃的な言葉、非難、誣告、他者とのトラブルが多い

出典：長田久雄・佐藤美和子「認知症の行動・心理症状の考え方」日本認知症ケア学会編『BPSDの理解と対応：認知症ケア基本テキスト』ワールドプランニング、pp. 1-11、2011年を一部改変（せん妄はBPSDとは区別すべき病態であり、原典から除いている）。

環境との相互作用で生じ「対人」に焦点をあてたもの」[3]の4カテゴリーに分類しています（**表2-3**）。

2 BPSDの要因（背景因子）

BPSDの背景因子は多数あります。国際老年精神医学会の「BPSD教育パック第2版」では、遺伝的要因（遺伝子異常）、神経生物学的要因（各種神経伝達物質の変化など脳の神経化学的変化や、脳の病理学変化、概日リズム障害）、心理学的要因（その人の性格やストレスに対する反応など）、社会的要因（環境や介護者の要因）をあげています。

1 介入困難な背景因子

BPSDの要因を**図2-3**に示すようにまとめました。左欄の要因は介入が困難のもので、以下の5要因があげられます。

（1）脳病変

脳病変そのもので生じるBPSDは行動障害型前頭側頭型認知症の脱抑制や無断外出などで、この疾患の認知症状（中核症状）でもあります。脳血管性認知症におけるうつや**アパシー**も、前頭葉白質病変と関連があるなど、脳病変が強く影響します。

❶アパシー
p.60参照

（2）認知症状（中核症状）

認知機能障害（中核症状）がBPSDに大きな影響を与えます。たとえば幻視はBPSDに分類されますが、レビー小体型認知症において幻視は

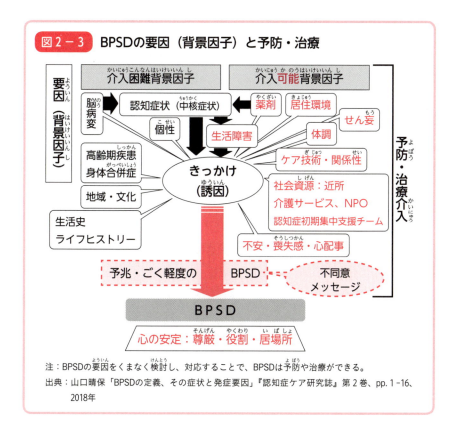

図2-3 BPSDの要因（背景因子）と予防・治療

注：BPSDの要因をくまなく検討し、対応することで、BPSDは予防や治療ができる。
出典：山口晴保「BPSDの定義、その症状と発症要因」『認知症ケア研究誌』第2巻、pp.1-16、2018年

中核的臨床症状であり認知症状（中核症状）といえます。このように、BPSDでありながら認知症状（中核症状）でもあるものがあり、BPSDと認知症状（中核症状）は明確に区別できないという理解が必要です。

（3）高齢期疾患（身体合併症）

変形性膝関節症、腰痛症、COPD（慢性閉塞性肺疾患）、心不全など日常生活の活動を制限する因子がBPSDの背景となります。

たとえば、配偶者が元気に出歩き、自分は身体合併症で自宅から出られず、配偶者から介護を受ける状態になると、嫉妬妄想が出やすくなります。これらは治療で改善する場合もあるので、介入可能なこともあります。

（4）地域・文化

認知症をオープンにすることがはずかしいといった地域・文化などが、本人の心理的ストレスや介護負担を増やし、BPSDの要因となります。

（5）生活史（ライフヒストリー）

　その人の歩んできた歴史がその人の性格や価値観や行動に影響を与えます。

2　介入可能な背景因子

　一方、図2-3の右欄には介入が可能な要因をあげました。

（1）薬剤

　ドネペジルなどの認知症治療薬が大きく影響します。興奮性・過活動性BPSDの場合はドネペジルの中止や減量で劇的に改善する事例もしばしばあります。また、メマンチン過量投与による低活動性BPSD（過沈静：アパシー）にもしばしば遭遇します。高齢者では、ポリファーマシー（多剤投与）や、抗コリン作用をもつ薬剤の投与、向精神薬などがBPSDの要因となります。

（2）居住環境

　BPSDの多くは対人関係において発生するので、人的な生活環境は大きく影響します。そのほか、マンションか一戸建てか、温度や騒音などの物理的な環境も影響します。

（3）せん妄

　せん妄（意識障害）はBPSDと区別しますが、BPSDの悪化要因としてきわめて重要です。せん妄を治療してよくすることでBPSDがいちじるしく改善するケースもしばしばあります。

（4）生活障害

　認知症が引き起こすIADL(Instrumental Activities of Daily Living：手段的日常生活動作）やADL（Activities of Daily Living：日常生活動作）の障害が、自分で上手にできないことでのいらつきや自信喪失となり、BPSDの背景となります。

（5）体調

　便秘、脱水、発熱、疼痛、掻痒などがせん妄の誘因として重要です

が、これらは易怒性・焦燥などのBPSDの背景要因にもなります。

（6）ケア技術・関係性

　介護者が失敗を指摘したり非難する態度などがBPSDを悪化させます。ケア技術は大きな要因ですが、これだけでBPSDをよくしようとすると無理が生じます。たくさんの要因のなかの1つという位置づけの理解が必要です。

（7）社会資源

　地域のなかでどれだけ介護保険サービスを使えるか、インフォーマルサポートがどれだけ充実しているか、担当の介護支援専門員（ケアマネジャー）の力量、地域包括支援センターや認知症初期集中支援チームのかかわりなど、いろいろな要因がBPSDに影響します。

（8）不安・喪失感・心配事

　記憶障害や見当識障害で過去と現在のつながりが失われ、遂行機能障害によりできないことが増えることなどから、自分の存在が失われていく漠然とした不安感や喪失感が生まれ、BPSDの背景となります。

　前述のようにたくさんの要因があり、そのどれがBPSDに結びついているのかをひもとくことでBPSDへの対応策がみえてきます。氷山にたとえると、BPSDは水面のうえに出ている（顕在化した）部分で、大部分（氷山では90％）が水面下に隠れています。この隠れているさまざまな要因に気づき、本人の気持ちを共感的に理解して対応策を探す方法が**ひもときシート❷**です。

　図2－3にはBPSDにさまざまな要因が影響する図を示しました。BPSDの病態研究では、脳の病変部位や血流低下部位とBPSDとの関連が指摘され、BPSDの生物学的要因が明らかにされつつあります。たとえば、血管性認知症のアパシーは前頭前野の血流低下と関連しています。このような研究から、BPSDは心理・行動面からの視点でつけられた症状に過ぎず、認知機能障害の視点からみれば中核症状でもあるという理解が必要です[4]。

❷**ひもときシート**
p.172参照

3 BPSDの誘因

　前述した多様な要因によりBPSDが生じやすい基盤がつくられ、不安や不満がうっ積しているところにケアする者からのきつい言葉などの誘因（きっかけ）が加わると、顕著なBPSDとなります。火山にたとえると、さまざまな要因が積み重なってマグマだまりができているところに、誘因が加わって火山が爆発するというイメージです。このように、アルツハイマー型認知症の易怒性では、BPSDにスイッチ（誘因）（たとえば失敗の指摘）があることが多いのですが、行動障害型前頭側頭型認知症では誘因がなくてもいきなり生じることがあります。これは、ハワイ島の溶岩台地のように、あちこちからマグマがわき出ているイメージです。

　火山の爆発予知では、地殻の微細な変化（ずれや地震）をとらえて、危険度を示し警報を出します。BPSDにおいても不安・不満などのあらわれを「予兆」として気づけばBPSDを防ぐ・減らすことができると考えられます。伊東は、介護施設での観察から、BPSDが生じる前にあらわれるいらいらなど認知症の人が満足していない兆候を見いだしました。この予兆を早めにキャッチすることでBPSDを回避しようと、不同意メッセージと名づけ、5つにまとめています。①服従：やりたくないアクティビティをやらされる、②謝罪：アクティビティなどでできないことがあったときに「ごめんなさい」と謝る、③転嫁：簡単な紙折り作業ができないとき、「紙が変だから」と紙のせいに責任転嫁する、④遮断：聞こえないふり、寝たふり、視線をそらすなど、⑤憤懣：気に入らないことをぶつぶつと独語で怒る、です[5]。この不同意メッセージは認知症の人の表情や言葉や仕草にあらわれます。それに気づいて、ほめる、やさしく接する、本人が納得するタイミングややり方を検討するなどの対応がBPSD回避に有効と考えられます。これらを予兆ととらえて早期介入することで、BPSDを回避するというBPSD予防の考え方が**認知症施策推進大綱**❸でも示されています。BPSDが発症・重度化してから対処するのでなく、これからは予兆の段階で早期に気づき対処する「BPSD予防」が大切です。

❸認知症施策推進大綱
p.303参照

56

第 3 節　BPSDの理解

4 主要なBPSD

主要なBPSDとその個別の背景因子を解説します。

1 暴言・暴力・易怒性

多くの場合は、認知症の人が怒る原因が存在します。つまり、認知症だから怒るのではなく、介護者や周囲の人の発言や行動が怒りスイッチをオンにしています。前頭前野などの脳病変によって怒りっぽくなる、スイッチが入りやすい状態になっています。したがって、対策はスイッチをオンにしないことです。介護者が失敗や困りごとに目をつぶっておおらかに接することが対処方法です。介護者がいっしょになって怒って対応すれば、本人の怒りをさらに燃え上がらせます。

ふだんからいやなことを強制される状態があって不満が蓄積されていると、暴言・暴力に結びつくことがあります。たとえば、「入浴したくない時間に無理矢理入浴させられた」「やりたくない風船バレーにしぶしぶ参加した」などの不同意・不満の蓄積が暴言・暴力や帰宅願望、介護拒否などに結びつくので、「ケアは本人の同意をえて行う→不同意・不満を生じさせない」が大原則で、これによってBPSDを予防できます。

家族がケアしている場合は、「どんなときに怒りますか？」と質問してみます。「この人の気に入らないことをいうとすぐに怒ります」と答えれば、家族はスイッチがわかってはいるけれど、注意や反論を抑えられない状況ですので、スイッチを入れない家族教育が有効です。怒りたい気持ちを抑えると、介護者のストレスが溜まりますので、介護者へのレスパイトケアが同時に大切です。

施設の場合は、環境調整が有効です。たとえば、ほかの利用者が食べこぼしをするのを見て、認知症の人が大声で注意する例では本人の正義感があだになっています。席を離したり、壁に向かって落ち着いた環境で食事をするなどの対応で、怒りスイッチを入れないですむでしょう。

前頭側頭型認知症では、理由が不明でスイッチが入ることがあります。介護福祉職は「自分のケアが悪いから怒るのだ」と自分を責める必要はありません。手に余る場合は薬剤の併用や、あるいは易怒性の原因

となる薬剤の減量が必要です。よいケアと適切な薬剤は車の両輪のようなものなのです。

2 徘徊・無断外出

徘徊や無断外出は、介護者が疲弊する症状なので、予防が大切です。たとえば夕方になると施設から出ようとするAさんは「幼稚園に孫を迎えに行く」と言います。それは20年前に行っていたことなので、見当識障害が背景にあります。では、「現在あなたは85歳で、お孫さんは25歳です。迎えは必要ありません」という説得は有効でしょうか？ Aさんの言動からは中等度以降のアルツハイマー型認知症が疑われるので、説得はおそらく無効です。そして、このような本人の考えを全否定するような対応は、不満の蓄積からさらなるBPSDへとつながる可能性があります。よって、Aさんが安心して落ち着くような対応が必要です（たとえば、いっしょに出かける準備をするのでお茶を飲んで待っていてくださいともちかけて昔話をするなど）。基本的には、本人に日課や役割があり、話し相手がいて、安心して暮らせる環境整備がこのような見当識障害にもとづく外出の訴えを減らすのに有効です。

徘徊という専門用語に対して、当事者からは「自分たちは目的があって行動しているので、徘徊と言わないでほしい」という要望があります。介護者側からみれば「うろついている」のですが、本人は「ここがどこか確認している・探検している」「探し物をしている」「孫を迎えに行く」などのように行動意図をもっています（行動意図が明確でない場合もあります）。介護記録には「徘徊」で片づけずに、その状態を記載するのが望ましいでしょう。たとえば「探し物をしてうろうろしていた」などです。

アルツハイマー型認知症では、場所の見当識障害や空間認知障害があるので、近所でも道に迷います。無断外出すると、どんどん遠方に行ってしまう傾向があり、行方不明になりやすいです。着衣に名前や電話番号をつけておく、GPS装置を使う、リスクが高い場合は警察に登録する（静脈認証❹を進めている地域もあります）などの対策を講じておくとよいでしょう。

一方、行動障害型前頭側頭型認知症では、同じ経路で戻ってくる傾向があり、これは周回といわれます（常同行動）。外出しても戻ってこら

❹静脈認証
警察署などで認証機に手のひらをかざして静脈の走行パターンを認識・登録しておくことで、発見されたときに手のひらを認証機にかざすだけで個人を識別できる方法。

58

れる点では安心ですが、隣家の花を無断で抜いて持ってくる、自転車を無断で持ってくるなど、介護者が困る行為（反社会的行動）も多くあります。また、出たいという衝動を抑えることがむずかしいので（脱抑制）、外出を制止すると暴力に結びついて危険です。施設では外出よりももっと楽しいことに注意を向けるようにして、それを常同化するとよいでしょう（**ルーチン化療法❺**）。

3　不穏・焦燥

イライラしながら質問を繰り返したり、うろつきまわるような行動がみられます。アルツハイマー型認知症やレビー小体型認知症で、記憶障害や見当識障害、幻視などに起因する不安を背景に生じます。本人が安心して過ごせるようなケア（居場所や役割）が求められます。

4　拒否

拒否がみられたら、本人はどのように感じ・どのように考えて拒否したのかを、まずは冷静にとらえる必要があります。たとえば、おむつ交換のような必要性をあたりまえに理解できるケアでも、認知症の人はその必要性を理解できなかったり、尊厳をおかされたと感じたり、はずかしいと感じているかもしれません。介護施設の入浴も、①入りたくない時間に入浴させられる、②身ぐるみはがされて服を盗まれる、③入浴中に部屋に泥棒が入る、④人前で裸になるのははずかしい、⑤身体を洗ってもらうなど屈辱だなど、いろいろな拒否の要因がありますので、その人の立場になって対応しましょう。施設の都合で本人の望まない時間に入浴してもらうのであれば、「あなたが今、入浴してくれると私がとても助かります。私を助けると思って今、入浴してもらえませんか。お願いします。お風呂あがりには冷たい飲み物を用意しますね」といった言い方をするなど、適切な対応を心がけましょう。

5　不安

アルツハイマー型認知症でエピソード記憶がつながらず、時間軸が消えると、なぜここにいるのか、さっきまで何をしていたのかもわからな

❺ルーチン化療法
常同行動を利用して、好ましい行動（例えば塗り絵）に熱中してほかの不適切な行動を減らすように取り組む療法。

第2章　認知症の症状・診断・治療・予防

くなり、不安になります。エピソード記憶（経験）が徐々に失われていることは、自分自身が崩壊していく「漠然とした不安感」をもたらすでしょう。レビー小体型認知症では、幻覚・幻視にもとづく妄想（知らない人が家の中にいるなど）が不安をもたらしていることもあります。

6 うつ

❻うつ
p.23参照

　悲観的な思考が**うつ**❻の特徴です。たとえば失敗したとき、①失敗したのは自分の能力が低いからだ、②だれも助けてくれない、世間は冷たい、③もうこの先は希望もないと悪い方向に考えてしまい、さらにこの考えを反芻する（頭から離れず何度も考えてしまう）ことで、さらにうつが悪化してしまいます。認知症になると失敗体験が増えるので、アルツハイマー型認知症の初期にはうつになりやすい傾向があります。しかし、アルツハイマー型認知症が進行すると病識が低下し（失敗の自覚が減り）、うつになりにくい傾向があります。ただし、家族が失敗を指摘するほど、本人はうつになるでしょう。一方、レビー小体型認知症ではうつがしばしば合併し、初発症状のことも多いです。これは脳病変自体がうつを引き起こしているからと考えられます（中核症状）。また、血管性認知症の場合も、前頭葉白質病変などがうつと関連するといわれています。

7 アパシー

❼アパシー
p.23参照

　意欲がない状態、自発性が欠けた状態を**アパシー**❼といいます。パッション（情熱）が欠けた状態がアパシーの語源です。声かけや刺激がないと、一日中テレビ番をするなど、自発的な活動がみられない状態です。悲観的なうつとは異なり、アパシーは、本人があまり困っていません。介護者側からすると、危険な行動や無断外出などがないので手がかかりませんが、放置すると廃用症候群が進み、認知機能低下も加速します。低活動性せん妄は、アパシーと似た症状ですが、せん妄の治療が必要です。

8 妄想

アルツハイマー型認知症では、健忘に起因するもの盗られ妄想が主体です。自分でしまい忘れた物を「盗られた」と言い出したりします。妄想は、訂正しようと説得を試みても成功しないからこそ妄想といいます。よって、妄想を全否定するのではなく、その人が妄想にいたった過程を推測して対応法を見いだしていきます。背景には、不安・喪失感がひそんでいることが多いので、ふだんから本人が安心する環境調整を行い、日課があり役割があり、ほめられる設定などが有効です。

レビー小体型認知症では誤認妄想[8]がみられます。だれかが2階にいるといった「幻の同居人」、配偶者などの身近な人を別人と言う**カプグラ症候群[9]**、テレビの場面と現実の区別がつかなくなってしまう「誤認」などがあります。

9 幻視

何もないところに人物や動物などがありありと見える幻視がレビー小体型認知症の中核的臨床症状です。実際には、何か物があって見間違える錯視が大部分です。たとえば、いすの背もたれにかかっている上着をみて、「そこに男の人が座っている」などと言うことがあります。幻視は環境の影響を受けるので、照明を明るくする、部屋を整理整頓して陰を減らす、カーテンや壁紙などを模様のないものにするなどの環境調整が有効です。

幻視はせん妄であらわれることがありますが、アルツハイマー型認知症ではまれです。

10 異食

本来食べられないものを食べてしまうのが異食です。原因は2つに分けられます。まずは、中等度以降のアルツハイマー型認知症やレビー小体型認知症では視覚認知障害から見間違いにより食べられない物を食べられると誤認して食べてしまうことがあります。これは失認なので、BPSDであると同時に中核症状でもあります。ほかにも、冷蔵庫から肉を出してそのまま食べてしまうことなどは、肉という食物であることは

❽レビー小体型認知症の誤認妄想

レビー小体型認知症では、幻視が妄想に結びつく場合がある。たとえば幻視で妻の横に男性が見えたり、幻の同居人がいたりして実際にいると信じ込み（誤認妄想）、妻が浮気しているという嫉妬妄想に結びつく。

❾カプグラ症候群

家族など身近な人が、よく似た偽物と入れ替わったと確信する妄想。夫が妻を他人と思いこみ、「私の妻の服を勝手に着て！　すぐ脱ぎなさい」と命じたり、「どちら様ですか」や「お世話になります」などと他人行儀に声をかけたりする。

認識していますが、加熱が必要だということを忘れてしまうようです。

アルツハイマー型認知症が重度以降に進行すると、食べられるかどうかの判断なしに手あたり次第に口にもっていくようになります（**口唇傾向**）。これは、1歳児が示す行為と同じです。口唇傾向は認知障害そのもので、中核症状です。

11 異所排尿

アルツハイマー型認知症の人が、トイレを見つけられず廊下の隅に排尿してしまうことがあります。この行為を「トイレを見つけられない」という側面からみれば見当識障害という中核症状です。「通常は排尿しないところに排尿した異常行動」という側面からみればBPSDです。排尿というADLがうまくいかないという面からみれば生活障害です。1つの行動が、見方を変えれば中核症状であり、BPSDであり、生活障害であるということです。

5 BPSDの評価尺度

❿NPI
12項目で負担感も同時に評価。3種類の評価用紙が販売されている。

⓫BPSD+Q
27項目で負担感も同時に評価。13項目の短縮版BPSD13Qもあり、ともにインターネットで公開されている。

⓬阿部式BPSDスコア
10項目で、項目により点数の重みづけがなされている。インターネットで公開されている。

BPSDの状態を数値化する評価尺度はいろいろあり、NPI❿やBPSD+Q⓫、阿部式BPSDスコア⓬などが使われていますが、厚生労働省の科学的介護情報システムLIFEでは、科学的介護推進体制加算の項目として認知症の領域でDBD13（認知症行動障害尺度13項目版）が採用されました[6]。**表2−4**の13項目を全くない（0点）〜常にある（4点）の5段階評価をします。BPSDは行動と心理の症状ですが、DBD13は心理症状を欠いているので、BPSDの評価尺度としては不完全です。ましてや認知症の包括的な評価尺度でもありませんので、これで認知症を評価しているという誤解は避けましょう。

| 表2-4 | DBD13 |

① 同じことを何度も何度も聞く
② よく物をなくしたり、置場所を間違えたり、隠したりしている
③ 日常的な物事に関心を示さない
④ 特別な理由がないのに夜中起き出す
⑤ 特別な根拠もないのに人に言いがかりをつける
⑥ 昼間、寝てばかりいる
⑦ やたらに歩き回る
⑧ 同じ動作をいつまでも繰り返す
⑨ 口汚くののしる
⑩ 場違いあるいは季節に合わない不適切な服装をする
⑪ 世話されるのを拒否する
⑫ 明らかな理由なしに物を貯め込む
⑬ 引き出しやタンスの中身を全部だしてしまう

出典：町田綾子「Dementia Behavior Disturbance Scale（DBD）短縮版の作成および信頼性、妥当性の検討──ケア感受性の高い行動障害スケールの作成を目指して」『日本老年医学会雑誌』第49巻第4号、pp.463-467、2012年

◆ 引用文献

1）山口晴保「BPSDの定義、その症状と発症要因」『認知症ケア研究誌』第2巻、pp.1-16、2018年
2）日本認知症ケア学会編『BPSDの理解と対応──認知症ケア基本テキスト』ワールドプランニング、pp.1-11、2011年
3）同上
4）山口晴保・藤生大我「認知症の症状は「分類」から「視点」への転換を～BPSDを中心に」『Dementia Japan』第35巻第2号、pp.226-240、2021年
5）伊東美緒「BPSDを関係性から読み解く」山口晴保・伊藤美緒・藤生大我『認知症ケアの達人をめざす』協同医書出版社、pp.45-84、2021年
6）月井直哉ほか「BPSD評価尺度の特徴と本邦における使用状況」『認知症ケア研究誌』第5巻、pp.30-40、2021年

◆ 参考文献

● 山口晴保『認知症の正しい理解と包括的医療・ケアのポイント──快一徹！ 脳活性化リハビリテーションで進行を防ごう 第3版』協同医書出版社、2016年
● 山口晴保『認知症ポジティブ！──脳科学でひもとく笑顔の暮らしとケアのコツ』協同医書出版社、2019年
● 伊東美緒『認知症の方の想いを探る──認知症症状を関係性から読み解く』公益財団法人介護労働安定センター、2013年

演習2-2　BPSDのさまざまな要因

　BPSDに影響を及ぼす要因を介入可能な要因と介入困難な要因に分けてすべてあげてみよう。

介入可能な要因	介入困難な要因

第**4**節

認知症の診断と重症度

学習のポイント

■ 認知症の診断要件を理解する
■ 認知機能と重症度の評価法を理解する

関連項目 ⑪『こころとからだのしくみ』▶ 第1章第3節「こころのしくみの基礎」

1 診断

認知症の診断にはいくつかの基準を満たすことが必要です。これを**診断基準**といいます。①認知機能が低下していること、②生活に支障が出ていること、③一時的ではなく症状が持続していること、④意識が清明で覚醒していること、⑤うつ病などの精神疾患ではないことがおおむね共通した基準です。この5つにもとづいて解説します。

1 認知機能低下

認知機能が低下していることを明らかにするため、全般的な認知機能を評価する**HDS-R**（長谷川式認知症スケール）（**表2−5**）と**MMSE**（Mini-Mental State Examination：ミニメンタルステート検査）（**表2−6**）がよく用いられます。

HDS-Rは30点満点で、記憶の評価が中心であり、検者との会話だけで検査ができるので簡便です（筆記作業を含みません）。20点以下が認知症の目安になりますが、点数だけで認知症と決めつけることはできません。

MMSEは同様に30点満点で全般的認知機能を評価し、23点以下が認知症の疑いです。MMSEは文章を書いたり図を書き写したりと、動作性の認知課題が含まれます。言語性認知機能のみを評価するHDS-Rよ

表2−5	HDS-R（長谷川式認知症スケール）

No. 　　　質問内容		配点	記入
1．お歳はいくつですか？（2年までの誤差は正解）		0　1	
2．今日は何年の何月何日ですか？何曜日ですか？ （年月日、曜日が正解でそれぞれ1点ずつ）	年	0　1	
	月	0　1	
	日	0　1	
	曜日	0　1	
3．私たちが今いるところはどこですか？ 　自発的に出れば2点、5秒おいて、家ですか？病院ですか？ 施設ですか？　の中から正しい選択をすれば1点		0　1　2	
4．これから言う3つの言葉を言ってみてください。あとでまた聞 きますのでよく覚えておいてください。 　（以下の系列のいずれか1つで、採用した系列に○印をつけてお く） 　1：a）桜　b）猫　c）電車　2：a）梅　b）犬　c）自動車		0　1 0　1 0　1	
5．100から7を順番に引いてください。 　（100−7は？それからまた7を引くと？と質問す る。最初の答えが不正解の場合、打ち切る）	（93）	0　1	
	（86）	0　1	
6．私がこれから言う数字を逆から言ってください。 　（6−8−2、3−5−2−9） 　（3桁逆唱に失敗したら打ち切る）	2−8−6	0　1	
	9−2−5 −3	0　1	
7．先ほど覚えてもらった言葉をもう一度言ってみてください。 　（自発的に回答があれば各2点、もし回答がない場合、以下のヒ ントを与え正解であれば1点） 　a）植物　b）動物　c）乗り物		a：0　1　2 b：0　1　2 c：0　1　2	
8．これから5つの品物を見せます。それを隠しますので何があっ たか言ってください。 　（時計、鍵、タバコ、ペン、硬貨など必ず相互に無関係なもの）		0　1　2 3　4　5	
9．知っている野菜の名前をできるだけ 多く言ってください。 答えた野菜の名前を右欄に記入する。 途中で詰まり、約10秒待ってもでない 場合にはそこで打ち切る。 　5個までは0点、6個＝1点、7個＝2 点、8個＝3点、9個＝4点、10個＝5 点		0　1　2 3　4　5	

出典：加藤伸司・下垣光・小野寺敦志ほか「改訂　長谷川式簡易知能評価スケール（HDS-R）の作成」
　　　『老年精神医学雑誌』第2巻第11号、pp.1339-1347、1991年

第 **4** 節　認知症の診断と重症度

| 表2-6 | MMSE（ミニメンタルステート検査） |

得点	質問内容
1（5点）	今年は何年ですか？ 今の季節は何ですか？ 今日は何曜日ですか？ 今日は何月ですか？ 今日は何日ですか？
2（5点）	ここは何県ですか？ ここは何市ですか？ ここは何病院ですか？（または施設名を聞く） ここは何階ですか？ ここは何地方ですか？（例：関東地方）
3（3点）	これから言うことばを繰り返して言ってください。3単語（相互に無関係。例：スミレ、馬、飛行機）を言い、被験者に繰り返させる（即時再生；正答ごとに1点）。不正解の場合は、3個すべて復唱できるまで3単語を繰り返し伝える（6回まで）
4（5点）	100から順に7を引いてください。途中では、「そこから7を引いてください」とだけ伝え5回まで継続。（正答ごとに1点）
5（3点）	先ほどの3つのことばを思い出して言ってください。（3単語の遅延再生；正答ごとに1点）
6（2点）	（時計を見せながら）これは何ですか？（鉛筆を見せながら）これは何ですか？（品目ごとに1点）
7（1点）	これから私が言うことを、同じに言ってください。「みんなで、力を合わせて綱を引きます」（復唱できれば1点）
8（3点）	「この紙を左手で取り、両手で半分に折って、私に返してください」と伝える。（3段階の命令；できた段階ごとに1点）
9（1点）	次の文章を読んで、その指示に従ってください「眼を閉じなさい」（大きな文字の文章で提示する）
10（1点）	何か文章を書いてください（内容を問わず、文章を書けたら1点）
11（1点）	次の図形を写してください （右記よりも大きな図形の見本を示して模写を促す）

出典：Folstein,M., Folstein,S.E., McHugh,P.R., : "Mini-Mental State" a Practical Method for Grading the Cognitive State of Patients for the Clinician, *Journal of Psychiatric Research*, 12(3), 189-198, 1975. 山口晴保意訳

図2−4　山口キツネ・ハト模倣テスト

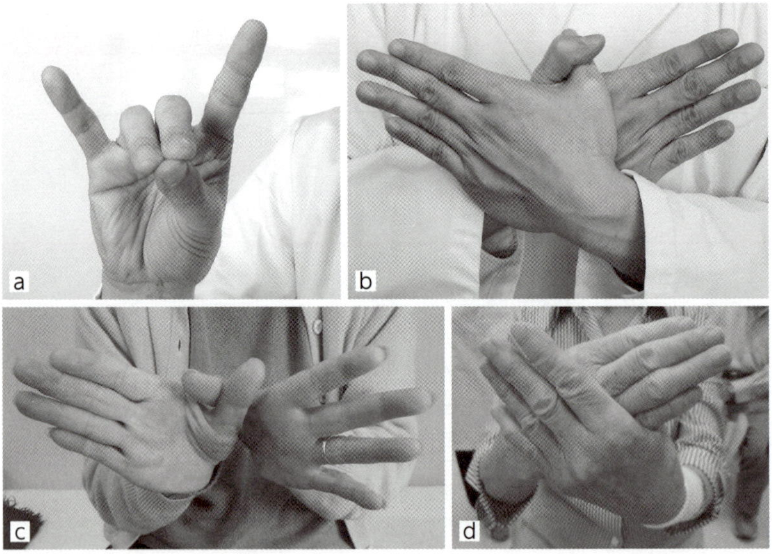

注：(a)キツネの教示、(b)ハトの教示、(c)両手のひらが外向きのアルツハイマー型認知症で多い失敗例、(d)手のひらの向きは合っているが手の形が不正解のレビー小体型認知症で多い失敗例。

りも幅広い認知機能を評価できますが、書く作業などが加わるので煩雑になります。それと、原版が英語のため、いくつかの日本語訳が出回っていて、訳によっては３段階の命令を１段ずつ区切ってしまうという誤訳があります。さらにMMSEは学歴・職歴の影響を受けます。

❶スクリーニングテスト
集団のなかから「認知症の疑い」を選び出す簡便な検査。

　HDS-RやMMSEは、認知症の**スクリーニングテスト**❶として1970年代に開発されました。その当時は、認知症と診断するにはもっと厳密な認知テストが必要と考えられていました。しかし、現在ではこれらのテストはスクリーニングだけではなく、診断にも使われています。なぜならば、厳密な認知テストは認知症の人への負担が大きいからです。たとえば、成年後見制度の鑑定書もHDS-RやMMSEが実施してあれば、それ以上厳密な認知テストは求められません。

　認知症かどうかは生活障害の有無で決まるので、認知症のスクリーニングは、**表１−３**（p. 7参照）に示したように生活状況から判別するのが優れた方法です。これが原則ですが、認知機能による簡便なスクリーニングとして、山口キツネ・ハト模倣テスト（**図２−４**）を示します。まず、**図２−４**ａのように影絵のキツネの手の形を提示して、「よく見て同じ形をつくってください」とだけ言い、10秒間待ちます。相手

第4節 認知症の診断と重症度

| 図2-5 | 時計描画テスト |

注：11時10分になるように描くが、針の位置が間違っている。

が同じ形をつくったら正解です。これは重度な認知症でない限りできます。次に図2-4bの影絵のハトの形を提示して「よく見て同じ形をつくってください」とだけ言い、10秒間待ちます。アルツハイマー型認知症では図2-4cに示すような手のひらが外向きになる失敗パターンが多くみられます。一方、レビー小体型認知症では手のひらは内向きで合っているのですが、手の形が異なる失敗が多くみられます（図2-4d）。このハトの模倣は軽度認知症で6割、中等度認知症で8割が失敗します。これが20秒でできる認知症のスクリーニングです。ただし、認知機能が正常でも1割くらいの人はできないので、これで認知症と決めつけてはいけません。

　このほか、時計の文字盤を描いて11時10分の針を入れてもらう**時計描画テスト**は、できなければ認知症が強く疑われますが、認知症でも上手に書けることもあります（図2-5）。

　MCI（Mild Cognitive Impairment：軽度認知障害）の診断には、記憶機能に特化した検査であるWMS-R（Wechsler Memory Scale-Revised：ウェクスラー記憶検査）やRBMT（Rivermead Behavioral Memory Test：リバーミード行動記憶検査）の論理記憶が必要です。一般的には短い物語を聞いてもらい、直後に聞いたことをすべて話してキーワードの数から点数化する即時再生と、30分後に思い出してもらう遅延再生で評価します。たとえばアルツハイマー型認知症になると、30分後にはほぼ0点になります。中等度以降は30分後には話を聞いたことすら覚えていない場合もあります。

また、社会のルールを守れるか、他人に共感できるか、がまんできるかなど、社会的認知（社会脳）の評価も必要です。このような前頭葉機能に特化した認知テストもあります。

レビー小体型認知症が疑われる場合は、視覚認知のテストが必要です。このように、疑われる認知症のタイプによって、必要な認知テストを追加します。

2 生活の支障

認知症の初期には生活管理能力であるIADL（Instrumental Activities of Daily Living：手段的日常生活動作）が低下するので、生活状況をチェックします。金銭管理、買い物、1人での外出、献立考案から調理、住居の整理整頓などができているかどうかが基準となります。前述のSED-11Q（Symptoms of Early Dementia-11 Questionnaire：**認知症初期症状11項目質問票**❷）やDASC-21（The Dementia Assessment Sheet for Community-based Integrated Care System-21 items：地域包括ケアシステムにおける認知症アセスメント）も参照してください。軽度アルツハイマー型認知症では、SED-11Qの介護者評価で平均5.5項目のチェックがつきます。

❷認知症初期症状11
項目質問票
p.7 参照

3 症状の継続

症状の経過がきわめて重要です。アルツハイマー型認知症や前頭側頭型認知症は症状が何か月もかけて「徐々にゆっくりと進行する」ことを確認する必要があります。レビー小体型認知症は症状が変動しますが、やはり何か月も継続しています。症状が一時的（一過性）の場合は、一過性の健忘を示すてんかんや内科疾患、せん妄などを疑います。ちなみにWHO（World Health Organization：世界保健機関）のICD-10では、6か月以上の症状継続が認知症診断の基準になっています。

4 精神疾患の除外

うつ病や統合失調症は除外します。うつはスクリーニングテストがあります。本人がチェックするGDS-15（Geriatric Depression Scale-15：

表2-7	GDS-5の5項目

| 毎日の生活に満足していますか |
| 毎日が退屈だと思うことが多いですか |
| 外出したり何か新しいことをするよりも家にいたいと思いますか |
| 生きていても仕方がないと思う気持ちになることがありますか |
| 自分が無力だと思うことが多いですか |

注：2項目以上「はい」だとうつの疑い。

出典：町田綾子ほか「簡易鬱スケールGDS 5の本邦における信頼性、妥当性の検討」
『日本老年医学会雑誌』第39巻、p.104、2002年

老年期うつ病評価尺度）という15項目の評価表で、6点以上がうつの疑いです。さらに簡便な5項目版（**表2-7**）もあり、2点以上がうつの疑いです。

　妄想がある場合は、医師による統合失調症や妄想性精神障害との鑑別が必要です。しまい忘れに起因するもの盗られ妄想であれば、アルツハイマー型認知症の可能性が強いです。レビー小体型認知症では嫉妬妄想や誤認妄想があらわれます。

5 意識障害の除外

　ぼーっとしている場合はせん妄などの意識障害である可能性を除外することが必要です。ただし、レビー小体型認知症や血管性認知症、正常圧水頭症では、ぼーっとしていることがその症状です。

　急にぼーっとしてきた場合は、慢性硬膜下血腫や脳梗塞の新たな発症などの精査が必要です。

6 画像診断

　認知症診断で使われる脳の画像検査は、①形態を画像化するCTやMRIと、②機能（血流）を画像化する脳血流SPECTや、脳病変を画像化するアミロイドPETに分けられます。機能や病変を画像化できる装置は高額で、核物質を扱う専門施設が必要なため、大学病院など限られた病院にしか設置されていません。このため、一般的にはCTやMRIで

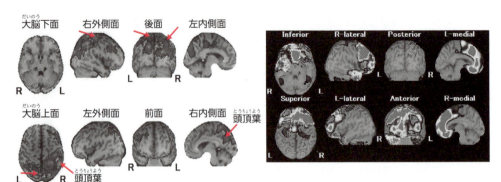

図2-6 脳の機能画像である脳血流SPECTで脳血流低下部位を示す

a アルツハイマー型認知症　　　b 行動障害型前頭側頭型認知症

注：アルツハイマー型認知症(a)では頭頂葉主体の血流低下（色の濃い領域）がみられ、行動障害型前頭側頭型認知症(b)では前頭葉の血流低下（色の薄い領域）が顕著である。カラーをモノクロ表示に変換している。

脳の形態をチェックし、①萎縮部位はどこか、②出血や梗塞、腫瘍はないか、③大脳白質の状態は保たれているかといったことを評価します。MRI画像はコンピュータ処理によりアルツハイマー型認知症に高頻度にみられる海馬領域の萎縮度を数値化するVSRADという解析も使われます。CTやMRI、MRIの形態画像だけから認知症を診断することはできません。むしろ脳梗塞や脳腫瘍などを除外して認知症であることを確信するための補助検査です。

機能画像検査である脳血流SPECTは、機能が低下したために脳血流が低下している部位を画像化する検査です（図2-6）。頭頂葉の血流が低下するアルツハイマー型認知症、後頭葉の血流が低下するレビー小体型認知症、前頭葉や側頭葉の血流が低下する前頭側頭型認知症など、認知症の原因疾患により血流低下部位が異なるので、脳血流SPECTで特徴的な所見から正確な認知症の原因疾患の診断をくだすことができます。よって、若年性認知症などきちんとした鑑別診断が必要な場合には大切な検査です。

❸アミロイドPET
p.25参照

アミロイドPET[❸]はまだ保険適用になっていませんが、アルツハイマー型認知症の病変である脳のβたんぱく沈着部位を発症の10年以上前から検出することができます。タウたんぱくの異常蓄積を画像化するタウPETも開発が進んでいます。これらにより、アルツハイマー型認知症の脳病変を可視化できるようになりました。

2 認知症の重症度判定

　介護保険では、認知症高齢者の日常生活自立度判定基準（表2-8）が重症度判定に使われます。認知症の人の日常生活自立度Ⅰは「何らかの認知症を有するが、日常生活は家庭内及び社会的にほぼ自立している」という判定基準が示されています。この基準を認知症の定義と照合すると齟齬があります。日常生活に支障をきたしたら認知症と定義されているので（p. 6参照）、日常生活がほぼ自立していれば認知症を有しないことになります。この基準の「何らかの認知症を有する」を「何らかの認知機能障害を有する」に置き換えれば、齟齬が消えて自立度ⅠはMCIに相当すると解釈できます。

　ほかに、認知機能や生活状況を総合評価するCDR（Clinical Dementia Rating：臨床認知症評価尺度）も研究では使われます。CDR 0 が正常、CDR 0.5がMCI、CDR 1 が軽度認知症、CDR 2 が中等度認知症、CDR 3 が重度認知症に相当します（表2-9）。

　アルツハイマー型認知症では、FAST（Functional Assessment Staging）（表1-6、p. 20参照）が重症度判定や進行過程を示すのに使われます。FASTは、認知症全般の重症度評価尺度ではありません。

表2－8	認知症高齢者の日常生活自立度判定基準		
ランク	判定基準	見られる症状・行動の例	判定にあたっての留意事項
Ⅰ	何らかの認知症を有するが、日常生活は家庭内及び社会的にほぼ自立している。		在宅生活が基本であり、一人暮らしも可能である。相談、指導等を実施することにより、症状の改善や進行の阻止を図る。
Ⅱ	日常生活に支障を来すような症状・行動や意思疎通の困難さが多少見られても、誰かが注意していれば自立できる。		在宅生活が基本であるが、一人暮らしは困難な場合もあるので、日中の居宅サービスを利用することにより、在宅生活の支援と症状の改善及び進行の阻止を図る。
Ⅱa	家庭外で上記Ⅱの状態が見られる。	たびたび道に迷うとか、買物や事務、金銭管理などそれまでできたことにミスが目立つ等	
Ⅱb	家庭内でも上記Ⅱの状態が見られる。	服薬管理ができない、電話の応対や訪問者との対応など一人で留守番ができない等	
Ⅲ	日常生活に支障を来すような症状・行動や意思疎通の困難さがときどき見られ、介護を必要とする。		日常生活に支障を来すような症状・行動や意思疎通の困難さがランクⅡより重度となり、介護が必要となる状態である。「ときどき」とはどのくらいの頻度を指すかについては、症状・行動の種類等により異なるので一概には決められないが、一時も目を離せない状態ではない。
Ⅲa	日中を中心として上記Ⅲの状態が見られる。	着替え、食事、排便・排尿が上手にできない・時間がかかる やたらに物を口に入れる、物を拾い集める、徘徊、失禁、大声・奇声を上げる、火の不始末、不潔行為、性的異常行為等	在宅生活が基本であるが、一人暮らしは困難であるので、夜間の利用も含めた居宅サービスを利用し、これらのサービスを組み合わせることによる在宅での対応を図る。
Ⅲb	夜間を中心として上記Ⅲの状態が見られる。	ランクⅢaに同じ	
Ⅳ	日常生活に支障を来すような症状・行動や意思疎通の困難さが頻繁に見られ、常に介護を必要とする。	ランクⅢに同じ	常に目を離すことができない状態である。症状・行動はランクⅢと同じであるが、頻度の違いにより区分される。家族の介護力等の在宅基盤の強弱により居宅サービスを利用しながら在宅生活を続けるか、または特別養護老人ホーム・老人保健施設等の施設サービスを利用するかを選択する。施設サービスを選択する場合には、施設の特徴を踏まえた選択を行う。
M	著しい精神症状や周辺症状あるいは重篤な身体疾患が見られ、専門医療を必要とする。	せん妄、妄想、興奮、自傷・他害等の精神症状や精神症状に起因する問題行動が継続する状態等	ランクⅠ～Ⅳと判定されていた高齢者が、精神病院や認知症専門棟を有する老人保健施設等での治療が必要となったり、重篤な身体疾患が見られ老人病院等での治療が必要となった状態である。専門医療機関を受診するよう勧める必要がある。

第 4 節　認知症の診断と重症度

表 2-9　臨床的認知症尺度（CDR）の判定表

CDR	0	0.5	1	2	3
	障害				
	なし 0	疑い 0.5	軽度 1	中等度 2	重度 3
記憶 (M)	●記憶障害なし ●軽度の一貫しない物忘れ	●一貫した軽い物忘れ ●出来事を部分的に思い出す良性健忘	●中程度記憶障害 ●特に最近の出来事に対するもの ●日常生活に支障	●重度記憶障害 ●高度に学習したもののみ保持、新しいものはすぐに忘れる	●重度記憶障害 ●断片的記憶のみ残存する程度
見当識 (O)	●見当識障害なし	●時間的関連の軽度の困難さ以外は障害なし	●時間的関連の障害中程度あり、検査では場所の見当識良好、他の場所で時に地誌的失見当	●時間的関連の障害重度、通常時間の失見当、しばしば場所の失見当	●人物への見当識のみ
判断力と問題解決 (JPS)	●日常の問題を解決 ●仕事をこなす ●金銭管理良好 ●過去の行動と関連した良好な判断	●問題解決、類似性差異の指摘における軽度障害	●問題解決、類似性差異の指摘における中程度障害	●問題解決、類似性差異の指摘における重度障害	●問題解決不能
			●社会的判断は通常、保持される	●社会的判断は通常、障害される	●判断不能
地域社会活動 (CA)	●通常の仕事、買物、ボランティア、社会的グループで通常の自立した機能	●左記の活動の軽度の障害	●左記の活動のいくつかにかかわっていても、自立できない ●一見正常	●家庭外では自立不可能	
				●家族のいる家の外に連れ出しても他人の目には一見活動可能に見える	●家族のいる家の外に連れ出した場合生活不可能
家庭生活および趣味・関心 (HH)	●家での生活、趣味、知的関心が十分保持されている	●家での生活、趣味、知的関心が軽度障害されている	●軽度しかし確実な家庭生活の障害 ●複雑な家事の障害、複雑な趣味や関心の喪失	●単純な家事手伝いのみ可能 ●限定された関心	●家庭内における意味のある生活活動困難
介護状況 (PC)	●セルフケア完全		●奨励が必要	●着衣、衛生管理など身の回りのことに介助が必要	●日常生活に十分な介護を要する ●頻回な失禁

出典：Morris, J.C., The Clinical Dementia Rating（CDR）：Current version and scoring rules. Neurology 43：2412-2414, 1993., 目黒謙一『痴呆の臨床─CDR判定用ワークシート解説』医学書院、p.104、2004年

◆ 参考文献

● 山口晴保『紙とペンでできる認知症診療術――笑顔の生活を支えよう』協同医書出版社、
2016年

演習2-3 認知症の評価尺度

第 4 節 認知症の診断と重症度

認知症の評価尺度をくらべてみよう。

項目	特徴	使用目的
HDS-R		
MMSE		
FAST		
認知症高齢者の日常生活自立度判定基準		
CDR		

第 **5** 節

認知症の原因疾患と症状・生活障害

学習のポイント

- アルツハイマー型認知症やレビー小体型認知症など認知症の原因疾患の病態や症状を理解する
- 原因疾患により症状や経過も異なることを理解する

関連項目 ⑪ 『こころとからだのしくみ』 ▶ 第1章第3節「こころのしくみの基礎」

認知症を引き起こす疾患の割合を**図2−7**に示しました。この図では血管性認知症が約2割ですが、年々減少しています。物忘れ外来受診者では、血管性認知症よりもレビー小体型認知症が多く、前頭側頭型認知症は図よりも多く5%程度です。

図2−7 認知症の基礎疾患の内訳

（面接調査で診断が確定した者978名）

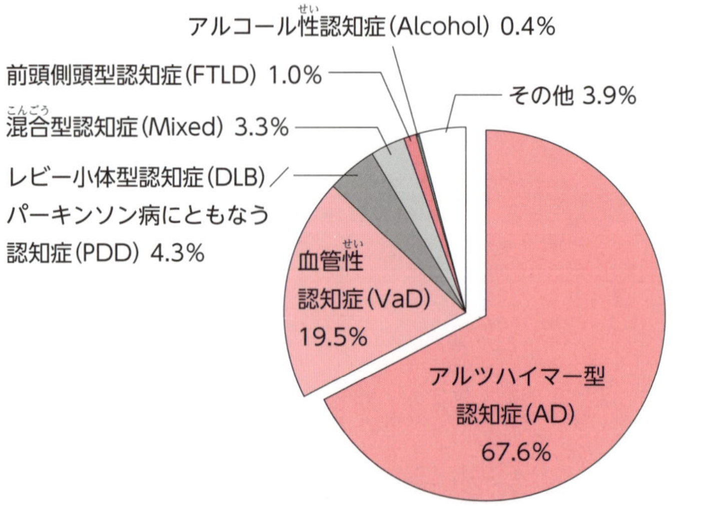

アルコール性認知症（Alcohol）0.4%

前頭側頭型認知症（FTLD）1.0%

その他 3.9%

混合型認知症（Mixed）3.3%

レビー小体型認知症（DLB）／パーキンソン病にともなう認知症（PDD）4.3%

血管性認知症（VaD）19.5%

アルツハイマー型認知症（AD）67.6%

資料：「都市部における認知症有病率と認知症の生活機能障害への対応」（平成23年度〜24年度）総合研究報告書を一部改変

第5節　認知症の原因疾患と症状・生活障害

1 重複病変

　これから認知症の原因疾患のそれぞれを解説しますが、高齢になるほど病変が重複します。認知症の原因疾患（タイプ）を特定する鑑別診断を行うことが基本ですが、高齢になるほど、これがむずかしくなります。そして、単一の診断名がその先々まで継続することで、それ以外の疾患の影響を見逃すことにもなりかねません。つまり、高齢になればなるほど、鑑別診断が、あまり意味をなさなくなります。たとえば、アルツハイマー型認知症病変である脳βアミロイド沈着とレビー小体型認知症の病変であるαシヌクレインの沈着、さらには小さな脳梗塞の多発など、高齢になるほど病変が重複してきます。そして、死後の病理解剖を待たないと、どんな病変がどの程度に生じているのかは正確にはわかりません。そのため、臨床症状として、どの疾患の症状があらわれているのかを把握して、その症状に応じた医療・ケアを行うことが現実的です。

2 アルツハイマー型認知症

1 病態

　無症状〜MCI（Mild Cognitive Impairment：軽度認知障害）〜認知症という**アルツハイマー病❶**の長い経過のなかで、認知症を発症して以降をアルツハイマー型認知症という立場で解説します。
　βたんぱく沈着がアルツハイマー型認知症の原因と考えられる根拠は、①βたんぱくの代謝に関連する遺伝子変異が**家族性アルツハイマー型認知症❷**を引き起こすこと、②βたんぱくの遺伝子が乗る21番染色体の**トリソミー❸**であるダウン症では50歳以降にアルツハイマー型認知症を併発すること、③病理学的に老人斑が見つからなければアルツハイマー型認知症とはいえないことなどです。ただしβたんぱく沈着を生じても、ただちに認知症になるわけではなく、脳には余力があるので、20年ほどの経過でβたんぱくの広範囲・多量の蓄積、神経原線維変化の広範囲の出現で認知症となります。つまり、アルツハイマー型認知症は、

❶**アルツハイマー病**
p.17参照

❷**家族性アルツハイマー型認知症**
βたんぱくに関連する遺伝的な要因のために家族間にアルツハイマー型認知症が多発する。

❸**トリソミー**
染色体を1個余分にもつ現象。ヒトの場合、21番染色体を合計3本もつことでダウン症となる。

20年におよぶ無症状期ののちに、5年ほどの健忘のみのMCIを経てアルツハイマー型認知症となり、おおむね10〜15年の経過で死にいたります。重度期以降は大脳皮質一次領野にも老人斑や神経原線維変化による障害が広がり、四肢の運動障害や誤嚥を引き起こします。

2 症状

初発症状は健忘ですが、健忘のみではアルツハイマー型認知症とはいえません。見当識障害や遂行機能障害、空間認知障害をともなって、金銭・買い物・調理などの生活管理に支援が必要になるとアルツハイマー型認知症です。

健忘・見当識障害が中核となる症状で、これらにともない「もの盗られ妄想」「繰り返しの質問」などのBPSD（Behavioral and Psychological Symptoms of Dementia：認知症の行動・心理症状）がみられます。自分の能力を正確に把握することがむずかしくなり、能力を過大評価する（障害を過小評価する）病識低下（内省能力の減退）が特徴的です。

図2−8にアルツハイマー型認知症の症状をまとめました。

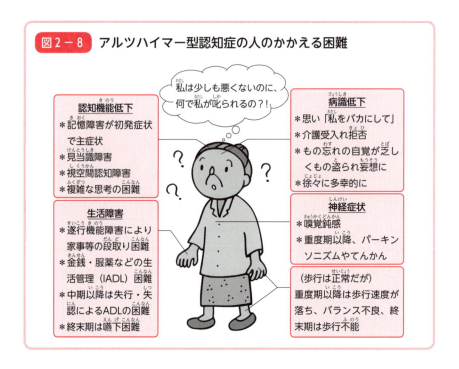

図2−8 アルツハイマー型認知症の人のかかえる困難

第5節　認知症の原因疾患と症状・生活障害

3 経過

　MCIの時期には健忘が主症状ですが、生活管理能力は保たれています。そして、記憶障害が進行して見当識障害や遂行機能障害が加わり生活管理に支障が生じると初期のアルツハイマー型認知症となります。初期はIADLの障害です。中期以降は認知機能の低下とともに徐々にADL（Activities of Daily Living：日常生活動作）障害が加わります。重度になると失行・失認様の症状が加わり、言語機能や排尿コントロール機能も低下します。終末期には運動機能障害（パーキンソニズムや運動麻痺、咀嚼嚥下障害）も加わり、発語が消失していき、誤嚥などで死にいたります。言葉を失っても、感情（笑顔）は残っています。視線や表情、わずかな動きなどを通じて本人が表出する非言語サインを見逃さずに受け取りケアしましょう。日本ではアルツハイマー型認知症は死因にならないという考えが根強いですが、欧米ではアルツハイマー型認知症が死因になると考えられていますので、終末期の経管栄養は医学的には必要なしととらえられています。

3 血管性認知症

1 病態

　脳に血液を送る血管の狭小化・閉塞や心筋梗塞にともなう血圧低下などによる脳血流低下によって生じる脳梗塞、脳血管の破裂による脳出血などが原因で生じる認知症です。頸動脈～中大脳動脈など、太い血管の閉塞では広範囲の梗塞を生じて脳卒中[4]となります。主症状は半身の運動麻痺や失語症ですが、このような大きな脳卒中発作を何度か繰り返すと、脳のあちこちが壊れるので認知症になる率が高くなります。ただし、このように大血管の梗塞を複数回生じて階段状に悪化する例は全体の少数派です。大部分は、大脳深部の小血管が詰まることで、大脳基底核を中心に生じる小さな脳梗塞の多発による認知機能の低下、また大脳白質の血流不全にともなう認知機能低下によるものです。

[4]脳卒中
突然生じる脳血管障害で、大きな脳梗塞、脳出血、くも膜下出血がある。意識障害をともない片麻痺となることが多い。

2 症状

少数派の複数回の脳卒中発作で発症した場合は、**高次脳機能障害**❺がみられ、症状は脳梗塞部位によって大きく変わります。また、発作のたびに階段状に症状が悪化します。一方、多数派である大脳基底核の多発性脳梗塞や大脳白質虚血❻による症状は、アルツハイマー型認知症のようにゆっくりと進行するのが特徴です。

後者では、記憶障害など認知症全般でみられる症状が出ますが、特徴的な点は、①思考の鈍麻：考えるスピードが遅くなります。間をおいて返答します。会話もゆっくりです。②うつ・アパシー：やる気がなく、ぼーっとしているアパシーの症状や、悲観的になるうつの症状が目立ちます。③構音障害（ろれつが回らない）や嚥下障害（むせ）など、**偽性球麻痺**❼といわれる症状をともないます。④パーキンソニズム（手足の筋が硬くなり動きにくくなる）や立位バランス障害（転びやすい）など、運動障害をともないます。⑤脳梗塞の危険因子である糖尿病や心房細動などの不整脈が合併症としてみられる傾向があります（**図2－9**）。

❺高次脳機能障害
ここでは、遂行機能障害、失行、失認、失語などの症状をさす。その一方で、行政用語としては、身体障害者手帳で障害名として用いられ、進行性でない障害をさしている。認知症の人に通常出現する高次脳機能障害は進行性なので、この用語は血管性認知症以外ではあまり用いられない。

❻大脳白質虚血
両側大脳白質の広範囲な病変による血管性認知症はビンスワンガー型白質脳症と呼ばれる。

❼偽性球麻痺
嚥下や発語をつかさどる下位運動ニューロン（橋や延髄にある神経細胞）が障害されると球麻痺となり、大脳皮質の上位運動ニューロンから下位運動ニューロンへいたる経路が両側性に障害されると偽性球麻痺となる。

図2－9 血管性認知症の人のかかえる困難

出典：山口晴保『紙とペンでできる認知症診療術──笑顔の生活を支えよう』協同医書出版社、p.78、2016年を一部改変

3 経過

　未治療では徐々に進行します。しかし、脳循環改善薬や脳梗塞を防ぐ薬の投与に加えて、運動や食事などのライフスタイルの改善で、短期的には認知機能が改善する可能性があります。よって、経過はまちまちです。アルツハイマー型認知症では嚥下障害は終末期の症状ですが、血管性認知症では初期から嚥下障害があらわれる場合があり、胃ろう（PEG（Percutaneous Endoscopic Gastrostomy：経皮内視鏡的胃ろう造設術））を含めた適切な対応が必要です。

4 レビー小体型認知症

1 病態

　αシヌクレインというたんぱくが神経細胞のなかに異常蓄積します。このたんぱくの球状塊は顕微鏡で見つけることができ、レビー小体といいます。レビーは、パーキンソン病の脳でこれを発見した医師の名前です。レビー小体型認知症とパーキンソン病の原因となる蓄積たんぱくは同じです。

　ちなみにこの疾患自体の発見者は医学者の小阪憲司です。このたんぱくは脳以外を含めたいろいろな部位に蓄積しますので、症状と併せて解説します。

2 症状

　2017（平成29）年に発表されたレビー小体型認知症の診断基準では、①認知機能の変動、②リアルな幻視、③REM睡眠行動障害、④パーキンソニズムが中核的臨床症状としてあげられていますので、これらについて解説します。

　レビー小体型認知症の病変は大脳基底核や脳幹部など覚醒レベルの維持に重要な部位にでき、覚醒レベルが変動することで認知機能が変動する特徴があります。

マイネルト核というアセチルコリンを産生する部位の病変が強く、大脳皮質、とくに後頭葉のアセチルコリンが減少して視覚認知障害による症状として幻視が出現します。幻視とは、本来何もないところに何かが見えるものですが、レビー小体型認知症では、たとえばいすにかかっている背広が人に見える、庭の木立が人影に見えるなど見間違いの場合が多く、厳密には錯視です。パンくずなど小さなものは動いている虫に見えたりします。見えるものは人や動物のことが多く、覚醒レベルが低下しているときや薄暗くなったときにあらわれやすくなります。通常ありえないものが見えているというので（たとえば家のなかなのにゾウが見えるなど）、視覚認知だけでなく、前頭葉のチェック機能も落ちていると考えられます。この錯視は、誘発することが可能です。たとえば図2－10のパンジーの写真をレビー小体型認知症の人に見せるとライオンのような顔が見えるといいます。

　REM睡眠行動障害は、睡眠中に夢を見たとき、その場面に応じた言動がみられる症状です。たとえば夜中に「逃げろー！」と大声を出したときは大型犬に襲われた夢でした。認知機能が正常な人は夢を見ても手足は動きませんし声も出ませんが、REM睡眠行動障害では、声が出たり、立ち上がったり、隣の人を蹴飛ばしたりといった行動がみられます。これは脳幹部の病変と関係すると考えられていて、初発症状であったり、前兆であったりします。

図2－10　レビー小体型認知症の錯視の誘発

注：レビー小体型認知症の人は点線で囲った部分に注目して「顔」と答える
出典：山口晴保『紙とペンでできる認知症診療術──笑顔の生活を支えよう』協同医書出版社、p.53、2016年を一部改変

出典：山口晴保『紙とペンでできる認知症診療術――笑顔の生活を支えよう』協同医書出版社、p.60、2016年を一部改変

　パーキンソニズムは、脳幹部の病変が中脳黒質という手足の運動に関係する神経細胞にできるとあらわれる症状です。
　このほかにも、薬剤過敏性が特徴で、たとえば、少量の抗精神病薬で鎮静状態になってしまったり、ふらついたりします。
　脳幹部の迷走神経核や末梢の自律神経線維にもαシヌクレインが蓄積するので、起立性低血圧と失神、頑固な便秘などがあらわれます。
　図2−11にレビー小体型認知症の症状をまとめました。

3　経過

　前兆として、認知機能低下の何年も前からREM睡眠行動障害がみられます。嗅覚低下も早期からあらわれます。抑うつは早期から出現する症状で、うつ病と診断されて、しばらくしてから幻視などが出てきてレビー小体型認知症と診断される事例が相当数あります。認知機能低下の初期にはパーキンソン症状がみられることもあり、みられても軽度のことが多いです。全体的に進行はアルツハイマー型認知症よりも早く、嚥下障害も出やすいとされています。

5　前頭側頭型認知症

1　病態

❽前頭側頭型認知症
前頭側頭型認知症には非流暢性失語が初発症状で言語障害が中心の進行性非流暢性失語というごくまれなタイプもある。

前頭側頭型認知症❽は、ドイツのピック（Pick, A.）医師が、病理解剖例の脳を肉眼で見て前頭葉や側頭葉がそこだけ強く萎縮している症例を報告したのが始まりで、後にピック病といわれるようになりました。肉眼でわかるほどの萎縮が特徴で、CTやMRIの画像所見が診断に役立ちます（図2－12）。前頭側頭型認知症はタウたんぱくまたはTDP-43たんぱくが神経細胞内に異常蓄積して発症します。どちらのたんぱくがたまっているかは、臨床症状からはわかりませんが、前頭葉萎縮が中心の**行動障害型前頭側頭型認知症**ではいずれかのたんぱく蓄積が、側頭葉萎縮が中心の**意味性認知症**ではTDP-43たんぱくが蓄積している事例が過半数であると病理解剖から判明しています。

2　症状

前頭葉萎縮が主体の行動障害型前頭側頭型認知症と、側頭葉萎縮が主体の意味性認知症に分けて解説します（図2－13）。ともに頻度は低い

図2－12 行動障害型前頭側頭型認知症の前頭前野（a）と意味性認知症の側頭葉（b）の限局性萎縮（点線で囲った部分）

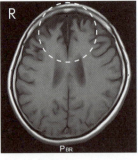
a

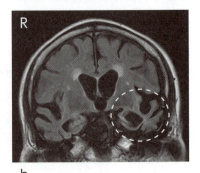
b

出典：山口晴保『紙とペンでできる認知症診療術――笑顔の生活を支えよう』協同医書出版社、pp.71-72、2016年を一部改変

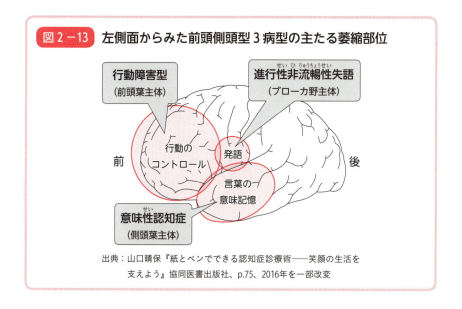

図2-13 左側面からみた前頭側頭型3病型の主たる萎縮部位

出典：山口晴保『紙とペンでできる認知症診療術――笑顔の生活を支えよう』協同医書出版社、p.75、2016年を一部改変

ですが、両者は同程度にあらわれますので、きちんとした理解が必要です。

　行動障害型前頭側頭型認知症は、**前頭葉症状**として、脱抑制が顕著で、突然行動を起こします。がまんが苦手で、①時計や看板が目に入ると読み上げる、②店のなかで欲しいものがあると持ち去る、③いきなり怒る、④急に立ち去るなど、社会のルールを無視してわがもの顔で行動します（わが道をいく行動）。このため、暴言・暴力も生じやすく、介護が大変です。また、常同行動という同じ行動の繰り返しが特徴で、①こだわりが強い、②決まった時間に決まったことをしないと気が済まない（時刻表的生活）、③無断外出しても、一定のルートを回って戻ってくる周回（迷子になりやすいアルツハイマー型認知症との違い）、しかも何度も同じルートを回るといった特徴があります。また、気が変わりやすく（転動性の亢進）、ぼーっとしていたかと思うと（アパシー）、いきなりスイッチが入って過活動になります。このため、介護負担がもっとも高いタイプが行動障害型前頭側頭型認知症です。

　一方、側頭葉萎縮が中心の意味性認知症は、言葉の意味がわからない語義失語が中心の症状です。たとえば「カバン（かばん）」という言葉の意味がわからないので、「カバンをとって」といわれたときに「カバンって何？」と返答し、かばんをとることができません。**意味記憶**[9]は左側頭葉を中心に保存されています。そして、ここが萎縮すると、言葉の意味が理解できなくなり、さらにかばんがわからないので、かばんを

[9] 意味記憶
p.16参照

見せながら、「これは何ですか？　カから始まります」とか「カバ」とヒントを与えても、「これはカバですか」などと言い、「カバンという言葉が出てこない」という特徴があります。そして、「土産（みやげ）」を「ドサン」、「八百屋（やおや）」を「ハッピャクヤ」などと読みます。言葉の障害だけでなく、顔を見てもだれだかわからない症状（相貌失認）や、時刻表的生活などの常同行動や脱抑制など前頭葉症状もともないます。

3 経過

　社会のルールを無視する行動や言葉の理解の障害などから発症し、アルツハイマー型認知症とは明らかに異なる経過を示すので、見分けることが大切です。その理由は、前頭側頭型認知症、とくに行動障害型前頭側頭型認知症にドネペジルなどのアルツハイマー型認知症治療薬が投与されると、過活動がさらに過激になり、介護が困難になるからです。

　初期には過活動が目立ちますが、進行するとアパシーが目立つようになります。終末期は、ほかの認知症疾患と同様で、動けなくなり、言葉を失い、咀嚼嚥下障害で死にいたりますが、最後まで本人の発する非言語メッセージを受け取りケアしましょう。

6 治療可能な認知症

　認知症には「症状が継続する」という条件がついているので、治療で軽快するのは認知症ではないともいえます。治療可能な認知症とは、認知機能低下があらわれてからの時間経過が短期間なら治療で回復する疾患です。しかし、これらの疾患でも、長期間経過してしまうと治療してももとには戻らないものが多くなります。これらは認知症症状をあらわす疾患としてとらえ、アルツハイマー型認知症のような病変が徐々に進行する原因疾患（神経変性疾患）とは区別して考えます。

1 正常圧水頭症

脳は大脳のなかにある側脳室という空間（そこに水がたまっている）

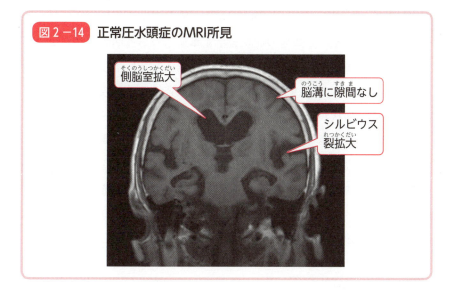

図2-14 正常圧水頭症のMRI所見

のなかで、絶えず脳脊髄液⑩を産生しています。この脳脊髄液は橋まで流れて脳の外に出ると、脳の周囲を上方に流れ、大脳の上方正中部にあるくも膜顆粒で吸収されます。この流れがブロックされると脳脊髄液が脳室や脳の周囲にたまり、正常圧水頭症となります。

脳脊髄液がたまると、大脳のはたらきが悪くなり、①ぼーっとするタイプの認知機能の低下、②すり足で小刻みに歩く**歩行障害**⑪、③遅れて出現することが多い尿失禁がみられ、これらが正常圧水頭症の3大症状です。

CTやMRIは、特徴的な画像所見を示すので（図2-14）、診断に有用です。

腰椎部に針を刺して脳脊髄液を試験的に30ml抜く**タップテスト**で症状が軽減すれば、余分な脳脊髄液を腹腔に逃がす**シャント手術**が行われ、歩行障害などが軽減します。

ただし、アルツハイマー型認知症やレビー小体型認知症に正常圧水頭症が合併していることも多く、手術をしても認知機能障害は進行します。よって、必ずしも治るとはいえません。また、90歳以上の高齢だと手術の適応にならないと判断される場合もあります。

2 慢性硬膜下血腫や脳腫瘍（髄膜腫）

慢性硬膜下血腫は、頭部を打撲したあと、数週間以上経過してから

⑩脳脊髄液
1日約500ml産生され、同量吸収されている。

⑪歩行障害
p.44参照

ぼーっとする、ふらつくなどの症状があらわれます。半身麻痺をともなう傾向があります。認知症の症状を示す事例よりも低活動性せん妄の症状を示す事例が多く、経過も数週間と、通常の認知症よりも短期間で症状が進行します。なるべく早くCTやMRIで発見して血液を抜く手術を行うことで、症状が軽減します。

まれに髄膜腫という脳腫瘍が前頭葉などにできると、何年間もの長い時間をかけて認知症の症状があらわれます。髄膜腫は良性のことが多く、手術で軽快します。がんの脳転移の場合も認知症の症状が出る場合がありますが、進行が早く、意識障害をともないやすいなど、通常の認知症とは症状が異なります。

3 その他

甲状腺機能低下症が継続すると、認知機能が低下します。そして、甲状腺ホルモン剤の投与で回復するので、活動性や自発性が低下している事例では見逃さないよう注意します。血液検査で発見できますが、血液検査で甲状腺機能が低下していても、通常は認知機能の低下を示しません。

ビタミンB_{12}の欠乏では、悪性貧血や手足のしびれ、運動失調（上手な運動ができない）などとともに認知機能低下があらわれます。胃の全摘手術を受けると、長期間（5年以上）経ってからビタミンB_{12}欠乏の症状があらわれやすいですが、治療で症状が軽快します。

臨床現場では、「治る認知症」として遭遇する頻度が高いのは、①うつ病にともなう記憶障害で、抗うつ薬や生活指導で改善する、②長時間作用型の睡眠薬の処方による認知機能低下が、短時間作用型の睡眠薬への変更で正常化する、③その他、抗不安薬など認知機能に悪影響する薬剤の中止で軽快するなどです。

7 認知症の原因疾患の鑑別

認知症の原因疾患を知ることは、スムーズなケアに欠かせません。しかし、医師による詳細な診断がついていない事例が多い現状があります。そこで、介護福祉職が、認知症の病型（原因疾患）ごとの特徴を知ってお

第5節　認知症の原因疾患と症状・生活障害

表2-10　認知症の鑑別診断に有用なDDQ-43

ご本人の日々の生活の様子から、あてはまるものに○を付けてください。

	項目	分類
	しっかりしていて、一人暮らしをするに、手助けはほぼ不要	MCI（軽度認知障害）& NC（健常）
	買い物に行けば、必要なものを必要なだけ買える	
	薬を自分で管理して飲む能力が保たれている	
	この1週間～数か月の間に症状が急に進んでいる	Delirium（せん妄）
	お金など大切なものが見つからないと、盗られたと言う	ADD（アルツハイマー型認知症）
	最初の症状は物忘れだ	
	物忘れが主な症状だ	
	置き忘れやしまい忘れが目立つ	
	日時がわからなくなった	
	できないことに言い訳をする	
	他人の前では取り繕う	
	頭がはっきりとしている時と、そうでない時の差が激しい	DLB（レビー小体型認知症）& PDD（認知症をともなうパーキンソン病）
	実際には居ない人や動物や物が見える	
	見えたものに対して、話しかける・追い払うなど反応する	
	誰かが家の中に居るという	
	介護者など身近な人を別人と間違える	
	小股で歩く	
	睡眠中に大声や異常な行動をとる	
	失神（短時間気を失う）や立ちくらみがある	
	転倒する	
	便秘がある	
	動作が緩慢になった	
	悲観的である	VD（血管性認知症）
	やる気がない	
	しゃべるのが遅く、言葉が不明瞭	
	手足に麻痺がある	
	飲み込みにくく、むせることがある	
	感情がもろくなった（涙もろい）	
	思考が鈍く、返答が遅い	
	最近嗜好の変化があり、甘いものが好きになった	FTD-bv（行動障害型前頭側頭型認知症）（Fr-ADD（前頭葉症状のあるアルツハイマー型認知症））
	以前よりも怒りっぽくなった	
	同じ経路でぐるぐると歩き回ることがある	
	我慢できず、些細なことで激高する	
	些細なことで、いきなり怒り出す	
	こだわりがある、または、まとめ買いをする	
	決まった時間に決まったことをしないと気が済まない	
	コロコロと気が変わりやすい	
	店からものを持ち去る（万引き）などの反社会的行動がある	
	じっとしていられない	akathisia（アカシジア）
	尿失禁がある	NPH（正常圧水頭症）
	ボーッとしている	
	摺り足で歩く	
	言葉が減った	Aphasia（失語症）
	ものの名前が出ない	

注：山口晴保研究室ホームページからダウンロード可能

くことが大切です。とくにレビー小体型認知症は特徴的な症状を示すので、それを知っていれば気づけます。この各病型の特徴をまとめたのが、DDQ-43（Dementia Differentiation Questionnaire-43 items：認知症病型分類質問票）です（表2-10）。これを介護者がチェックすると、重要な症状の見逃しを防ぐことができ、診断に役立ちます。

確定診断には、症状に加えて、補助的な画像診断が必要になりますが、基本的には症状、つまり日ごろどのような言動をし、どのような生活困難が生じているかということが大切です。

8 若年性認知症

65歳未満で発症する認知症を若年性認知症といいます。2020（令和2）年に公表された全国調査の結果では若年性認知症者数は約3万5700人と推定され、認知症全体の1％弱を占めます。調査で把握できなかった人を含めても認知症全体の2％未満と思われます。原因疾患は、アルツハイマー型認知症が52.6％ともっとも多く、血管性認知症が17.0％、前頭側頭型認知症が9.4％と続きます。人口10万人あたりの有病者は、40代前半8.3人、40代後半17.4人、50代前半43.2人（有病率0.04％）、50代後半110.3人（0.11％）、60代前半274.9人（0.27％）で、5歳ごとに約2倍に増加しています[1]。

若年性認知症に関する諸問題を、調査結果をもとに、医療・介護・社会面に分けて解説します。以下の文中に示す割合は同調査より、調査時に65歳未満の人のものです。

（1）医療面

1 診断の遅れ

発症時に約6割は就労しており、診断のきっかけは、職場でのミスなど、職場の同僚が気づいたり、家族が異変に気づくことが多いです。しかし、まさか「この年齢で認知症」とは思わず、診断が遅れがちとなります。主症状が記憶障害でなくて空間認知障害の場合などは、認知症を疑われにくく、診断が遅れます。また、不安や抑うつをともなうことが多いので、うつ病と誤診される場合も診断が遅れます。早く診断されることで、精神障害者保健福祉手帳や障害年金などの支援に早期につなが

ります。また、障害厚生年金は退職前の診断が必要です。

2 速い進行

　高齢発症の場合よりも進行速度が速い傾向があります。また、アルツハイマー型認知症の場合は空間認知障害や、失行・失認のような症状が目立つ傾向があります。診断直後から本人が将来設計することが望まれます。

（2）介護面

1 高体力

　身体が元気で活動性が高いために、暴力や徘徊などがある場合は、家族の介護が困難になることや、腕力が強く介護者が受傷することもあります。

2 家族介護者

　配偶者が仕事をしていると介護と仕事の両立がむずかしくなること、しばしば就学児などの子が介護者にならざるをえないことがあり、ヤングケアラーが社会問題となっています。

3 介護保険

　調査では69.9%が介護保険を申請していました。そして、利用されているサービスは、通所介護46.9%、短期入所生活介護18.7%、認知症対応型共同生活介護8.7%でした[1]。しかし、若年性認知症者を受け入れる介護施設がまだ少なく、近くに通える施設がないこともしばしばです。また、介護施設へ通っても同世代の仲間をえにくいことなどがあります。

（3）社会面

1 就労

　この調査では、発症時に就労していた人は61.8%でした。そのうちで、発症前と同じ職場で働いている人は7.4%にすぎず（配置換え2.6%を含めても10.0%）、退職した人は67.1%、解雇された人は6.2%でした[1]。国は**若年性認知症支援コーディネーター**⓬を配し、就労支援を進めています。若年性認知症の人の働きたいというニーズに応えているデイサービスがあります（p.233参照）。

⓬**若年性認知症支援コーディネーター**
p.310参照

2 子の養育

　調査では、養育を必要とする子が「いる」人は12.3%でした。そのう

ちの55.7％は、高校生・大学生でした[1]。

3 収入減

調査では、発症してから世帯の収入が「減った人」が64.0％でした[1]。

4 借金

調査では、住宅ローンがある人17.9％、車のローンがある人6.0％、教育ローンがある人2.0％でした[1]。

5 障害者手帳と障害年金

精神障害者保健福祉手帳を利用している人は42.7％、身体障害者手帳を利用している人は16.7％、障害年金を受給している人は39.1％、自立支援医療を利用している人は40.1％、成年後見制度を利用している人は3.6％でした[1]。厚生年金に加入している場合（サラリーマン等）は、退職前に認知症の診断を受けておくことで障害厚生年金の対象となります。国民年金加入者の場合は障害基礎年金となります。

若年性認知症を発症しても、社会で活躍する人が増えています。認知症を発症しても希望をもって暮らせる地域共生社会をつくりましょう。

◆ 引用文献

1）AMED研究（研究開発代表者：粟田主一）「若年性認知症の有病率・生活実態把握と多元的データ共有システム」pp. 1 -37、2020年

◆ 参考文献

● 山口晴保『紙とペンでできる認知症診療術──笑顔の生活を支えよう』協同医書出版社、2016年

第5節 認知症の原因疾患と症状・生活障害

演習2-4　認知症の症状と経過の理解

認知症の各原因疾患の初期から中期の症状を理解してみよう。
次の表の空欄に入る各原因疾患の初期から中期にあらわれやすい症状を<語群>から選んでみよう。

アルツハイマー型認知症	レビー小体型認知症	血管性認知症	前頭側頭型認知症

<語群>

周回、脱抑制、抑うつ、アパシー、健忘、空間認知障害、幻視、常同行動、同じ質問の繰り返し、もの盗られ妄想、易怒性、失神、収集、夜間せん妄、パーキンソニズム、四肢の運動麻痺、便秘、嚥下障害、起立性低血圧、REM睡眠行動障害（異常）、構音障害、わが道をいく行動、語義失語（意味記憶障害）

第**6**節

認知症の治療薬

学習のポイント

■ アルツハイマー型認知症治療薬の作用機序や副作用を理解する
■ アルツハイマー型認知症治療薬の効果の限界を理解する
■ BPSDに対して用いられる薬の作用・副作用を理解する

関連項目 ▶ ⑪『こころとからだのしくみ』▶ 第 1 章第 3 節「こころのしくみの基礎」

1 神経伝達物質の基礎的理解

　神経細胞の活動（興奮）は、アセチルコリン、セロトニン、ドーパミン、グルタミン酸、アドレナリン、オキシトシンといった神経伝達物質の影響を受けて調節されています（**表 2 −11**）。そして、認知症治療で使われる薬剤の多くは、これらの神経伝達物質のはたらきを強めたり、弱めたりすることで効果を発しています。
　薬剤の多くは、神経伝達物質そのものではなく、シナプスで神経伝達物質を受け取る側である受容体に作用するものが多いのですが、一部の薬剤は神経伝達物質の分解を抑える方法で効果を発揮しています。
　主要な神経伝達物質のはたらきを、**表 2 −11**に簡単に示します。

2 アルツハイマー型認知症治療薬

　認知症で保険適用がある薬剤は、ドネペジル、ガランタミン、リバスチグミン、メマンチンの 4 剤です。このうちの**表 2 −12**にまとめた 3 剤はコリンエステラーゼ阻害薬といい、**アセチルコリン**を分解する酵素をはたらかなくすることで、アセチルコリンのシナプス濃度を高める薬剤です。アルツハイマー型認知症やレビー小体型認知症では、アセチルコ

第 6 節　認知症の治療薬

表 2−11　神経伝達物質の作用と薬剤の関係

神経伝達物質	作用	薬剤など
アセチルコリン	覚醒レベルや認知機能（記憶など）を高める	分解阻害薬（アセチルコリンを増やす薬）のドネペジルなどがアルツハイマー型認知症治療薬として使われている
セロトニン	おだやかにする、こころが満足する作用	抑肝散（漢方）はセロトニン系を調節する
ドーパミン	意欲が高まる、喜び（報酬系）、スムーズな運動	抗精神病薬は、ドーパミン受容体を阻害し（はたらきにくくする）、過活動を抑える一方で、副作用としてパーキンソニズムを生じる
グルタミン酸	神経細胞の興奮、海馬での記憶保持	部分的受容体阻害薬のメマンチンはアルツハイマー型認知症治療薬として使われている
アドレナリン	交感神経系活動、怒り反応	β受容体阻害薬が高血圧症治療などで使われる、抗うつ剤にはこれを増やす作用をもつものがある
オキシトシン	愛着を増す、セロトニンを増やす作用	そのものが薬剤であるが、認知症治療では使わない。スキンシップやグルーミングで増える

表 2−12　アルツハイマー型認知症治療薬　アセチルコリンを増やす薬剤

一般名	ドネペジル	ガランタミン	リバスチグミン
製品名	アリセプト®	レミニール®	イクセロン®パッチ リバスタッチ®パッチ
保険適用	軽度〜重度	軽度〜中等度	軽度〜中等度
使用法	1回朝内服	2回朝夕内服	貼付（1日1回）
特徴	レビー小体型認知症で保険適用	アセチルコリン以外の神経伝達物質の作用も増やす	重症化で増えるブチリルコリンエステラーゼも阻害する
副作用の特徴	易怒性が比較的多い	胃腸障害が比較的多い	皮膚症状が多い 保湿などが必要

出典：山口晴保『紙とペンでできる認知症診療術──笑顔の生活を支えよう』協同医書出版社、p.167、2016年を一部改変

リンを産生して大脳皮質や海馬に届けている神経細胞が減ってくるため、アセチルコリンを増やす薬剤が有効で、認知機能の若干の向上や生活力の向上（調理をするようになるなど）が期待されます。1年くらい進行を遅らせる効果がありますが、根本的治療薬ではないので、内服していても進行します（図2-15）。この3剤は脳のアセチルコリンを増やすだけでなく、脳外のアセチルコリンも増やすために副交感神経系が活性化して、腹痛・下痢・食欲低下などの胃腸障害、徐脈、喘息、頻尿といった副作用が出る可能性があります。また、脳が活性化されると同時にイライラが増して易怒性があらわれたり、過活動になる事例がありますが、薬の減量・中止で消失します。これは副作用というよりも、効きすぎ症状ですので、減量投与で落ち着くのです。これら3剤は、いずれか1剤のみ処方できます。

　なお、3剤のなかではドネペジルのみがレビー小体型認知症で保険適用となっています。

　残る**メマンチン**は、興奮性アミノ酸であるグルタミン酸の受容体を部分的に阻害することで、神経細胞の過剰な興奮による神経細胞死を防ぎます。どちらかというと易怒性や過活動を抑える方向にはたらきます。高齢者では、20mgを継続すると過沈静になる場合があり、減量で回復します。メマンチンは、めまいの副作用があり、転倒・転落に注意が必

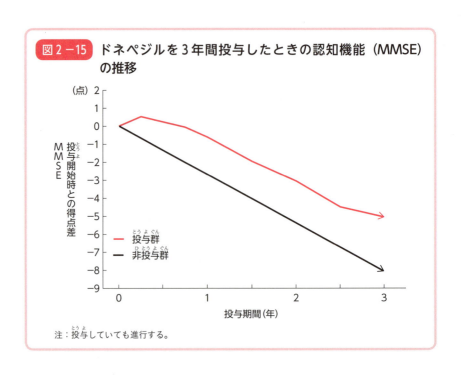

図2-15　ドネペジルを3年間投与したときの認知機能（MMSE）の推移

注：投与していても進行する。

要です。頭痛、血圧上昇などの副作用もあります。中等度〜重度のアルツハイマー型認知症で保険適用で、上記の3種のコリンエステラーゼ阻害剤のいずれかと同時処方が可能です。

コラム　アメリカで条件つき承認されたアルツハイマー型認知症治療薬

　アルツハイマー型認知症の発症手前（MCIの段階）か発症のごく初期に用いることで、発症・進行を防ぐ薬剤が開発され、アメリカで2021年6月に条件つき承認となりました。アデュカヌマブという抗体薬です。アルツハイマー型認知症は、脳にβたんぱくがアミロイドとして多量に蓄積することが原因とされ、このβたんぱくを取り除く抗体薬が開発されました。しかし、この薬剤を使うには、①脳にβたんぱくが蓄積していることをアミロイドPETなどで確認したうえで用いる、②抗体薬なので月に一度の点滴投与、③薬剤費は年間で約600万円（承認時）、といった諸問題があります。さらには、薬剤の有効性を検討する臨床試験であまりよい結果を示せなかったので、再検討の条件つきの承認となりました。日本でも承認に向けて申請が行われています（2021（令和3）年8月現在）。このようなタイプの薬剤の発症前投与で発症を止めることができる時代がいずれ来るでしょう。

3　BPSD治療薬

　BPSD（Behavioral and Psychological Symptoms of Dementia：認知症の行動・心理症状）の治療は**非薬物療法**が基本です。自傷のおそれがある場合や他者に危害を及ぼす場合、施設でほかの利用者に多大な迷惑がかかる場合などに、やむをえず鎮静作用のある薬剤を使います。

　第1選択肢は抑肝散です。理由は短期投与なら副作用が少ないからです。その代わり作用も弱く、これだけでは治まらないことが多いです。長期投与では、**低カリウム血症❶**に注意が必要です。

　一般的には**抗精神病薬❷**が使われます（表2−13）。抗精神病薬の主作用はドーパミンD2受容体の阻害です。ドーパミンをはたらかなくすることで、幻覚・妄想や易怒性や過活動などが軽減します。しかし、同時にパーキンソニズムを生じ、身体の動きが鈍くなり、転倒リスクや誤嚥のリスクが高まります。よって、ふらついている事例やむせがある事

❶低カリウム血症
抑肝散に含まれる8種の生薬の1つカンゾウにより腎臓からのカリウム排泄が増える。

❷抗精神病薬
総称としての向精神薬には、抗精神病薬のほかに抗不安薬や抗うつ薬、睡眠導入剤などがある。

表2−13	抗精神病薬の種類と特徴				
一般名	製品名	認知症 開始量	認知症 最大量	統合失調症の 投与量※1	半減期※2
クエチアピン	セロクエル®	12.5/25mg	150mg	150〜600mg	5〜6時間
リスペリドン	リスパダール®	0.5mg	1mg	2〜6mg	20〜24時間
チアプリド	グラマリール®	25mg	75mg	適応外	6時間
クロルプロマジン	ウインタミン®	4/8mg	20mg	50〜450mg	12時間
ペロスピロン	ルーラン®	2mg	8mg	12〜48mg	6時間
ハロペリドール	セレネース®	0.3mg	1.5mg	3〜6mg	1〜2日

※1：統合失調症とは、代表的な精神疾患である。認知症よりも大量に投与されることが多い。
※2：半減期とは、薬が代謝されて、血液中の濃度が半分に減る時間。長いと翌日に持ち越す。
注：半減期は、使用条件によって長くなったり、短くなったりするため目安である。

❸高リスク
死亡率が高まると報告されている。

例に投与するのは**高リスク❸**です。また、抗精神病薬により、意欲が低下し、その人らしさが失われます。ですから、**表2−13**に示すように、認知症の人に使う場合は、なるべく少量を慎重に使うことが必要です。また、リスクをともないますので、本人ないしは家族の同意のもとで使用することが望まれます。

抗精神病薬には、半減期が短いものと長いものがあります（**表2−13**）。たとえば夜間の興奮を抑えて、昼は活動的になるようにするには半減期が5〜6時間のクエチアピンが適しています。半減期が1日のリスペリドンを夕方に内服すると、翌日の昼も効いていてぼーっとしてしまいます。

チアプリドが血管性認知症（脳梗塞後遺症にともなう精神興奮、徘徊、せん妄）で保険適用になっているだけで、抗精神病薬は認知症が保険適用の疾患になっていません。

BPSDは予防に力点をおいて、発症させない、重度化させないことで、抗精神病薬の治療や精神科への受診が必要ない状況をつくることがもっとも大切です。

BPSDに対する薬物療法に関しては、厚生労働省のガイドラインを参考にしてください。

第6節　認知症の治療薬

◆ 参考文献
● 厚生労働省「かかりつけ医のためのBPSDに対応する向精神薬使用ガイドライン（第2版）」
● 山口晴保『紙とペンでできる認知症診療術──笑顔の生活を支えよう』協同医書出版社、2016年

演習2−5　認知症の治療薬の理解

1 アセチルコリンを増やす認知症の治療薬について、保険適用となる疾患、効果、副作用をまとめてみよう。

項目	まとめ
保険適用となる疾患	
効果	
副作用	

2 BPSDに使用される抗精神病薬について、作用機序、効果、副作用をまとめてみよう。

項目	まとめ
作用機序	
効果	
副作用	

第7節

認知症の予防

学習のポイント

- 認知症予防とは発症・進行を遅らせることであると理解する
- さまざまな危険因子・保護因子を理解する

関連項目 ⑫『発達と老化の理解』▶第5章「高齢者と健康」

1 予防の考え方

認知症の予防について、認知症の発症を遅らせる「一次予防」、早期発見・早期対応の「二次予防」、病気の進行を遅らせたりBPSDの発症を防ぐ「三次予防」の考え方があります。本節では、一次予防について述べます。

まず、認知症の発症予防の考え方を明確にしておきます。一般的な病気の予防法には、①ワクチン接種のようにそれを行うことで、一生のあいだ効果が持続して、その疾患の発症を抑えることができるものと、②生活習慣病に対してライフスタイルを変えることのように、変えているあいだだけ効果が持続するが、その疾患の発生を一生のあいだ防ぐわけではなく、発症の「先送り」がその効果のものと大きく2つに分かれます。

残念ながら、認知症のワクチン療法は成功していません。アルツハイマー型認知症が発症してからワクチン療法を行った研究では、進行を防げませんでした。一部の認知症疾患を除くと、大部分の認知症は加齢とともに増加します。そして、ライフスタイルの影響を強く受けています。よって予防とは、「発症・進行」を遅らせることです。一生のあいだ認知症にならないという予防法はありません。次の予防法を実施すれば認知症の発症リスクを低減できるのですが、健康によいことなので同時に寿命が延びます。そして、寿命が5年延びると認知症のリスクはお

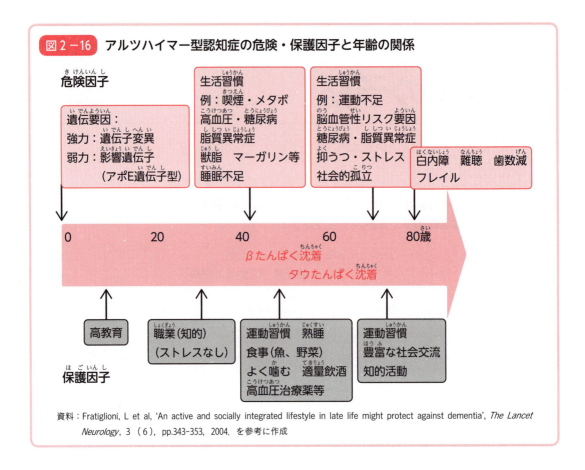

図2-16 アルツハイマー型認知症の危険・保護因子と年齢の関係

資料：Fratiglioni, L et al, 'An active and socially integrated lifestyle in late life might protect against dementia', *The Lancet Neurology*, 3（6）, pp.343-353, 2004. を参考に作成

　おむね倍増します。たとえば**エクササイズ**（身体活動：運動）で認知症リスクが半減しても、エクササイズで寿命が5年延びればリスクは倍増します。その結果、認知症の発症を5年遅らせることができるのです。このように、発症の先送りが認知症予防です。超高齢社会のなかで認知症が急速に増えたのは長寿者が多くなったからです。計算上は、寿命が10年短くなれば、認知症の人の数は約4分の1に減少します。しかし、現実の社会では高齢化がさらに進み、平均寿命も延び、そして糖尿病とその予備群が増加することもあって、認知症になる人はこれからも増え続けて、2025（令和7）年には全国で約700万人になると想定されています。

　認知症の発症リスクを高めたり低めたりする要因を示しますが（図2-16）、生まれつきもっている遺伝子の要因が大きなウエイト（半分程度）を占めていますので、危険因子にすべて対応しても、認知症になるのを完全に防げるわけではありません。

第 **7** 節　認知症の予防

2 認知症のリスクを下げる要因

　もっとも確立されている方法はエクササイズです。身体活動で認知症リスクが低減するという論文がたくさんあります。そして、運動でBDNF（Brain Derived Neurotrophic Factor：脳由来神経栄養因子）という海馬の新生神経細胞を育てるホルモンが増えて記憶が向上する作用や抗うつ作用、血管の老化を抑えて病変の進行が遅れる効果など、いくつもの事例が報告されています。

　アルツハイマー型認知症では**良質な睡眠❶**も大切で、5〜8時間の睡眠がよいとされています。夜はぐっすりと眠ることが、脳を保護します。

　食事では、**不飽和脂肪酸❷**（DHAやEPA）をたくさん含む魚の摂取を増やすこと、野菜の摂取を増やすこと、ポリフェノールの摂取を増やすことなどが予防的にはたらくとされています。

　役割・人生の目的をもって生きていると、認知症の発症・進行が遅くなるという研究成果も報告されています。また、自営業の人を対象にした研究で、退職年齢を1年延長するごとに認知症リスクが3.2％低下するという報告もあります。高齢期には、人の役に立つ日課・役割をもつことが認知症予防に有効と考えられます。

❶良質な睡眠
アルツハイマー型認知症の原因となるβたんぱくは夜間の睡眠時に脳から取り除かれるので、良質な睡眠がリスクを下げる。

❷不飽和脂肪酸
DHAが神経細胞の細胞膜の重要な構成成分であるが、体内ではほとんど合成されないので、魚から摂取することが望まれる。EPAは脳血栓を予防する作用がある。

3 認知症のリスクを高める要因

　内臓脂肪が蓄積したメタボリック症候群は、認知症のリスクを高めます。肥満に関しては、中年期の肥満がリスクを高める一方で、高齢期ではむしろ痩せがリスクを高めると報告されています。高齢期では、低栄養やフレイル❸の状態が認知症のリスクとなります。

　また、歯がなくなって咀嚼機能が低下することが認知症のリスクを高めると報告されています。義歯を入れるなどしっかりかめるようにすることが大切です。白内障などで視力が低下した状態や難聴でコミュニケーションがむずかしい状態も、認知症のリスクを高めます。白内障手術や適切なめがね、補聴器などが有効です。また、高齢者で、孤独感が強いほどアルツハイマー型認知症の脳病変が強いという報告がありま

❸フレイル
心身の脆弱性があらわれた状態で、要介護の前段階だが、回復可能性がある。①体重減少、②疲れやすさ、③歩行速度低下、④握力低下、⑤身体活動量低下のうちの3項目以上で該当。

105

す。コミュニケーションが認知症予防に有効です。

　「認知症になるのが不安」という心配性の人は、認知症のリスクが高まります。不安な状態や心理的ストレスにより副腎皮質ホルモンが分泌されますが、このホルモンは、動物実験で海馬の神経細胞にダメージを与えることが示されています。不安な状態が、認知症の進行を加速させます。

◆ 参考文献

- 山口晴保『認知症予防──読めば納得！　脳を守るライフスタイルの秘訣 第3版』協同医書出版社、2020年
- 山口晴保『認知症ポジティブ！──脳科学でひもとく笑顔の暮らしとケアのコツ』協同医書出版社、2019年

演習2-6　認知症を予防する要因

認知症の発症や進行を遅らせるのに役立つ要因をあげてみよう。

第 **3** 章

認知症ケアの
歴史と理念

第 **1** 節　認知症の人を取り巻く状況　これまで−今−これから

第 **2** 節　認知症ケアの理念と視点

第 **3** 節　認知症当事者の視点からみえるもの

第1節

認知症の人を取り巻く状況
これまで―今―これから

学習のポイント

- これまでの認知症を取り巻く背景を学ぶ
- 認知症施策の流れを学ぶ
- 認知症ケアの今後の方向について考える

関連項目 ②『社会の理解』▶ 第4章「高齢者保健福祉と介護保険制度」

1 認知症の人への偏見が生まれた背景

　近代以前のわが国では、年老いて頭脳や身体のはたらきがおとろえることを「耄碌」といい、それは、だれにでも訪れる自然な老いの結果と考えていました。そして、家族や周囲の者にとって耄碌した老人は、いたわりや介抱の対象でした。しかし、幕末から明治時代にかけて西洋医学の採用によって、「老耄性痴呆」という器質性の精神疾患として「癲狂院」、その後の「精神病院」での治療の対象とされ、閉鎖病棟で薬物投与や身体抑制が行われるようになり、在宅では座敷牢や檻に閉じ込めている実態もあり、それらが認知症の人への偏見を生むことへの一因となりました。

　1947（昭和22）年の平均寿命は、男性50.06歳、女性53.96歳でしたが、1970（昭和45）年には男性69.31歳、女性74.66歳と急激に伸展し、日本の高齢化率は人口の7％に達しました。これは、WHO（世界保健機関）が示す高齢化が進む国としての基準にあたります。このように、高齢社会に向かう日本では医療と介護の問題が深刻化することから、1963（昭和38）年に**老人福祉法**が制定され、総合的な高齢者問題への取り組みと、養護老人ホーム、特別養護老人ホーム（特養）、軽費老人ホームなどの老人福祉施設が体系化されました。特養は、「65歳以上の

者であって、身体上又は精神上著しい欠陥があるために常時介護を必要とし、かつ、居宅においてこれを受けることが困難なもの」を保護収容するわが国で初めての介護施設でした。ただし、その当時の高齢者問題は「寝たきり老人」の家庭内での介護を社会全体で対応することでした。

1972（昭和47）年に有吉佐和子が認知症をテーマに書いた『恍惚の人』は、194万部のベストセラーとなりました。それは、認知症の人の不可解で異常な行動とそれに翻弄される家族の姿をあらわしたというだけではなく、かつての尊敬の対象としての「老人の知恵」がそうではないものとして扱われ、長生きすることへのおそれや不安を呼び起こすことで、「痴呆」の怖さを強く社会に印象づけました。しかし残念なことに、認知症ケアが十分実践され、研究され、議論されない時代に、認知症への間違った「疾病観」を植えつけるきっかけとなりました。

1973（昭和48）年は「福祉元年」を標榜し、老人医療費の無料化（老人医療費支給制度）が実施されました。当時、寝たきりや認知症高齢者が看護、介護、経済力のない家庭のなかで、不潔部屋などの劣悪な環境に放置され、その果てに非人間的な最期を迎えていたという社会背景がありました。

2 認知症ケアの変遷

1 ケアなきケアの時代から環境アプローチの時代へ

1980（昭和55）年に、認知症の人を介護する家族同士が交流し、はげまし合い「呆けても安心して暮らせる社会を目指すこと」を目的に、「呆け老人をかかえる家族の会」（現・公益社団法人認知症の人と家族の会）が京都で結成されました。

認知症ケアは、病状や障害の程度だけではなく、家族の介護力、周囲の理解、専門的な介護サービスの有無、経済力などが複雑にからみ合う問題であることから、まず家族の介護負担を軽減させる必要がありました。当時の認知症高齢者の行き場所は、特養の整備は進まず、福祉を受

けることへの抵抗感（スティグマ、恥）がある一方、手続きが簡単で（入所事前調査などがない）、入院させたほうが周囲の体面のよいこと、さらに老人医療費が無料であることから、家族は介護負担の軽減のために老人病院や精神病院への入院を選択しました。しかし、認知症は老年期の精神疾患として治療の対象とされましたが、理念や方法論が確立されていたわけではなく、行動の制限や隔離が行われ、ケアなきケアといわれる状況でした。そこで国は、急増する老人病院に入院した認知症の人のケアのあり方や、在宅での家族の負担などの問題に対してどうあるべきかについて検討を始めました。

　当時、老人病院の急増は医療保険財源を圧迫し、また、劣悪な医療や看護が社会的に問題となるケースもあらわれていたことから、1982（昭和57）年に老人保健法が制定されて老人医療費が有料化となり、さらに、これまでの老人病院の見直しと社会的入院解消のため、1986（昭和61）年に同法が改正され、在宅復帰のための中間施設として老人保健施設が創設されました。

　1984（昭和59）年から、認知症高齢者が特養へ入所できるようになり、認知症ケアが治療の場から介護の場へ移るきっかけとなりました。その年から特養の介護職（当時は「寮母」と呼ばれていた）を対象に、認知症高齢者のケアに関する研修として痴呆性老人処遇技術研修事業が始まり、1986（昭和61）年から全都道府県・政令指定都市で開催されることになりました。

　当時の特養は、建物もケアも病院をモデルにつくられていたため、大規模集団を日課で管理する効率優先の流れ作業によるケアが行われていました。そして、その環境にそわない認知症の人の言動や行為を問題行動と呼び、その対処方法として問題対処型ケアが行われていました。たとえば、1日中施設内を歩き回る認知症高齢者に対して、廊下を歩いていくと同じ場所に戻ってくる「回廊式廊下」や、おむつの中の排泄物が不快なためおむつをはずそうとする行為に対して「つなぎ服（拘束衣）」を着せる、ベッドから転落して骨折するのを防ぐためベッドの周囲に柵をめぐらす、などの対処です。

　1987（昭和62）年には、特養に個室を整備する「痴呆性老人加算」が創設されましたが、当時の施設は多床室（8人部屋から2人部屋）が主流であり、個室はあっても認知症高齢者などケアの困難な人を一時的に集団から隔離するために使われていました。また、認知症高齢者は認知

症専用棟へ、そうでない高齢者は一般棟へ、居室を区別して双方の間は施錠されていました。

　そのようななかで、特養のなかに先駆的な取り組みを行う施設があらわれました。たとえば、これまで1日中ベッド上で過ごしていた認知症高齢者が、日中はパジャマから服に着替えてリビングや食堂で過ごす「寝食分離」、定時の排泄介助をその人の排泄リズムに合わせて随時の排泄介助へ移行し「おむつ外し」につなげる、流れ作業による集団の入浴から一人ひとりが入る「個浴」などです。これらの食事や入浴、排泄や整容など、毎日行われる生活行為そのものをリハビリテーションととらえる「生活リハビリ」によって、本人の残された能力を活用し、特養の中での自立した生活を支援する文脈探索型ケアや本人可能性指向ケアへと展開していきました。

　わが国で特養での認知症ケアが始まったころ、スウェーデンでは、1985年に世界ではじめて認知症の人のグループホームが誕生しました。その創始者バルブロ・ベック-フリス（Beck-Friis, B.）は、物理的、精神的、社会的環境の必要性を重視することが認知症ケアの前提であるとしています。具体的には、以下をあげています。

① 　物理的環境は、自分専用のスペース、共通の居間、食堂や台所をもつ一軒家などで、花や果物がなる木のある庭があり、共通スペースには、利用者が元気だったころの家具、照明器具、クッション、食器、写真、絵画などがある。ポイントは見覚えがある、居心地がよい、住み慣れた家庭のような雰囲気があること。

② 　精神的環境は、親しみを示す、励まし、ほめるなど残存機能を刺激し、活動させることで本人が質の高い日常生活（自意識が高まる、安心、安全を感じる）を送ることのできる環境であること。すべての活動は一人ひとりの能力や必要に合わせたもので、自分でも何かをやってみようという気力がもてること。

③ 　社会的環境は、人間同士のかかわり合いから生まれてくることで、特に食事時は皆と仲間同士という意識や共感や接点が生まれる。落ち着いた静かな環境を職員とともにつくることが大切であること。

　ベック-フリスは、「認知症の人にどのようなケアをするかより、どこでするかが大切」と、認知症ケアにおいて環境づくりに取り組むことの重要性を提言しました。これにより、少人数、家庭的な雰囲気、なじみの物や人に囲まれた環境は、認知症の人の安心感や意欲を生むことにつ

ながるとして、わが国においても環境アプローチが重視されるようになり、宅老所、ユニットケア、グループホームでの認知症ケアの転換につながっていきました。

2 ノーマライゼーション
──人権擁護の時代から全人的ケアの時代へ

　ここまで、認知症高齢者のケアについて、病院での「治療モデル（医療モデル）」から特養での「介護モデル（生活モデル）」の移行についてみてきました。次に、認知症高齢者を地域で支える歴史をみてみましょう。

　在宅福祉は、老人デイサービス事業、ショートステイ事業、ホームヘルプ事業を柱として行われてきました。しかし、精神病院や老人病院、特養での認知症ケアなど大規模な集団の中でのケアに疑問を感じた先駆者たちは、小規模で家庭的、地域密着の宅老所を認知症ケアの手段と考えました。1987（昭和62）年に島根県出雲市で開所した宅老所「小規模多機能型老人ホームことぶき園」、1991（平成3）年に福岡市で開所した宅老所「よりあい」など、認知症高齢者を地域で支える独自の取り組みが始まりました。

　宅老所は、認知症高齢者とその家族の個別のニーズを探るため、ていねいにアセスメントしながら「必要なときに、必要な場所で、必要な人に、必要なことを、必要なだけ」を趣旨に、認知症高齢者と家族の変化するニーズに柔軟に応えるサービスをめざします。たとえば、通所の利用がむずかしい場合は自宅へ訪問してケアする、家族の負担軽減のため通いの場で本人が宿泊するなど、可能な限り「人、場所、ケア」などの環境を変えずに、介護福祉職も本人のペースに寄り添いながら「ゆっくり、いっしょに、のんびりと」生活ができるよう、認知症高齢者が安心して過ごせる環境とケアを提供してきました。

　その実践は制度化され、1992（平成4）年に「痴呆性老人デイサービス事業」（デイサービスE型）が開始されました。また、北欧で誕生したグループホームをモデルとして、1991（平成3）年に開所した北海道函館市の「あいの里」や、1993（平成5）年に開所した秋田県秋田市の「もみの木の家」など、独自の取り組みがあらわれました。そして1997（平成9）年には、わが国にも「グループホーム」（痴呆対応型老人共

同生活援助事業）が創設されました。

　このようにして、認知症高齢者一人ひとりが宅老所やグループホームなどの小規模な環境、住み慣れた地域で自分らしく暮らせるよう、ノーマライゼーション/人権擁護、全人的ケアを実現しました。

3 特殊から一般へ

　1997（平成9）年に介護保険法が制定され、2000（平成12）年から介護保険制度が導入されました。それまでの「措置制度」（施設入所など行政長による保護収容）から、「契約制度」（利用者と事業者の対等な関係による選択と自己決定）への移行を推進するために、同年に成年後見制度（民法の一部改正）の実施、2001（平成13）年に「福祉サービス第三者評価事業」の実施、2002（平成14）年に痴呆性高齢者グループホームへの外部評価の義務化、2006（平成18）年に介護サービスの選択と自己決定を支援する制度として「介護サービス情報公表制度」の実施など、権利擁護への取り組みを段階的に進めてきました。

　また、認知症高齢者へのケアの質の改善としては、2000（平成12）年に「身体拘束ゼロ作戦」がスタートし、2006（平成18）年に高齢者虐待の防止、高齢者の養護者に対する支援等に関する法律（高齢者虐待防止法）が施行されました。人材の育成については、2001（平成13）年に「痴呆介護実務者研修」（基礎課程・専門課程）の実施と「痴呆介護指導者養成研修」が始まりました。2005（平成17）年にそのカリキュラムの改定が行われ、名称は「認知症介護実践研修」（認知症介護実践者研修・認知症介護リーダー研修）と「認知症介護指導者養成研修」に変わり、さらに2006（平成18）年には「認知症介護実践者等養成事業」とされました。2007（平成19）年には社会福祉士及び介護福祉士法が20年ぶりに改正され、介護福祉士養成課程に「認知症の理解」が加わりました。

　介護保険法は5年ごとに見直しが行われます。初回見直し時の2005（平成17）年より前の2003（平成15）年に、「2015年の高齢者介護〜高齢者の尊厳を支えるケアの確立に向けて〜」（高齢者介護研究会報告書）がとりまとめられました。そのなかで、要介護者の約半数が中等度の認知症高齢者であることから、今後の認知症ケアについて、生活そのものをケアとして組み立てるために身近な地域でサービスが受けられる「地

域包括ケアシステム」が提唱されました。また「痴呆性高齢者ケアの基本」として、①環境の変化を避け、生活の継続を尊重する、②高齢者が自分のペースで安心できる、③心身の力を最大限に発揮し、充実した暮らしを営める、などを趣旨としています。

　2006（平成18）年の介護保険制度改正では地域密着型サービスが創設され、そのなかで認知症の特性に合わせた新しいケアモデルとして、宅老所をモデルに小規模多機能型居宅介護が制度化されました。また、認知症対応型共同生活介護も居宅サービスから地域密着型サービスに位置づけられました。

　わが国の福祉施策は「地域包括ケアシステム」にもとづいて行われることになり、認知症の人が住み慣れた地域であたりまえに暮らすことができるよう、質の高いケアの提供と地域住民の意識や環境を変えるための取り組みが行われてきました。

・「痴呆」から「認知症」へ行政用語が変更される（2004（平成16）年12月）

・「認知症を知り地域をつくる10カ年」の構想（2005（平成17）年4月から2015（平成27）年3月）

　①認知症サポーター100万人キャラバン

　②「認知症だいじょうぶ町づくり」キャンペーン

　③認知症の人の「本人ネットワーク支援」

・認知症になっても安心して暮らせる町づくり100人会議（2005（平成17）年）

・認知症地域支援体制構築等推進事業（モデル事業）（2007（平成19）年）

　①コーディネーターの配置

　②地域資源マップの作成

　③医師の対応力強化など

・認知症ケア高度化推進事業（2008（平成20）年）

・認知症施策等総合支援事業（2014（平成26）年）

　さらに、2015（平成27）年の「新たな時代に対応した福祉の提供ビジョン」では、家族単位で複雑化する福祉ニーズに対して、包括的な相談支援から総合的な支援の提供体制が求められ、2020（令和2）年の社会福祉法の一部改正により、地域共生社会の実現に向けた取り組みが始まりました。今後、認知症の人への支援を含め、高齢者、障害者、児

童、生活困窮者へ総合的に支援することになります。

2019（令和元）年に**認知症施策推進大綱**が策定され、今後、認知症の人の視点、家族の意見を踏まえて、①普及啓発・本人発信支援、②予防、③医療・ケア・介護サービス・介護者への支援、④認知症バリアフリーの推進・若年性認知症の人への支援・社会参加支援、⑤研究開発・産業促進・国際展開、の5つの柱にそって施策を推進することを基本としています。

3 認知症の人主体の社会をめざして

認知症ケアは、「いかにケアするか？」と認知症の人をケアの対象者ととらえ提供者本位のあり方を模索する時代から、認知症の人を主体とした本人本位のあり方を追求する時代へと変化してきました。その始まりは、認知症の当事者からの声でした。

2004（平成16）年に、国際アルツハイマー病協会国際会議が京都で開催されました。そこで講演したクリスティーン・ブライデン氏の「私たち抜きには何も始まらない」という言葉をきっかけに、多くの日本人が認知症であることを実名で公表し、講演や執筆活動に積極的に取り組むようになりました。それらの活動から、介護にたずさわる専門職や家族は、認知症の人のさまざまなことを知ることができました。

また、「認知症を知り地域をつくる10カ年」の構想の一環として、「認知症の人の「本人ネットワーク支援」」から「本人会議アピール」が示されました。その後も、若年性認知症の人を中心に執筆や講演活動が行

表3-1　**7つの視点**

1. 標準的な認知症ケアパスの作成・普及
2. 早期診断・早期対応
3. 地域での生活を支える医療サービスの構築
4. 地域での生活を支える介護サービスの構築
5. 地域での日常生活・家族の支援の強化
6. 若年性認知症施策の強化
7. 医療・介護サービスを担う人材の育成

われてきました。

　国は、2012（平成24）年に「今後の認知症施策の方向性について」をまとめました。この報告書は、認知症の人の状態に合わせた認知症ケアパスの策定、早期発見と支援のための全市町村に「初期集中支援チーム」の設置、医療と介護など多職種による認知症ケアチームアプローチの推進など7つの視点を提起し（**表3－1**）、実効性を高めるため「認知症施策推進5か年計画（オレンジプラン）」（2013（平成25）年度～2017（平成29）年度までの計画）、「認知症施策推進総合戦略（新オレンジプラン）」（2015（平成27）年策定、2017（平成29）年改訂）を推進しています。

　認知症の人たちは、講演や執筆だけでなく、当事者の声が地域社会を変える政策に反映されるよう、2014（平成26）年に「日本認知症本人ワーキンググループ」（JDWG：Japan Dementia Working Group）を設立しました。JDWGの活動の目的は、「認知症とともに生きる人が、希望と尊厳をもって暮らし続けることができ、社会の一員としてさまざまな社会領域に参画・活動することを通じて、より良い社会をつくりだしていくこと」としています。

　具体的な取り組みとして、本人同士が出会い、語り合い、力を伸ばし合い、社会に発信していくための「本人ミーティング」を各地で開催しています。さらに、診断直後の認知症の人が手にすることで、絶望ではなく希望がもてるよう「本人にとってのよりよい暮らしガイド──一歩先に認知症になった私たちからあなたへ」をつくりました。2018（平成

表3－2　認知症とともに生きる希望宣言

・自分自身がとらわれている常識の殻を破り、前を向いて生きていきます。
・自分の力を活かして、大切にしたい暮らしを続け、社会の一員として、楽しみながらチャレンジしていきます。
・私たち本人同士が、出会い、つながり、生きる力をわき立たせ、元気に暮らしていきます。
・自分の思いや希望を伝えながら、味方になってくれる人たちを、身近なまちで見つけ、一緒に歩んでいきます。
・認知症とともに生きている体験や工夫を活かし、暮らしやすいわがまちを、一緒につくっていきます。

30）年には、認知症になってから希望と尊厳をもって暮らし続けることができる「認知症とともに生きる希望宣言」を発表しました（**表3-2**）。2020（令和2）年には、地域の人たちが認知症の人への関心と理解を深めるための普及啓発を行う「希望大使」が任命され、認知症の人からの発信で地域の住民とともに生きることがめざされています。

また、2018（平成30）年には、「認知症の人の日常生活・社会生活における意思決定支援ガイドライン」が厚生労働省より示され、支援者は認知症の人の意思の形成、表明、実現のプロセスと環境を支援すること

表3-3 認知症ケアの変遷

ステップ1 ケアなきケアの時代
理念、方法論が皆無、行き当たりばったり、行動制限、収容、隔離、魔の3ロック（言葉、身体、薬による抑制）

ステップ2 問題対処型ケアの時代
認知症の人が示す外見的な言動を、問題行動とみなし、その発現の背景や原因をひも解かぬまま、問題に表面的な対処をするケア

ステップ3 文脈探索型ケアの時代
本人の言動の背景・意味を探りながら、それに応じた個別ケアが始まる

ステップ4 本人の可能性指向ケアの時代
1）個別の可能性を指向したケア
　個別にこだわるケアのなかから、認知症の人の残された力、その人らしさへの気づき、それら本人の可能性を伸ばすケアがめざされはじめる
2）療法的集団アプローチ（音楽、回想、見当識訓練、動物、化粧、遊びほか）一連の療法を用いて対象者に何らかの「変化」をねらう
※本人の願いを見失い、技術が迷路に入り込む危険も（誤った専門化）

ステップ5 環境アプローチの時代
認知症の特徴（情報処理の障害、関係性の障害、ストレス耐性の低下、記憶のメカニズム）から、環境（建物、もの、人）の重要性をふまえて、ケアの前にまず環境づくりに力を注ぐ取り組みが生まれる

ステップ6 ノーマライゼーション/人権擁護の時代
ケアの前に、認知症でも本人が1人の人として住み慣れた町の中であたりまえの暮らしを送り、人権を守りながら暮らすことを支援する介護をめざす取り組みが始まる

ステップ7 全人的ケアの時代～グループホームがめざしたもの
以上の流れの到達点を統合し、認知症でもその人の生命力や人としての暮らしや存在の平穏、可能性の最大限の発揮に向けて、その人（家族らを含めて）の求めることの全体を探索しながらそれにそうケアチームアプローチ、アセスメントとケアプランの継続的な展開

ステップ8 特殊から一般へ
専門的、特殊な介護関係からより一般的、自然な関係のなかで支え合いのケアサービスへ　➡　身近な地域で利用可能なグループホームや小規模多機能施設、ユニットケア施設を地域拠点に

が求められるようになりました。

　本格的に高齢社会に突入した1970年代、「医療から福祉へ」認知症ケアの新たな胎動がみられた1980年代、「施設から地域へ」介護保険制度開始の目前に急速にサービスが整備された1990年代、そして2000年代以降、介護保険制度施行とともに人権意識の高まりと認知症をかかえて生きる人々からのメッセージが政策や地域住民の意識に大きな影響を与えるまで、およそ50年にわたる道程をみてきました。しかし、ケアなきケアや問題対処型ケアは昔の話ではなく、施設や地域のなかには現在もさまざまなステップが混在しています。認知症の人への偏見や差別、虐待や拘束がいまだなくなったわけでもありません。これからの認知症ケアには、認知症を身近な問題としてとらえ、過去の間違ったケアから学び、めざすべきケアの形を創造していくことが求められています。

◆ 参考文献

● 新村拓『痴呆老人の歴史──揺れる老いのかたち』法政大学出版局、2002年
● 有吉佐和子『恍惚の人』新潮社、1972年
● 天野正子『老いの近代』岩波書店、1999年
● 認知症介護研究・研修東京、大府、仙台センター編『認知症の人のためのケアマネジメントセンター方式の使い方・活かし方』中央法規出版、2005年
● 宮崎和加子『認知症の人の歴史を学びませんか』中央法規出版、2011年
● バルブロ・ベック＝フリス、ハンソン友子、小笠原祐次編『今、なぜ痴呆症にグループホームか』筒井書房、2002年
● 平成28年度老人保健事業推進費等補助金（老人保健健康増進等事業分）認知症の人の視点を重視した生活実態調査及び認知症施策の企画・立案や評価に反映させるための方法論等に関する調査研究事業『本人ミーティング開催ガイドブック』長寿社会開発センター、2017年
● 平成29年度老人保健事業推進費等補助金(老人保健健康増進等事業分)認知症の診断直後等における認知症の人の視点を重視した支援体制構築推進のための調査研究事業『本人にとってよりよい暮らしガイド』東京都健康長寿医療センター、2018年

第 **2** 節

認知症ケアの理念と視点

学習のポイント

■ 認知症ケアの理念と倫理について学ぶ
■ 認知症の人の権利について考える
■ 認知症の人とのかかわりについて学ぶ

関連項目 ③『介護の基本Ⅰ』▶ 第1章第3節「介護福祉の基本理念」
③『介護の基本Ⅰ』▶ 第3章「介護福祉士の倫理」

---

1 認知症ケアの理念とは

　認知症ケアの理念とは、組織や介護福祉職が認知症をかかえて生きる人に対して行う支援についての価値を示すものです。具体的には、認知症ケアの目的や認知症ケアが果たす使命、認知症ケアがめざす目標のことをいいます。

> **介護保険法**
>
> （目的）
> **第1条**　この法律は、加齢に伴って生ずる心身の変化に起因する疾病等により要介護状態となり、入浴、排せつ、食事等の介護、機能訓練並びに看護及び療養上の管理その他の医療を要する者等について、これらの者が尊厳を保持し、その有する能力に応じ自立した日常生活を営むことができるよう、必要な保健医療サービス及び福祉サービスに係る給付を行うため、国民の共同連帯の理念に基づき介護保険制度を設け、その行う保険給付等に関して必要な事項を定め、もって国民の保健医療の向上及び福祉の増進を図ることを目的とする。

　介護保険法では、その目的として尊厳の保持と自立支援がうたわれています。
　尊厳の保持とはどのようなことでしょう。私たちは、日々どのように過ごすかを自分で考え、選択し、決めます。あたりまえの日々が、仮に認知機能の障害によって継続できなくなってしまったら、だれかが考え

た日々の生活を過ごし、だれかが選んだ洋服を着て、だれかが決めた食事を食べることになります。もし、それがこれまでの生活習慣や価値観と違っていたとすると、苦痛に違いありません。これまでの暮らし方や生きてきたことを否定されることは、人格の否定につながります。認知症の人の尊厳の保持を支えるとは、その人のこれまでの生活を大切にし、価値観を尊重し、日々の暮らしのなかでの選択と自己決定を通じて自律(autonomy)を支援することです。

　自立には、身体的自立、精神的自立、社会的自立、経済的自立があり、これらを他人に依存せずに自分でできることが自立（independence）です。しかし、認知症の人は、心身に障害のあることで身のまわりのこと、生活のこと、役割や人とのつきあいに支障をきたし、だれかに支えられて生きていかなければなりません。したがって、自立支援とは、たとえ認知機能の障害があっても、認知症の人がもつ能力をいかして生きることを支えることです。

　この2つの目的で大切なことは、認知症の人がもつ力（ストレングス）に焦点をあて、日々の暮らしのなかで可能な限り力をいかした生活を支援すること、そのときに認知症の人の意思を最大限に尊重することです。

　次に、認知症ケアが果たしてきた使命がケアの進化をもたらしたことをみてみましょう。1980年代、認知症ケアは、精神病院や特別養護老人ホームなど**地域の外での認知症ケア❶**（Care out of the community）が中心でした。閉ざされた環境のなかで、認知症の人がかかえる問題に効率よく対処することに主眼がおかれていました。それが1990年代に入り、**地域における認知症ケア❷**（Care in the community）に変わっていきました。それまでの病院や施設の大規模集団ケアから地域密着、小規模で家庭的雰囲気のケアとして、宅老所、認知症デイサービス、グループホームなどが創設されました。

　さらに、2000年代以降、**地域による認知症ケア❸**（Care by the community）により、これまでの認知症の人を変える取り組みから、地域社会や地域住民が変わることで、認知症の人とともに生きる社会（地域共生社会）の実現をめざすことに変化しました。このように、施設から地域へのよりよい認知症ケアへの進化こそ、認知症ケアが果たしてきた使命だといえます。この進化は、認知症ケアの先駆者や認知症をかかえて生きる人々とその家族の発信、行政施策によるものですが、そ

❶地域の外での認知症ケア

❷地域における認知症ケア

❸地域による認知症ケア

英語表記はMichael Bayleyが用いた用語です。

第2節　認知症ケアの理念と視点

こには変わらぬ認知症ケアの理念があったからこそ実現しているのです。

2 認知症ケアにおける倫理とは

倫理とは、「人として守るべき道、道徳」（大辞泉より）と説明されています。したがって、認知症ケアの倫理とは、「介護者が認知症ケアを行ううえで守るべきこと」といえます。認知症ケアの倫理を考えるときの視点について考えてみましょう。

1 医療倫理4原則

医療倫理4原則は、医療を提供するにあたり倫理的な問題に直面したときにどう考えるべきかを示したもので、医療のみならず、看護、介護などにおいても共通認識になります。

（1）自律尊重の原則

自律とは、「自分の意思で決定すること、つまり、選択の自由があり、自分で決め、行動すること」です。認知症の人は、「何もできない人、ケアを受けなければ生活できない人」という表面的な部分だけをみて、すべてが否定されがちです。たしかに、意思決定に必要な理解力、判断力、決断力が低下しているかもしれません。しかし、それは部分的なもので、その人のすべてをあらわしてはいません。だからこそ、さまざまな視点や考えによる支援が必要になるわけです。認知症の人を支援する人は、その人の意思を最大限に尊重する姿勢を守ることが大切です。それが認知症ケアの自律尊重の原則です。

（2）善行の原則

認知症をかかえる人に対して最善のケアを提供することです。そのためには、認知症の人の心身の状態を把握していること、また、ケアする者は自らの心身の状態をよりよく保つこと、そして、ケアに関する最新の知識と技術を身につけ、それを提供するための努力をおこたらないことが大切です。

（3）無危害の原則

認知症の人に危害をおよぼさないこと、常に安全な環境を提供することです。「善行の原則」と連なった倫理ということができます。

（4）公正の原則

認知症の人に公平・公正に接することです。具体的には、必要な人に必要なサービスが必要なときに必要な場所で必要なだけ提供されることをさします。そのため、限られた資源を使った支援が認知症の人に提供されるには、何が必要（ニーズ）なのかを十分に把握する必要があります。

事例1　自律尊重の原則にそわない事例

　Aさんは、日中1人暮らしのため、家族から「1人で家にいるのは不安、何もすることがないので昼間から寝ていることが多い。また、土日は家族が休めない」などの理由から、認知症デイサービスを週7日利用しています。そのため、Aさんは送迎時にデイサービスの利用を拒んだり、デイサービスに来てからも「自宅に戻りたい」「家でやることがあるの」と訴えます。B相談員は、「Aさんの意思は尊重されているのか？　毎日のデイサービスがAさんにとって最善の方法なのか？」と疑問を感じています。

2　行動コントロールの倫理（倫理的ジレンマ）

認知症が進行すると、外出して行方不明になる、交通事故にあう、農薬や灯油など危険な物を飲む、段差から転落して打撲や骨折をするなど事故が増えます。そこで、安全確保のため施錠や向精神薬、身体拘束により、認知症の人の行動をコントロールせざるをえない場合があります。

「自律尊重の原則」では、本人の意思による行動を最大限に尊重しなければなりません。一方、「善行の原則」により、身体拘束や抑制によって行動をコントロールすることは事故から身体の安全を守る最善の方法であると考えます。この「自律尊重の原則」と「善行の原則」の対

立を「倫理的ジレンマ」といいます。

　しかし、このように、自由と安全を天秤にかけて考えるのではなく、たとえ安全のためであっても身体拘束や抑制を正当化するのでもなく、代替方法の検討により拘束に頼らない最善の方法を考えましょう。

事例2　倫理的ジレンマの事例

　C特別養護老人ホームでは、「身体拘束ゼロ」をめざしています。そのためには、認知症の人の行動を観察し、背景に何があるかを考えるようにしています。Dさんは、昼食後に落ち着かず、食堂をウロウロすることがあります。場合によっては、いすにつまずいて転倒する、玄関から外に出るなど危険です。そこで、日々の観察の結果、①トイレに行きたいサイン、②部屋に戻りたいサインの2つのサインを出しているのではないかと推測しました。2つのサインに従ってDさんを誘導した結果、ウロウロすることが解消されました。また、Dさんは夜間転倒することがあり、骨折などの危険がある状況です。そこで、Dさんに低床型ベッドを使い、転落することがない環境づくりをしています。このように、その行動にあったケアや環境づくりで身体拘束することなく、最善のケアを提供するように努めています。

3　翻訳の倫理

　認知症の人の意思を尊重することは大切ですが、意思を汲み取ることは容易ではありません。意思を汲み取る際に注意してほしいことがあります。それは、翻訳の倫理において、介護福祉職は認知症の人の行動や言葉を「自分の価値観で解釈している」ことを自覚することです。認知症の人の行動を意思にそって正しく翻訳できない場合、「徘徊」「帰宅願望」「異食」「入浴拒否」など「レッテル」を貼ることがあります。

　本当に「徘徊（目的もなくウロウロ歩き回る）」行為なのでしょうか。「何もすることがなくてつまらない」「家族のことが心配だ」「さて、次は何をしたらよいのか」「ここはどこだろう、なぜここにいるのかな」と、認知症の人の視点で考えることが大切です。これを共感的理解と呼びます。共感的理解とは、認知症の人がどのような気持ちでいるのか、何を考えているのかなど認知症の人の立場で感じること、考えることで

す。

4 認知症の人へのスティグマ（偏見と差別、恥のレッテル）を取り除く

　スティグマとは、ギリシャ語を語源として、奴隷や家畜への烙印のことをいいます。福祉用語としては、偏見や差別、恥のレッテルをさします。

　認知症の人は、外見的には障害に気づかれづらい面があります。ところが、簡単なことを失敗したり、その場の雰囲気に合わない行動や発言があると、周囲は行動や言葉を否定するだけではなく、認知症の人の人格すら否定します。そして、「どうしたの、大丈夫？　しっかりしてよ」とはげまし、「何やっているの、ちゃんとしなきゃだめでしょ」としかります。

　社会全体がスティグマをもっているため、認知症の人へのスティグマを解消することは容易ではありません。しかし、認知症の人にかかわる介護福祉職は、スティグマを取り除かなければなりません。そのためには、自分自身が認知症への偏見や差別をもっていることを自覚しなければなりません。そして、認知症がどのような障害なのかを「知識」として正しく理解しましょう。次に、不自由に感じていること、希望や願いなど認知症の人が感じていることや考えていることを認知症の人の語りから知ること、そのうえで、認知症の人の障害や失敗にばかりとらわれず、人として受け入れることを大切にしましょう。

事例3　本人主体の生活を周囲の人たちが支援した事例

　56歳のEさんは、早発性アルツハイマー型認知症と診断されました。Eさんは、製造業の営業をしていましたが、認知機能障害により大切な会議や顧客との面談を忘れるなど仕事に支障をきたしていました。退職を考えましたが、社長のFさんは「Eさんができる仕事があれば配置転換するよ」と雇用の継続を勧めてくれました。Fさんは、職場のみんなに認知症があることを伝えてもよいかEさんに相談しました。Eさんは、「認知症になって何もできなくなった、みんなに迷惑がかか

第2節　認知症ケアの理念と視点

る」と最初はためらっていましたが、Fさんの勧めでEさんは認知症であること、認知症はどのような障害があるか、自分にはどのような希望があるのかなどを職場の職員たちに伝えました。同僚は、「認知症があってもEさんはEさんだし、何も変わることはないよ。ちょっと不便なだけでしょ、それなら手伝えることは協力するよ」と理解を示してくれました。

5　多職種協働によるアプローチ

　認知症の人の生活を支えるためには、多職種や他機関が連携・協働する必要があります。それは、生活が複雑で多様だからです。仮に、医療だけ、介護だけ、家族だけで支えるとしたら生活全体を支えることはできません。必ず多職種の連携や協働による認知症ケアで、豊かな生活や人生になるよう支援しましょう（第6章第2節を参照）。

6　パーソン・センタード・ケアの実践

　認知症は、背景に原因疾患があります。しかし、疾患の治療では認知症の生活支援まではできません。「認知症になった人（Demented person）」ではなく「認知症とともに生きる人（Person with Dementia）」と、これまで生きてきた生活習慣や価値観など認知症の人を人としてトータルにとらえたケアを行いましょう。それが、パーソン・センタード・ケアによる認知症ケアの実践ということになります（第4章第1節を参照）。

3　認知症ケアにおける権利擁護の視点とは

1　なぜ、認知症の人は権利侵害されやすいのか

人権とは、「人間が生まれながらにもつ人間らしく生きる権利や、す

べての人が生命と自由を確保し、それぞれの幸福を追求する権利」です。これらは、日本国憲法で保障されています。しかし、認知症の人は、自分のことを自分で決める、決めたことを周囲に主張することが的確に行えなくなるため、権利侵害にさらされる危険性があります。権利侵害の背景には、認知症の人の障害による問題がありますが、一方、介護福祉職の都合でケアが行われていること、できることまですべてケアすることで、認知症の人の生きる力を奪ってしまうこと、認知症の人の意思や感情を無視したケアなどが権利侵害につながります。主な権利侵害には、身体拘束と虐待があります。そのため、介護福祉職はケアを通じて認知症の人の権利擁護に努める必要があります。まず、何が権利侵害にあたるのか、それがなぜ起きるのかを知ること、そして職場で議論し、権利擁護について意識することが大切です。

（1）認知症の人への身体拘束

■1 身体拘束の弊害

　2001（平成13）年に、国は「身体拘束ゼロへの手引き」を公表しました。そのなかで身体拘束・抑制にあたる行為として、11種類をあげています（**表3-4**）。いずれも認知症の人みずからの意思による行動を抑制することです。

　身体拘束の弊害は、身体的、精神的苦痛を助長すること、また、食欲の低下、脱水、褥瘡、拘縮、筋力低下、心肺機能低下、感染症、認知機能低下、意欲の減退など身体機能を低下させ、生きる気力を奪い自立を阻害することです。

　「倫理的ジレンマ」のところでも述べたとおり、事故によるけがよりも安全を優先すべき、だから拘束はやむをえないという考え方もあります。しかし、まずは身体拘束ありきではなく、身体拘束によらない安全確保について検討することが大切です。そのため、身体拘束の防止と安全について考えてみましょう。

■2 身体拘束の防止

①身体拘束の防止は事業所全体で取り組むこと

②職場内で身体拘束に対する共通の認識をもつこと

③身体拘束を行わないで安全な状態をめざすこと

④事故の起きない環境の整備や柔軟な協力体制をつくること

⑤常に身体拘束に替わる方法を考えて「緊急やむをえない身体拘束」は

第 **2** 節　認知症ケアの理念と視点

表3－4	厚生労働省が示す11種類の身体拘束

1. 徘徊しないように、車いすやいす、ベッドに体幹や四肢をひも等で縛る。
2. 転落しないように、ベッドに体幹や四肢をひも等で縛る。
3. 自分で降りられないように、ベッドを柵（サイドレール）で囲む。
4. 点滴、経管栄養等のチューブを抜かないように、四肢をひも等で縛る。
5. 点滴、経管栄養等のチューブを抜かないように、又は皮膚をかきむしらないように、手指の機能を制限するミトン型の手袋等をつける。
6. 車いすやいすからずり落ちたり、立ち上がったりしないように、Y字型抑制帯や腰ベルト、車いすテーブルをつける。
7. 立ち上がる能力のある人の立ち上がりを妨げるようないすを使用する。
8. 脱衣やおむつはずしを制限するために、介護衣（つなぎ服）を着せる。
9. 他人への迷惑行為を防ぐために、ベッドなどに体幹や四肢をひも等で縛る。
10. 行動を落ち着かせるために、向精神薬を過剰に服用させる。
11. 自分の意思で開けることのできない居室等に隔離する。

出典：厚生労働省「身体拘束ゼロへの手引き」

限定的にすること

3 緊急やむをえない身体拘束

これは次の３つの条件に沿ったものとなります。

①切迫性

　　利用者本人またはほかの利用者等の生命または身体が危険にさらされる可能性がいちじるしく高いこと

②非代替性

　　身体拘束その他の行動制限を行う以外に代替する介護方法がないこと

③一時性

　　身体拘束その他の制限が一時的なものであること

　　「緊急やむをえない場合」の判断は、「身体拘束廃止委員会」であらかじめルールや手続きを定めておき、十分なカンファレンスで判断するなど事業所全体で取り組むことや、「緊急やむをえない場合」に該当するか常に観察、再検討し、要件がなくなった場合はただちに解除します。この場合、家族への説明と同意、経過記録により監査等で状況を説明できるようにしておくことが必要です。

（2）認知症の人への虐待

高齢者虐待には、次の5つがあります。

❶ 身体的虐待

暴力、なぐる、ける、たたく、つねるなど身体的苦痛を与える。

❷ 精神的虐待

暴言、非難、なじる、悪口を言う、無視するなど精神的苦痛を与える。

❸ 経済的虐待

自分のお金を使わせない。預金や現金を勝手に使う。財産の名義を勝手に変える。搾取・詐取する。

❹ 性的虐待

裸にして放置する。陰部を触るなどの性的嫌がらせ。卑猥な言葉を浴びせる。性行為やキスを強要する。

❺ 介護放棄（ネグレクト）

必要な介護を怠る。放っておかれる。適切な介護サービスを使わせない。

虐待の背景には、「グレーゾーン」と呼ばれる介護福祉職が意図したものではない虐待があり、そのうち「不適切なケア」と呼ばれる段階があります。この不適切なケアとは、介護福祉職の自覚がなくても認知症の人の心身を傷つける、認知症の人が望まない場合に行うなど、介護福祉職による意図しないケアのことをいいます。たとえば、「認知症の人が、口を開けないからと、鼻をつまみ食事介助した」「食事の際、ごはんに薬を混ぜている」「利用者が職員に声をかけているが聞こえていないのか無視して何度も素通りしていた」「入浴後バスタオルを1枚かけて肌が露出したまま廊下を移動していた」「『ちょっとまっててね』と言ったまま対応しない」などがあります。

虐待を受ける高齢者の特徴として、年齢が高く、要介護度が高く、認知症の人の割合が高いなど意思疎通のむずかしさに問題があること、一方、虐待する介護福祉職の特徴については、年齢・性別・職種などに大きな特徴はみられません。このことから、意思疎通のむずかしい利用者へのケアという負担感の多い環境や人材不足と業務多忙な労働環境など、組織的な問題背景から、だれもが虐待者になる可能性があります。

このように、虐待者は介護の負担やストレスをかかえている場合が多くあります。そこで虐待を職員や家族個人の問題にせず、事業所全体、

社会全体で取り組むことが大切です。そのため、多くの人の目が事業所や家庭のなかに入ること、事業所も積極的に認知症ケアの困難さ、負担感などの問題を家族・地域社会へ情報開示して問題を共有することが大切です。また、虐待につながる不適切なケアを早期に発見して、事業所全体、地域社会全体で対策に取り組むことが虐待の防止につながります。

具体的には、事業所内で理念を共有し、虐待について職員間で話し合います。また、認知症ケアや虐待についての研修会を実施することで、職員の人権意識や倫理観を育てることを常に行います。

（3）高齢者虐待防止法

2005（平成17）年に高齢者虐待の防止、高齢者の養護者に対する支援等に関する法律（高齢者虐待防止法）が制定されました。そこには、介護福祉職（養介護施設従事者等）は虐待を発見したときは市町村の窓口への通報義務が定められています。報告を受けた市町村は事実を確認して、専門家を含めたチーム会議を開催し、虐待を受けている高齢者の保護や虐待者の支援に取り組みます。

事例4　虐待に関する事例

G介護老人保健施設では最近虐待と思われる事例がありました。ベテラン職員のHさんが夜勤の排泄介助のときに、「汚いなー、一晩に何回すればいいの」と大きな声で認知症利用者のJさんをどなっていました。まわりの職員はベテランのHさんに注意をすることができません。ある晩、夜勤者のKさんは介助時にJさんの左腕の骨が折れていることに気づきました。夜勤者はKさんとHさんの2人です。施設長は、介護主任に指示をして事故の検証と市町村への事故報告を行いました。排泄介助時に左腕が巻き込まれた結果でした。そのときの介助者はHさんでした。Hさんは、「気づかなかった。夜勤のときは忙しくていちいち考えていられない」と言います。介護主任は、家族に説明したうえで謝罪しました。その後も、Hさんの利用者への乱暴な言葉づかいや雑なケアは変わりません。

> **事例5** 高齢者虐待防止法の通報に関する事例

介護老人保健施設に併設するLデイケアでは、サービス付き高齢者向け住宅（サ高住）で暮らすMさんの入浴時に介護福祉職が腕に赤い手形のような発赤を発見しました。すぐに写真をとらせてもらい、施設長に報告し、施設長は市町村の窓口に報告しました。その後、市町村担当者がサ高住の管理者に聞き取り、「行動を制限するために腕をつかんだ」と話したとの報告がありました。その後、サ高住の管理者から、ケアマネジャーへの報告、家族への報告後にLデイケアにそのときの状況の説明を受けました。

4 本人主体のケア

本人主体のケアとは、本人の意思にもとづいた日常生活や社会生活、人生に向けたケアのことです。そこで、2018（平成30）年6月に公表された「認知症の人の日常生活・社会生活における意思決定支援ガイドライン」の内容から、本人主体のケアについて考えてみましょう。

1 意思決定支援とは何か

ガイドラインの趣旨として、「認知症の人を支える周囲の人において行われる意思決定支援の基本的考え方（理念）や姿勢、方法、配慮すべき事柄等を整理して示し、これにより、認知症の人が、自らの意思に基づいた日常生活・社会生活を送れることを目指すものである」と記されています。とくに、介護福祉職にはどのような状態でも認知症の人には意思があり、それを尊重する姿勢を求めています。

意思決定支援とは、認知症の人がもっている力をいかして、日常生活や社会生活についてみずからの意思にもとづいた生活を送ることができるよう本人を支援することです。具体的には、認知症の人の意思決定をプロセスとして支援するもので、本人が意思を「つくること（形成）」への支援、本人が意思を「表明すること（表明）」への支援、本人が意思を「実現すること（実現）」への支援です。認知症の人の意思の有無

第2節　認知症ケアの理念と視点

を介護福祉職が断定するのではなく、その有する能力に応じて意思決定支援を行うことが大切です。

2 本人の意思の尊重

　認知症が進行し、意思表示がうまくできないときは、行動や表情の変化も意思表示として読み取る努力が求められます。また、確認がむずかしければ必要に応じて意思を推定（推定意思）したり、本人の好み（選好）を優先したりして意思を尊重します。そのため、食事、入浴、被服の好み、外出、排泄、整容など、これまでの生活習慣について、本人や家族から情報を集めて何が好みか、どのような生活を大切にしてきたかなど、これまで本人が過ごしてきた生活が確保されることを尊重することが原則になります。

3 チームによる早期からの継続的支援

　本人が意思決定できる早期（認知症の軽度）の段階から、これからの生活について話し合います。場合によっては、どのように人生を終えたいかについても意思決定の内容にすることがあります。たとえば、終末期の医療や介護に関し本人の意向について家族や医療・介護専門職が確認し共有する会議であるACP（Advance Care Planning：人生会議）があります。

　そしてその後は、家族・親族、福祉・医療・地域近隣の関係者と成年後見人等がチームとなって日常的に見守り、本人の意思や状況を継続的に把握し、必要な支援を行います。それは、意思決定は一度決めたら終わるものではなく、状況に応じて変化するからです。そのため、繰り返し確認することが大切です。

事例6　本人の意思決定支援にかかわる事例

　86歳のNさんは、寿司屋の板前として長年働いてきました。お客さんを大切にして、おいしいお寿司を提供することが生きがいでした。75歳ころより物忘れが始まり、それをきっかけに板前をやめました。

今はグループホームに入居しています。Nさんは、時々「握ろうか」と言って、お刺身を使ってお寿司を握ってくれます。ほかの入居者が「Nさんうまいよ」とほめると、満面の笑みで「そうだろ、そうだろ」と喜んでいます。グループホームでは、Nさんができることはしてもらいたい、家族からもぜひそうしてほしいと言われ、月1回は「寿司デー」を開催しています。割烹着や包丁は家族が持ってきてくれました。お寿司を握っている姿はキリッとしていて、Nさんにとって「寿司」はかけがえのないものなのです。

◆ 参考文献

● 厚生労働省「認知症の人の日常生活・社会生活における意思決定支援ガイドライン」

第 2 節 認知症ケアの理念と視点

 演習3－1　認知症ケアの理念の理解

　次の事例を読んで、認知症ケアの理念、権利擁護にそった視点でどのようにケアをすればよいのか、❶～❸について個人で考え、グループで共有しましょう。

> 　Pさん（90歳、男性）は、自宅で転倒し右大腿骨頸部骨折のため入院しました。1週間後保存治療のうえ、同居する家族の意向で病院から直接ショートステイを利用することになりました。
> 　Pさんは、夜間ベッドから降りる行動があり危険なので柵を設置して降りられないようにしています。その後、「おーい、おーい」「ひろ子～、ひろ子～」など妻を呼ぶので周囲から「うるさい」と言われ居室の中が混乱します。そのため、個室に移動しました。さらに、看護師より医師に相談し向精神薬が処方されました。

❶ Pさんの意向をふまえた支援について考えましょう。
❷ 倫理的ジレンマについて考えてみましょう。
❸ 身体拘束によらないケアについて、どのように取り組めばよいのかを考えましょう。

 演習3－2　認知症の人との適切なかかわり

　次の事例を読んで、Qさんへの対応に関し❶❷について考えてみましょう。

> 　Qさん（85歳、女性）は、グループホームに入居して3か月経ちました。毎日夕方になると「家族がみんな心配しているから、うちに帰らなきゃ」など「帰宅願望」があります。スタッフは夕方が忙しく、「暗くなるから明日にしましょう」「寒いから今日は泊まりましょう」などの対応をします。

❶ 翻訳の倫理に照らし、Qさんの行動について考えてみましょう。
❷ Qさんへのケアについてどのように取り組むべきかグループで話し合いましょう。

第 **3** 節

認知症当事者の視点から
みえるもの

学習のポイント

■ 認知症の人の思いを理解し、支援内容を考えるための基本を学ぶ
■ 認知症の人の体験が生活に及ぼす影響を知り、認知症の人を尊重した支援内容を
考えるための基本を学ぶ

関連項目 ▶ ① 『人間の理解』 ▶ 第1章「人間の尊厳と自立」

1 認知症の人の思い

1 診断前後の不安定な気持ち
──アイデンティティの危機

　認知症の診断は、どの世代の人も受け入れがたいものです。認知症
は、「何もわからなくなる病気」だと思っている人も多く、自分がその
ような存在になることが信じられないと思うでしょう。また、多くの人
は、そう考えたら自分が認知症であることを否定するでしょう。

　最近は、認知症の人でも、テレビや講演でみずからの体験を語れる人
がおり、その存在により認知症でも自分らしさは失われないと知られる
ようになってきています。

　46歳で認知症と診断を受けたブライデンさん（Bryden, C.）の最初
の著書のタイトルは『私は誰になっていくの？──アルツハイマー病者
からみた世界（原著タイトル Who will I be when I die ?)』でした。
彼女は講演のなかで「この題名は、認知症と診断された時に感じた恐怖
をそのまま表しています。これからどんなことが待ち受けているのだろ
うか。末期の段階ではどんなふうになっているのだろうか」[1] と話し

写真3-1　2017(平成29)年の再会(右より2人目ブライデンさん、4人目佐野さん)

ています。

　佐野光孝さんは「認知症ということで働けない、一家の主としては収入を得られない、そういうことが一番悔しかった」[2]と話しています。認知症の診断により、将来の不安や、自分が大切にしてきたことを喪失していくことは**アイデンティティの危機**につながっていくといいます。自信の喪失とそれにともなう不安は、自分らしさを見失ってしまうことにもつながりかねません。

2　「自分らしさ」はなくならない

　ブライデンさんが、次に書いた著書の題名は『私は私になっていく――認知症とダンスを（原著タイトル Dancing with Dementia：My story of Living Positively with Dementia）』でした。彼女は、認知症の進行にともない、以前できていたことが、これまでのようにできなくなっても、真の自分は失われないと気づいたといいます。

　しかし、介護者中心にかかわろうとすれば、認知症の人の能力や自尊心を失ってしまうと述べています。認知症の人をサポートするということは、本人のできるところまで手伝ってしまうことではなく、介護者がやりたいことをやってあげることでもありません。重要なことは、認知症の人の「自分らしさ」はなくならないのだと信じて、その人が「自分らしさ」、本人自身を認識できるように助けていくことです。

　そのためには、認知症によりその人の苦手になることや、体験していることを知り、何を助け、何を見守るべきかを知ることが重要になります。

3 「自分らしさ」をサポートするために

　症状では、中核症状という共通の症状（記憶障害、認知障害など）と
BPSD（Behavioral and Psychological Symptoms of Dementia：
認知症の行動・心理症状）（感情のコントロールがうまくいかない、暴
力的な言葉や行動、妄想など）に分けられます。

　記憶が不確かになったり、今までできたことができなくなると、人は
だれでも不安になります。今までできていたことができなくなることが
認知症によりたびたび起こるかもしれない中核症状だとすれば、もっと
不安になることでしょう。そこに、認知症の人の意思を無視するような
対応がなされたら怒りすら覚えるかもしれません。BPSDと呼ばれる症
状の多くは、中核症状がうまく補われれば、出ることのない症状です。
また、BPSDの出現は、本人のニーズが満たされていないことがあるの
かもしれないと考えて対応していくことが重要です。

　中核症状によりうまくいかないことが続けば、自信を喪失しそれにと
もなう不安から、暴力的な行動になる人もいれば、抑うつ的な気分にな
り元気のない状態になる人もいるのです。

　すべての人にBPSDの症状があるとは限りません。①中核症状により
できないことがあっても、②認知症の人の気持ちはいろいろです。で
も、もし何らかのBPSDがあらわれたら、介護者たちは、認知症の人の
気持ちや満たされていないニーズがあるのではないかと考えなければな
りません。また、本人の気持ちを左右するのは、中核症状ばかりではあ

表3-5	認知症の人の気持ちに影響を与える要因
体調や薬の影響	便秘、不眠、脱水、薬の副作用などで混乱する
環境の影響	壁とトイレの扉が同色でトイレが見つけにくい、テレビとBGMが両方でうるさい、まぶしいなど
天気の影響	昼間なのに雨で薄暗く夕方に感じる、気圧の変化で頭が痛いなど
介護の影響	できることまで手伝われて、どこまでしたのか、できたかどうかわからなくなる
生活歴の影響	慣れていない方法で実施されてとまどう、子どものように頭をなでられ情けなく感じる

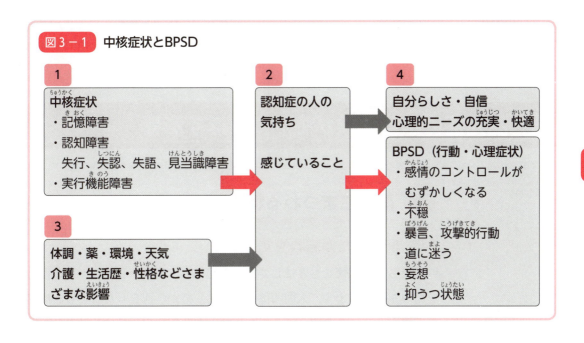

図3-1 中核症状とBPSD

りません。③体調や薬の影響、環境、天気、介護のされ方、生活歴、性格などさまざまなことが影響を与えます（表3-5）。認知症の人が、④自分らしさ、自信、心理的ニーズが充実した状態、または認知症の進行した状態では、本人が快適であればBPSDの出現は少なくなることが考えられます（図3-1）。

BPSDとしてあらわれている症状を減らそうと考えるのではなくて、原因である①中核症状を補い、②認知症の人の気持ちを考え、③影響を与える要因を探索し、④「自分らしさ」の回復や心理的ニーズが充実した状態をサポートすることが必要なのです。

そこで、サポートの視点として重要になるのは以下の4つの視点です。

① 中核症状の特徴（認知症による体験）を知り、それを補うサポートを考えられるようになる。
② 中核症状による認知症の人の気持ちを知り、気持ちにそったサポートを考えられるようになる。
③ 認知症の人の気持ちに影響を与える要因を知り、悪い影響は極力取り除けるようになる。
④ 「自分らしさ」や自信の回復、あるいは心理的ニーズの充実・快適さを重視したサポートやケアを提供する。

これらを行うためにまず、認知症の人の体験していることを学んでいきましょう。

2 認知症による体験が生活に及ぼす影響

記憶にまつわる特徴

（1）何をしたか忘れやすい

私たちは、記憶をもとにして行動を起こし、翌日そして翌々日と行動を積み重ねています。人間関係も何を話したか、何をしたかをもとに関係が築かれていきます。アルツハイマー型認知症の場合は、最近の記憶が不確かになります。家族などに「昨日言ったでしょ」と言われても覚えていないので、関係がギクシャクしてしまいます。そのことで、認知症の人もいやな思いをしたり、被害的な気持ちを抱くこともあります。

認知症の人は、忘れないようにと言われると、「認知症が進行していると言われているみたいだ」と言います。忘れてもよいこともたくさんあります。本人は、「思い出せるようにヒントを出してほしい」「直前に言ってほしい」「紙に書いて伝えてほしい」と言います。

（2）感情的な記憶、手続き記憶は残りやすい

うれしかったこと、悲しかったことなど**感情的な記憶**は残りやすいものです。どこに行って何をしたかなど詳細な**エピソード記憶**は忘れて

片づけられないことを指摘する　　　　　いっしょに片づけてお礼を言う

も、そのときの楽しかった感情は残りやすいです。お花見に行ったことは忘れても、楽しかった気分が残れば、お花見に行った意味はあるのです。反対に失敗したり恥をかいたいやな気持ちも残ることがあるので、いやな気持ちを残さないようにしてほしいと認知症の人は言います。たとえば、失敗したことを言われたり、できなかったことを言われたりすれば、詳細は覚えていなくても認知症の人にはいやな気持ちが残ります。この介護者がくると、話の内容は覚えていなくてもいやな気持ちが残るな、いやな人だなと記憶される可能性があります。本人がいやな気持ちにならないように配慮してください。本人が失敗したことなどは本人のいないところで家族に聞くようにしましょう。

　また、身体で覚えている**手続き記憶**は忘れにくいものです。米を研ぐ、じゃがいもの皮をむくなどの身体で覚えている記憶です。ですから、昔どのような仕事をしていたか、料理が好きだったかなどの情報は、どのような手続き記憶が残っているか予測するために重要です。

　ラジオ体操は、小さいころ夏休みに行っていたり、日課として実行していた人にとっては、音楽がなると身体が動くほど身体に残っているものです。しつらえについても、日本文化のなかで育った人であれば、使い方を説明しなくてもわかるような、昔からある形のものなら、本人は悩まず使えると言います。

（3）強い思いに引っ張られる

　何か心配だったり気になることが頭をよぎると、その思いに固執してしまい、考えないようにしようと思えば思うほど脳はその思いでいっぱいになることがあります。認知症では、それが強くなる場合があり、認

何かしなければ…いつもしている洗濯？　花の水やりは？

お茶を飲んで気持ちを切り替える
本人にわかりやすい道具を使い手伝ってもらう

気になっている花の水やりを終わらせてしまう

知症の人は自分だけではそこから別の思いに変えることができなくなると言います。

　強い思いに引っ張られ、焦るような行動になり、認知症の人自身も疲弊してしまいます。そういう場合は、行動を否定せず、気持ちが切り替えられるようにしたり、気になることを早く終わらせるようにしてほしいと言います。気になっていることが解決すれば、脳をほかのことに使えるということです。

（4）新しいことを覚える

　記憶の障害があっても、まったく新しいことを覚えられないわけではありません。何度も繰り返したり、今まで経験したことのあることと関連づけたりすると覚えられることはたくさんあります。限界をまわりが決めないことで、認知症の人は新しいことにも挑戦したいと言います。

　前頭側頭型認知症やレビー小体型認知症の人は、記憶に支障のない場合も多いので、認知症の人はみんな、最近のことが記憶しにくいと思いこまず、個々の記憶の特徴に合わせたサポートが必要です。

2　行為や認識することのむずかしさ

　アルツハイマー型認知症の場合、服の立体感がわかりにくくなり服の着方がわからなくなる場合があります（着衣失行）。また、「座ってください」「ここを持ってください」と言葉だけで案内してもその行動をとれなくなることや、歯ブラシを使って歯を磨く行動をとれなくなることなどを失行といいます。

　また、見えていないわけではないのに、探し物が目の前にあっても、自分の探しているものと認識できないことや、コントラストが低いと正しく認識できないこと（写真3-2）などを失認といいます。空間の立体感がわかりにくく（空間失認）、同じ色のものを見分けられなかったり、反対に色の違う床面が立体的に見えたりして足を高く上げ転倒しそうになることがあります。色の違う床面を誤認しないか気をつけましょう。

　着衣失行のある人の場合、字を読みにくかったり、書きにくいなどの症状も出てくる場合があります。

3 音や光など五感の変化

　視覚的な変化だけでなく、音や光、人の動きも刺激の1つです。私たちは脳で、これらの刺激を感じ処理しているのです。

　雑踏のなかでも音を聞き分けられるのは、聴力と脳の処理のおかげです。しかし、その力が認知症によってむずかしくなるとうるさいところでは音を聞き分けられなくなり、集中できなくなったり、疲れやすくなったりすることがあります。静かなところで休んだり、うるさい場所を避ける必要があります。

白い器に白いごはんがのっているとコントラストが明確でないと見えなくて、手をつけないことがある

写真3-2　失認の一例

　光の刺激が強すぎたり、人の動きが気になって集中できないこともあります。それらを自分で調整するはたらきができなくなっているのかもしれません。

　認知症の人の背後を通ったり、そばで介護者同士が立ち話をするといった行動が影響を与えることがあります。認知症の人が何を感じているのか、考えて行動しましょう。

写真3-3　階段を上から見ると深さがわからない場合がある

写真3-4　階段は下から見たほうが高さがわかりやすい

写真3-5　階段の下に色の違う部分があると、もう1段あると勘違いする危険性がある

どの皿にお菓子が少ないかわからないので配り終わらない

3個入った皿を別の空間に移す

写真3－6　お菓子を3個ずつ皿に分けることを容易にするには

4　似たようなものの判別がむずかしくなる

似たようなもののなかから、自分が必要としているものを選んだり、違いを見つけるのが苦手になります。

たとえば、食器棚から必要な食器を探しだしたり、お菓子を同数皿に分けるなどの行動がむずかしくなったりします。

3　認知症の人の思いを尊重したサポート方法

認知症によってできることが減っているようにみえたとしても、認知症の人の意思がなくなったわけではありません。認知症の人自身も「こんなこともできなくなって」と気持ちが落ちこんで、みずから何もしな

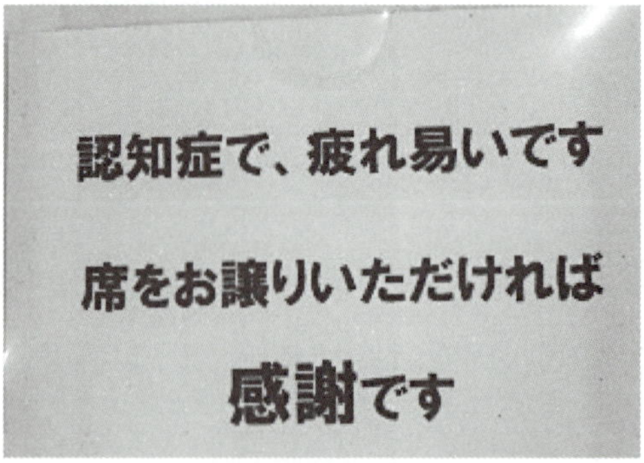

写真3－7　外出時に認知症の人がしている工夫
（ヘルプカードを使って困ったときに見せて助けてもらう）

第3節 認知症当事者の視点からみえるもの

くなる人もいますが、できることを増やすためのサポートを行いましょう。そのサポートや工夫は、できるだけ自然に行動が導きだされるようなものが望ましいです。また、認知症の人といっしょに工夫することも大切です。

自分でできることを増やしてほしい

（1）記憶を補う

写真や動画で視覚的な補助を行います。出かけたところ、覚えたい人などを写真や動画で見て記憶を補います。忘れたくないことをメモに書いたり、今日の予定などをわかりやすく掲示することを助けます。

（2）マークでわかりやすくする

マークをする場合は、認知症の人と相談してどんなものが見えやすいか考えましょう。

たとえば、着衣失行がある場合に、袖の腕を通すところに色が違う

写真3－8　コートの腕を通すところにマークをつける
中も外も同じ色のコートのどこに腕を通してよいかわかりにくい場合、腕を通すところに違う色でマークしておくと腕を通すところがわかりやすくなる

テープなどでマークするというアイデアが認知症の人から出ました。腕を通すところがわかりやすくなり、服が着やすくなりました。

（3）なじみのしつらえにする

　道具の使い方を説明しなくても、わかりやすい道具を使うようにします。操作が煩雑でなく、お茶が入っている小さいポットとコップを置いておくと、自分で飲むことができる人は多くいます。

（4）パターン化する

　毎日同じことを繰り返し**パターン化**することで、予定などを覚えることができるようになります。パターンを変えすぎずスケジュールを繰り返すと、行動の予測がたちやすくなり、落ち着けるようになります。

（5）間違いが出にくいようにする

　認知症の人が間違わないような工夫をすることも大切です。たとえば、コーヒーカップとおそろいの皿を、多くの皿のなかから見つけることがむずかしい場合、どのカップとでも合うような皿を使ってみます。

写真3-9　お茶が入っているとわかりやすいしつらえ

写真3-10　コーヒーカップと皿

写真3-11　皿はいっしょなのでどのカップと合わせても正解になる

図3-2 モデルになったり、ガイドしたりする

同じ動作を横で行い、モデルになる

後ろから手をそえて、自分で食べる動作を思い出してもらう

(6) 失語のフォロー：実物を見せたり、ジェスチャーで示す

　前頭側頭型認知症では、言葉が話せても言葉の意味がわからないという**意味性認知症**❶の場合があります。その場合は、実物を見せたり、ジェスチャーで伝えましょう。関連のある道具を見せてもわかる場合があります。

❶意味性認知症
p.86参照

(7) モデルやガイドとなる

　認知症の人の最初の行動が出やすいように、目の前でいっしょに行うことによって、モデルを示します。行動の最初ができると、その次の行動が出やすくなることがあります。ほかに、食事介助を二人羽織のように後ろから認知症の人の手をとって行うことによって食べ方を思い出せる場合があります（図3-2）。

2 生活背景にそった支援をしてほしい

　その人がどのような職業であったのか、どのように育ったのか、社交的であったのかなど、発症前の本人のことを家族に教えてもらうことが重要です。その際は、つらかったことなどの経験も聞いておきましょう。認知症で不安になったときに、そのつらかったときの思い出とリン

●亡くなった母を探して外に出て行く人に寄りそいながら

認知症の人は、今まさに母の所に行かなければいけない気持ちになっているが、過去のこととして、思い出を語ってもらうことで、本人の不安に思っていることがわかる。また、現在のことを認識しやすくなる

クして混乱している場合があります。不安な気持ちを受け止めつつ、現在の困りごとが何であるか探っていきましょう。また、否定せずに不安が過去のものであることをわかってもらえるような話し方を心がけましょう。

3 自信がもてるようにしてほしい

自分でできることが増えれば、**自己肯定感**❷は増し、自分のもつ能力を最大限発揮することができます。認知症の進行にともないうまくできることが少なくなってきた場合も、次のような方法で自己肯定感を増すことができます。

（1）話したい

認知症の人に話してもらえるように、会話の糸口をつくりましょう。興味のありそうな雑誌でもよいです。できるだけ写真など視覚的に理解できるものがよいでしょう。仕事や子育て、趣味に関することや、懐かしい回想法的な話題も、話を続けてもらうためにはよいです。
　その人の若いころに何が流行ったかを調べてみるのもよいでしょう。歌、歌手、スターだった俳優、髪型やファッション、家電、オリンピックや万博などのイベントなど、どのようなものが流行っていたか、会話のきっかけを見つけましょう。

❷自己肯定感
自分を尊重し、みずからの存在を肯定する感覚。自己肯定感が高いと、自分に自信がもて、積極的に物事に取り組める状態になる。

第3節　認知症当事者の視点からみえるもの

また、人に話を聞いてもらえることが、自分を価値ある存在と感じることにもつながっていきます。会話としてあいまいで確実なことがわからない場合も、**バリデーション❸**や**ユマニチュード❹**などの手法を使って、認知症の人が話したい気持ちをくみ取っていきましょう。

❸バリデーション
p.229参照

❹ユマニチュード
p.225参照

（2）自分で選んでもらう

自分で選んでもらう場面を多くもちましょう。たくさんのなかから選びにくい場合は、選択肢をせばめて2〜3個のなかから選んでもらいましょう。

・絵を描く場合に、絵の具の色や紙の色などを選んでもらう。
・コーヒーと紅茶という字や写真を見せて、どちらにするか選んでもらう。
・同じお菓子でも自分で選んでもらう。

このように、どうしたら選んでもらえるか考えてみましょう。

（3）有意義な時間をいっしょにみつける

どういうことが、認知症の本人が楽しめたり有意義に感じられることなのかを考えてみましょう。「認知症の人にとって楽しい」こととは、介護者にとって楽しいこととは限らない場合もありますが、まず介護者が楽しいと思うことを試してみてもよいと思います。結果として楽しんでもらえなければ、そこから「なぜだろう」と考えてみましょう。

「楽しい」ということが、趣味的なものだけとは限りません。他者の役に立つことが本人にとって有意義な時間になることもあります。

4 当事者同士の出会いや社会へのメッセージを発信したい

日本でも各地で「認知症の本人交流会」や「本人ミーティング」が行われるようになってきました。とくに診断直後に、当事者同士で出会うことが重要といわれています。当事者と出会うことで、自分が思っていたよりほかの認知症の人が明るく過ごしている姿から自分だけではないと気づくことができるのです。認知症の人のなかには、「認知症になると何もわからなくなるのではないか」と思っている人も多く、はじめて認知症の人に出会う人も多くいます。認知症の当事者である丹野智文さ

第3章　認知症ケアの歴史と理念

149

図3-3 当事者同士の出会いの場

日本認知症本人ワーキンググループが「本人にとってのよりよい暮らしガイド 一足先に認知症になった私たちからあなたへ」(本人ガイド)を作成しています。認知症になってから希望と尊厳をもって暮らし続けることができ、よりよく生きていける社会をつくり出していこうと当事者の視点で作成しています。
この冊子を見ながら、当事者同士で話し合っていくのもよいでしょう。

んは、その交流のなかで自分以外の認知症の人が元気に過ごしていることを知り、前向きになっていけたといいます[3]。

最近は、認知症の人が認知症の人の相談にのるといった**ピア・カウンセリング**や、**一般社団法人日本認知症本人ワーキンググループ**のように施策への提言を行うグループも生まれています。介護福祉職は、当事者同士で集まれる場づくりや、そういった場の情報を提供していくことが求められます。

5 心地よさをサポートしてほしい

認知症が進行して寝たきりになるなど、生活全般にかかわる介護を要する状態になったときは心地よさを重視した介護が望まれます。認知症の人が気持ちよく休める寝具を用意したり、好みの飲み物を好みの温度で用意したり、本人の希望を重視した**生活の継続性**を支援していくことが必要です。

第3節　認知症当事者の視点からみえるもの

◆引用文献

1）永田久美子監、沖田裕子編著『DVDブック認知症の人とともに』クリエイツかもがわ、p.16、2016年

2）同上、p.18

3）丹野智文「「認知症でもできること」から「認知症だからできること」へ」『認知症とともにあたりまえに生きていく』中央法規出版、p.10、2021年

◆参考文献

● C. ボーデン、桧垣陽子訳『私は誰になっていくの?──アルツハイマー病者からみた世界』クリエイツかもがわ、2003年

● C. ブライデン、馬籠久美子・桧垣陽子訳『私は私になっていく──認知症とダンスを 改訂新版』クリエイツかもがわ、2012年

演習3-3　認知症の人の気持ち

認知症の人のなかには、意欲が低下する人もいる。あなた自身のやる気がなくなる場合を考え、認知症の人の気持ちを想像してみよう。

どんなときにやる気がなくなりますか？	どうしたら、やる気がおきますか？

演習3-4　認知症の人ができるだけ自分でできるように

認知症の人がやりにくくなっていることを、どのようにサポートしたらよいか考え、整理してみよう。

やりにくくなっていること	認知症の人ができるだけ自分でできるようにするサポート方法
今日が何日かわからない	
服の着方がわからない	
選ぶことができない	

第 **4** 章

認知症ケアの実際

第 **1** 節　パーソン・センタード・ケア

第 **2** 節　認知症の人の理解と認知症の人の特性をふまえた
　　　　　アセスメント・ツール

第 **3** 節　認知症の人とのコミュニケーション

第 **4** 節　認知症の人へのケア

第 **5** 節　認知症の人へのさまざまなアプローチ

第 **6** 節　認知症の人の終末期医療と介護

第 **7** 節　環境づくり

第 1 節

パーソン・センタード・ケア

学習のポイント

■ パーソン・センタード・ケアを理解する
■ 認知症の人の心理的ニーズを理解する
■ パーソン・センタード・ケア実践のための 3 つのステップを理解する

関連項目 ▶ ⑨『介護過程』▶ 第 2 章「介護過程の理解」

1 パーソン・センタード・ケア

パーソン・センタード・ケアは、イギリスのブラッドフォード大学の老年心理学教授のキットウッド（Kitwood, T.）によって提唱された世界的にもっとも知られた認知症ケアの 1 つの理念[1]です。パーソン・センタード・ケアとは、年齢や健康状態にかかわらず、すべての人々に価値があることを認め尊重し、1 人ひとりの個性に応じた取り組みを行い、認知症の人を重視し、人間関係の重要性を重視したケア[2]のことです。パーソン・センタード・ケアでは、「認知症の人が 1 人の人として周囲の人や社会とのかかわりをもち、受け入れられていることを実感し、人として、相手の気持ちを大事にし、尊敬し合う相互関係を含む"**パーソンフッド❶**"」[3]がその目標となります。認知症の人だけでなく**家族、介護者❷**も含めて、認知症の人たちを私たちと同じ"ひとりの人"としてとらえることは、その人と同じ視点で向き合うことでもあります。つまり、認知症の人の視点に立つためには（**視点取得❸**）、ケアを提供する人の意識の転換が必要になります。

❶**パーソンフッド**
1 人の人として、周囲の人や社会とのかかわりをもち、受け入れられ、尊重され、それを実感していること。

❷**家族、介護者**
本人だけでなく、家族、介護者のパーソンフッドもともに大切にされるべきものとされている。

❸**視点取得**
p.30参照

1 認知症の人の心理的ニーズ

介護施設に入所中の認知症の人は、介護を受けることを目的としてい

るため、認知症の人のそれぞれがもつニーズより、食事、排泄、生活など日常生活に関する介護が中心となります。そのため、認知症の人のさまざまな認知機能障害や生活障害に関連したその人独自のニーズが満たされることが望まれます。認知症の人のパーソンフッドを維持するために、キットウッドは、「認知症と共に生きる人々の心理的ニーズ」[4]を花の絵であらわしました（**図4-1**、**図4-2**）。「5枚の花弁は、「くつろぎ（Comfort）」「共にあること（Inclusion）」「自分が自分であること（Identity）」「たずさわること（Occupation）」「結びつき（Attachment）」のニーズをあらわし、互いに重なり合い、関連し合っています」[5]。中心にあるニーズの「愛（Love）」はあるがままに受け入れ、心から思いやり、慈しむことを求めているといえます。これらのニーズは、すべての人に共通するニーズですが、認知症の人たちは認知

図4-1 認知症の人の個人の価値を低める行為（PD）とよくない状態のサイン

> 認知症と共に生きる人々の心理的ニーズと認知症の人の価値を低める行為（パーソンフッドを損なう行為）

「認知症と共に生きる人々の心理的ニーズ」のうち満たされていないものがある

くつろぎ（やすらぎ）
・怖がらせること
・後回しにすること
・急がせること

アイデンティティ（自分が自分であること）
・子供扱いすること
・好ましくない区分け（レッテル付け）をすること
・侮辱すること

共にあること
・差別をすること
・無視すること
・のけ者にすること
・あざけること

愛

たずさわること
・能力を使わせないこと
・強制すること
・中断させること
・物扱いすること

愛着・結びつき
・非難すること
・だましたり、あざむくこと
・わかろうとしないこと

よくない状態のサイン
・絶望しているときに誰からも相手にされない
・非常に強い怒りがある
・深く悲しんでいるときに誰からも相手にされない
・不安がある
・恐れがある
・退屈している
・身体的な苦痛、不快感がある
・身体が緊張している
・動揺している
・無気力である

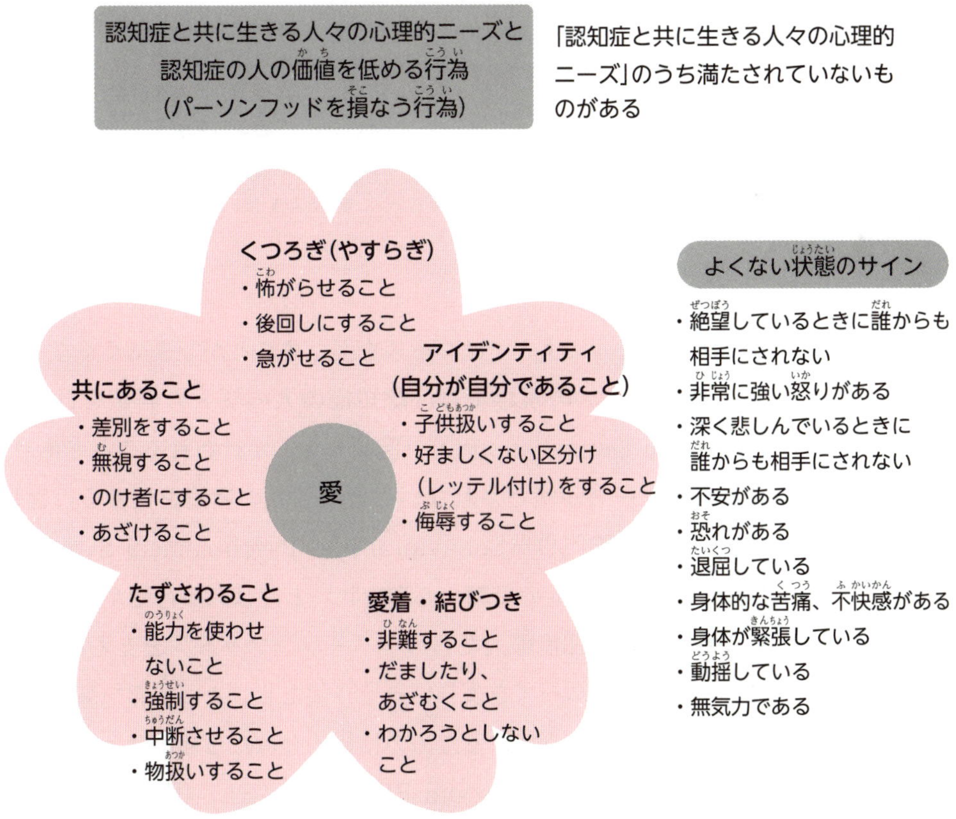

出典：D.ブルッカー・C.サー、水野裕監訳『DCM（認知症ケアマッピング）理念と実践 第8版 日本語版第4版』認知症介護研究・研修大府センター、pp.27-40、2011年を一部改変

図4-2	認知症の人の個人の価値を高める行為（PE）とよい状態のサイン

認知症と共に生きる人々の心理的ニーズと
認知症の人の価値を高める行為
（パーソンフッドを高める行為）

「認知症と共に生きる人々の心理的
ニーズ」が満たされる

くつろぎ(やすらぎ)
・思いやり(優しさ・温かさ)
・包み込むこと
・リラックスできる
　ペース

共にあること
・個性を認めること
・共にあること
・一員として感じられる
　ようにすること
・一緒に楽しむこと

**アイデンティティ
(自分が自分であること)**
・尊敬すること
・受け入れること
・喜びあうこと

愛

たずさわること
・能力を発揮できるようにする
　こと
・必要とされる支援をすること
・関わりを継続できるように
　すること
・共に行うこと

愛着・結びつき
・尊重すること
・誠実であること
・共感をもって
　わかろうとすること

よい状態のサイン

・自分に自信をもっている
　自己主張を強くできる
・身体がリラックスしている
・他の人たちのニーズに対して
　敏感
・ユーモアを返す、ユーモア
　を使う
・創造的な自己表現をする
・喜び、楽しさを表す
・役に立とう、手伝おうとする
　（人に何かをしてあげようと
　する）
・他の人との交流を自分から
　進んで始める
・愛情や行為を示す
・自尊心を示す
・さまざまな感情を表現する

出典：D.ブルッカー・C.サー、水野裕監訳『DCM（認知症ケアマッピング）理念と実践 第8版 日本語版第4版』認知症
　　　介護研究・研修大府センター、pp.27-40、2011年を一部改変

機能障害のために1人ではニーズを満たすことができにくくなっていま
す。とくにケアの現場では、認知症の人の個人の価値を低める行為
（Personal Detraction：PD）（**図4-1**）が行われることもあります。
これらのニーズが満たされないことや個人の価値を低める行為によっ
て、いわゆるBPSD[4]（Behavioral and Psychological Symptoms of
Dementia：認知症の行動・心理症状）と呼ばれる行動があらわれやす
くなります。認知症の人たちの"パーソンフッド"を支えるためには、
これらの心理的ニーズをよりいっそう満たし、よい状態を高めるように
パーソンフッドを維持するための積極的なはたらきかけとして、個人の
価値を高める行為（Personal Enhancers：PE）（**図4-2**）を実践し
ていくことが重要になります。

❹BPSD
p.49参照

第1節　パーソン・センタード・ケア

> **コラム**　**認知症ケアマッピング（Dementia Care Mapping：DCM)**
>
> 　DCMは、パーソン・センタード・ケアを発展させるためにキットウッド（Kitwood,T.）とブラッドフォード大学の認知症研究グループが開発した認知症高齢者のケアの質の向上を目的とした行動観察手法です。認知症高齢者の行動は行動カテゴリー（BCC）の23項目、QOL指標である気分・感情はME値と呼ばれる6段階で評価されます。認知症高齢者の心理的なニーズに対するケアに関しては「個人の価値を低める行為」（PD）、「個人の価値を高める行為」（PE）のそれぞれ17項目の評価を行います。DCMは導入準備であるブリーフィング（事前説明）、マッピング（観察・記録）、フィードバックを行い、ケア向上のための行動計画を立案してケアを実践し、さらに次のマッピングを実施することから、スタッフに対するパーソン・センタード・ケアの研修効果も大きいです。DCMのサイクルを継続的に繰り返すことで、認知症ケアの質が向上することを発展的評価と呼びます。

2　「聞く」「集める」「見つける」の3つのステップ

　図4-3に、パーソン・センタード・ケアを実践するための3つのステップを紹介します。この「聞く」「集める」「見つける」の3ステップは、パーソン・センタード・ケアを実践するために認知症の人の視点を効果的にケアのなかで展開するためのプロセスを示しています。

1　認知症の人の思いを「聞く」

　「認知症の人は何もわからない」と思いこんで、その人のもっとも大事な「思い」を聞いていない場合がほとんどです。ステップ1は、認知症の人の思いを聞くことです。具体的にその人がどのように感じているか、聞いてみることが重要です。重度のコミュニケーション障害のある人にも、まず話して反応を待ちましょう。認知症の人が話しやすい静かな場所で、その人の思いを引き出してみましょう。また、自分が認知症の人だったらと考えて待つことも重要です。

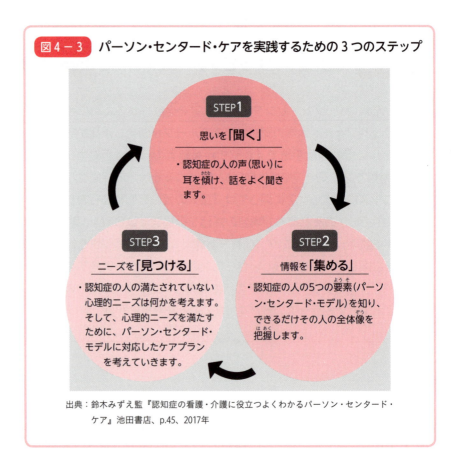

出典：鈴木みずえ監『認知症の看護・介護に役立つよくわかるパーソン・センタード・ケア』池田書店、p.45、2017年

2 情報を「集める」

　パーソン・センタード・ケアを提唱したキットウッドは、「認知症の人の行動や症状は、5つの要素、**脳の障害**、**身体の健康状態**、**生活歴**、**性格傾向**、**社会心理**からなると考え、**パーソン・センタード・モデル**を示しました」[6]（図4－4）。

　認知症の人を理解するため、ステップ2では、このパーソン・センタード・モデルにもとづいて、認知症の人との会話や、家族、周囲の人からの情報を集めていきます。ステップ1における認知症の人の思いを聞く会話のなかで、不快感や苦痛などの様子もあれば情報として加えていきます。

　ここでは、パーソン・センタード・モデルを用いて具体的な事例を考えてみましょう。

第1節　パーソン・センタード・ケア

図4-4　パーソン・センタード・モデル

脳の障害
認知機能障害（記憶障害、理解・判断力障害・実行機能障害・失語・失認・視空間障害など）

社会心理
人間関係：ケアしている人との人間関係、いっしょに生活している人、家族、親戚
物理的環境：生活の場所で不快な部分

身体の健康状態
聴力・視力・痛み・苦痛・かゆみ・排泄障害・便秘・脱水・栄養障害、感染症など

生活歴
家族構成、輝いていたころの職業、地域、好きなこと、嫌いなこと、苦手なこと、過去の経験、誇りに思っていること

性格傾向
家族構成、元気に生活していたころの職業、暮らしていた地域、好きなこと、得意なこと、嫌いなこと、苦手なこと、過去にうれしかった経験、誇りに思っている経験など

出典：D.ブルッカー・C.サー、水野裕監訳『DCM（認知症ケアマッピング）理念と実践 第8版 日本語版第4版』認知症介護研究・研修大府センター、pp.14-15、2011年をもとに作成

事例1　認知症のあるAさんが排泄介助を拒否していたが、どのような思いで拒否をしていたのかを考えてみよう

　パーソン・センタード・モデルを用いて考えると、まず、Aさんは「身体の健康状態」に関しては難聴が重度であるために介護福祉職からトイレに行くと説明されても聞き取ることができず、本人から考えるとほかの人に一方的にズボンをおろされることで、排泄介助を拒否していたと考えられます。また、「生活歴」では昔住んでいた家でトイレは家の外に出た別棟にあったことから、排泄は、一度外に出て庭のすみにあるトイレでするという生活習慣もありました。庭に面した場所にあるトイレに行くと、落ち着いて排泄ができました。このように、パーソン・センタード・モデルを用いて考えると、さまざまな行動に独自の原因があることがわかります。

3 ニーズを「見つける」

ステップ3では、認知症の人はよい状態にあるか、よくない状態にあるかを観察し、ニーズを見つけていきます。そのときに必要なのは、自分がその人だったらどのような思いなのか、それによってどのような行動をするのかを想像することです。そして、仮説を立ててその人の満たされないニーズを確認してケアを考えていきます。

キットウッドは、**よくない状態のサイン**と**よい状態のサイン**を図4－1（p.155）と図4－2（p.156）のように示しています。図4－1には「認知症と共に生きる人々の心理的ニーズ」と「認知症の人の価値を低める行為」を示しています。よくない状態のサインについては、パーソンフッドを損なう認知症の人の価値を低める行為はなかったのか、満たされないニーズは何かを考えていきましょう。

図4－2には「認知症と共に生きる人々の心理的ニーズ」と「認知症の人の価値を高める行為」を示しました。よい状態のサインにはパーソンフッドを高める認知症の人の価値を高める行為があります。

認知症の人のよくない状態とよい状態を具体的に考えてみましょう。

事例2 **介護老人保健施設入所中のBさんはいつも「家に帰りたい」と言う**

介護老人保健施設に入所したばかりのBさん（女性、80歳、アルツハイマー型認知症）は、入所してから毎日「家に帰りたい」と言います。ある日、昼食の前に家に帰りたいと言うので、ある介護福祉職は「午後から家族が来ますよ」と言って無理やり昼食を食べさせてしまいました。しかし、後で家族が来ないことに気づきBさんは怒ってしまいました。これは認知症の人の価値を低める行為の、だましたり、あざむいたりすることであり、よくない状態のサインを引き起こしてしまいます。

そこで、

Step1　本人に聞く：Bさんに「どうして家に帰りたいのですか？」と聞いてみましたが、「家族が心配している」と言い、とても不機嫌そうで、怒っている様子でよくない状態がみられます。

Step2　情報を集める：「脳の障害」に関しては、アルツハイマー型認知症があり、もの忘れがあります。「身体の健康状態」では腰痛があ

ります。「生活歴」では農家の大家族であり、Ｂさん１人で主婦をして食事のときには10人以上の食事をつくっていたようです。「性格傾向」は世話好き、「社会心理」では女性はいつも食事や洗濯など毎日忙しく働いているのが当然で、そういうものだと思っていると言います。

Step3　ニーズを見つける：Ｂさんは何か人の世話をしていないと落ち着かない様子でした。

ケアプラン　「性格傾向」「社会心理」から考えると、ここには自分の居場所がない、役割がないという訴えなのかもしれません。いつも大家族の世話をしていたＢさんにとって、家族のなかでの主婦という役割を果たすことがとても重要でした。しかし、入所してからは、主婦としての仕事をせずに、テレビを見たり、ゲームをしたりして過ごすことが苦痛になり、「家に帰りたい」と言っていたようです。このように「帰りたい」という言葉がみられるときに、「家族が来る」などと言うことは、認知症の人の価値を低める行為からよくない状態を引き起こし、介護の拒否といわれる行動を引き起こす場合もあります。そこでＢさんには、毎食前のおしぼりを配ってもらう係を担当してもらうことにしました。すると、１人ひとりの入所者にあいさつしてから手渡していくことで、友達もでき、少しずつ「家に帰りたい」と言うことも少なくなり、落ち着いて過ごすようになりました。

　「家に帰りたい」という言葉は、認知症の人によく聞かれます。ほとんどが、親しい人がいなくてさびしい、ここには居場所がないという訴えであることが多いのです。認知症の人はコミュニケーション能力が低下して気持ちをうまく説明できにくいため、その思いから引き起こされる自分の行動をストレートに表現することが多いのです。家にいても「帰りたい」と訴える人は、今の家には居場所や役割がなく、輝いていた時代に戻りたいという訴えかもしれません。「帰宅願望」と単なる認知症の症状として考えるのではなく、そのような状況になればだれもが抱く感情であることを認識して、その原因となる状況を解決するように取り組みましょう。

　認知症の人のさまざまな行動の裏にあるその人独自の原因をこの「聞く」「集める」「見つける」の３ステップから分析することで、その人が主体的に行動できるようになり、よい状態につながり、パーソン・センタード・ケアをめざしていくことになるのです。

◆ 引用文献

1）D.ブルッカー・C.サー、水野裕監訳『DCM（認知症ケアマッピング）理念と実践 第8版 日本語版第4版』認知症介護研究・研修大府センター、pp.14-15、2011年

2）D.ブルッカー、水野裕監、村田康子・鈴木みずえ・中村裕子・内田達二訳『VIPSですすめるパーソン・センタード・ケア』クリエイツかもがわ、p.22、2010年

3）前出1）、p.21

4）同上、pp.27-34

5）同上、pp.27-34

6）同上、pp.15-17

◆ 参考文献

● 鈴木みずえ監『認知症の看護・介護に役立つよくわかるパーソン・センタード・ケア』池田書店、2017年

（「聞く」「集める」「見つける」の3ステップは、上記『認知症の看護・介護に役立つよくわかるパーソン・センタード・ケア』（池田書店）で、鈴木みずえと編集者（DCM基礎マッパー）が共同でつくり上げたもので、パーソン・センタード・ケアを実践するために認知症の人の視点を効果的にケアに展開するためのプロセスを示しています）。

● D.ブルッカー・C.サー、水野裕監訳『DCM（認知症ケアマッピング）理念と実践 第8版 日本語版第4版』認知症介護研究・研修大府センター、2011年

第 1 節　パーソン・センタード・ケア

演習4-1　認知症の人たちが感じている世界

次の文章を読んで、1〜3について考えてみよう。

　80歳くらいになった自分を創造して、みなさんのよく知っている認知症ケア施設のどこかに座っていることを想像してみてください。あなたは、どこに座っていますか？　そこから何が見えますか？　まわりにいる人々はいったいどんな様子ですか？　想像してみてください。だれかが通り過ぎましたか？　その人たちは、どんな人たちですか？　何を着ていますか？　どんな音が聞こえますか？　どんなにおいがしますか？　みなさんはこの場所をよく知りませんが、なじみのある場所のように思います。みなさんはどのようにしてここに来たのかも、あるいはどのようにして家に帰るのかもわかりません。どこに車があるのかも思い出せなければ、お金も、携帯電話も、鍵も持っていません。まわりの人たちのなかには、感じのいい人もいれば、いやな感じの人もいます。

　みなさんにとってはどうしてほしいとか、どうしたいのかを説明することが非常にむずかしく、しょっちゅう会話の脈絡を見失い、また適切な言葉を見つけることができません。自分の動きがぎこちなく感じられ、当然できるはずだと思っている単純な作業でさえ、どうしていいのかわかりません。どこかに痛みがあるのですが、どうしたいのかわかりません。みなさんの感情は今も昔もちっとも変わっていません。昔、にこにこしたり笑ったりしたことには、今でも同じように微笑んだり、笑ったりします。かつて、泣きたくなったようなことには、今でも同じように泣きたくなります。

D.ブルッカー・C.サー、水野裕監訳『DCM（認知症ケアマッピング）理念と実践 第8版 日本語版』認知症介護研究・研修大府センター、p.20、2011年を一部改変。

1　どのような気持ちになったか整理してみよう。また、どのようにしてもらいたいと思うか考えてみよう。
2　どのようにしたら身体やこころの苦痛がやわらぐのか整理してみよう。また、その苦痛が増すのは、どのようなときか考えてみよう。
3　そばで見ている人の目に、自分のしていることが、どんなふうに映っていると思うか考えてみよう。

第4章　認知症ケアの実際

第2節

認知症の人の理解と認知症の人の特性をふまえたアセスメント・ツール

学習のポイント

- 認知症の人の言動の背景にはさまざまな要因が影響していることを学ぶ
- 介護者側の一方的なとらえ方でケアを考えるのではなく、認知症の人のニーズに応えることが重要になるため、充分なアセスメントを実施することを学ぶ

関連項目

④『介護の基本Ⅱ』▶ 第1章第3節「「その人らしさ」と「生活ニーズ」の理解」

⑨『介護過程』▶ 第2章第2節「アセスメント（情報収集）」

1 認知症の人を理解するために

　介護福祉職は、認知症の人の障害を理解し、1人ひとりがかかえる生活のしづらさを支援する専門職です。そのためには、認知症の人に対して次の2つを理解しましょう。

　1つ目は、認知症の特性の理解です。認知症は脳の器質性疾患であり、遂行機能障害、見当識障害などの認知機能障害を中核症状といいます。さらに、中核症状とさまざまな要因が影響して徘徊、暴力、異食などの行動症状や幻覚、妄想、うつなどの心理症状が生じます。とくに、BPSD（Behavioral and Psychological Symptoms of Dementia：認知症の行動・心理症状）は、中核症状に健康状態、物理的環境や介護者のかかわりなどが影響して起きることが多いことから、中核症状に合わせた健康管理や環境設定、かかわり方の工夫などが求められるため、認知症の特性の理解は重要になります。

　2つ目は、認知症の人は認知症になる以前と認知症になってからの固有の人生史があるという「人」としての理解です。つまり、これまでに

獲得された知識や経験や性格はパーソナリティ（個性）として認知症の人の言動に大きく影響します。疾患による症状だけではなく、人としての側面を合わせて理解することで認知症の人の個々の生活を支えることが可能になります（**パーソン・センタード・ケア❶**）。

認知症の特性に関しては医学的な知識にもとづく、診断・治療の側面からの情報収集・整理が必要になり、人として生きてきた歴史、性格などのパーソナリティの理解やその人をとり囲む人的・物理的環境などさまざまな側面からの情報収集が必要になります。この情報収集・整理により生活上の課題を明らかにしていく評価方法を**アセスメント**といいます。

アセスメントにより明らかになった生活上の課題を**ニーズ**といいます。ニーズは認知症の人が障害をかかえながら、自分らしく生活をしていくために必要なことです。認知症の人へのアセスメントを行ううえで大切なことは、次のことがあげられます。

❶ パーソン・センタード・ケア
p.154参照

1 生活全体をとらえること

生活は、身体的要因（認知症の原因疾患、既往症、健康状態、ADL（Activities of Daily Living：日常生活動作）、IADL（Instrumental Activities of Daily Living：手段的日常生活動作）など）、心理的要因（認知能力、コミュニケーション能力、性格など）、環境要因（居住環境、人的環境など）、社会的要因（社会とのつながりなど）が複雑に関係して構成されています。

たとえば、施設に入所して間もない認知症の人が、認知機能障害のため体調不良を周囲に伝えることができず、イライラして大声を出したり、不安そうにウロウロしたりします。このように環境になじめないこと、痛みや疲労、空腹や眠気など体調不良を感じながらも自分でどうしていいのかわからず周囲に当たり散らす行動は、環境の影響、身体的不調による影響、不安や焦燥感などの心理的背景などが複雑にからみあい、言動としてあらわれます。そのため、多職種による情報収集と情報共有は欠かせません。

2 個別的にとらえること

　この世のなかに同じ人は1人としていません。そこで、個別的な情報にもとづく生活上の課題をとらえることが大切になります。そのため、細かなアセスメント項目が必要になりますが、一度にすべての情報を集めることはできません。そこで、認知症の人とのかかわりの初期段階、関係が深まった段階、さまざまな生活課題が見えてきた段階など、支援の段階に応じてアセスメントを行います。アセスメントは一度行えばよいのではなく、支援経過とともに深まっていくものと理解しましょう。

　夕方になると玄関で「家に帰らなければ」と訴える認知症の人に、家に帰る理由を尋ねてみると、「家族が心配している」「仕事をしないといけない」「お金をとりに家に戻る」などさまざまな理由を訴えます。くり返し帰宅を訴える言動の背景には、「家族が心配」「仕事がない」「居場所がなくて落ち着かない」などがあり、個々の理由に結びつけてニーズを考えることができます。そこで、家族との関係、仕事に対する思い、夕方の生活習慣といったこれまでの生活にまつわる情報をアセスメントします。

3 主観的情報と客観的情報を合わせてとらえること

　情報には**主観的情報**と**客観的情報**があります。主観的情報には、認知症の人の言葉や、支援者・家族が感じていることなどがあります。これらは大切な情報ですが、個々の感じ方の違いや考え方の解釈による違いが生じるため、測定できる数値や観察記録など、できる限り客観的な情報をあわせてとらえましょう。

　たとえば、ナースコールが押されて訪室すると、顔が赤くだるそうにしている利用者がいるとします。あなたは「熱があるのかな」と推測して、体温を測った結果、38度の熱があることがわかりました。「顔が赤くだるそうにしている」というあなたの主観的な情報は、検温により38度の発熱によるものという客観的な情報と結びつきました。このように、主観的情報と客観的情報を関連づけることがケアにいかせる情報収集となります。

第2節　認知症の人の理解と認知症の人の特性をふまえたアセスメント・ツール

4 共感的に理解すること

　人は他者を理解するときに、その人がもつ物差しを使い理解し判断します。これを評価的理解または判断的理解といいます。たとえば、初対面の人に「やさしそうな人だなぁ」「こわそうな人だなぁ」と勝手に第一印象をもちます。同様に、認知症の人の言葉や行動に対して、「問題行動」などと決めつけたりします。介護福祉職は対人援助の専門職として、認知症の人の立場に立って理解することや認知症の人の言動を受容するよう努める必要があります。このように認知症の人の立場に立って理解することを共感的理解といいます。

　認知症の人には、一見すると異常とも思える行動や周囲の人が理解できない言葉があります。しかし、認知症の人のうわべだけの言動に対応することは、ときとしてその場しのぎになることがあります。それでは、真のニーズに対する根本的な解決にはなりません。まず、認知症の人の言動を客観的にとらえ、その背景を推測します。次に推測されたことが事実とどのように結びついているのか情報収集と整理を行います。言動に影響している要因としては、身体不調や認知症の中核症状、薬の副作用などの健康状態や、物理的、人的な環境による影響などがあります。あらためて、認知症の人の生活を支えるためには、情報を多面的にとらえることが大切であることを理解しましょう。

2 センター方式

1 センター方式とは

　認知症の人のためのケアマネジメントセンター方式（以下、センター方式）は、日本ではじめての「認知症の人」を対象としたケアマネジメント❷の方法です。2000（平成12）年から認知症介護研究・研修センターが認知症介護の実践家と共同で開発をはじめ、2004（平成16）年に現行の形で完成しました。センター方式は、A：基本情報（4種類）、B：暮らしの情報（4種類）、C：心身の情報（2種類）、D：焦点情報（5種類）、E：24時間アセスメントまとめシート（ケアプラン導入シー

❷ケアマネジメント
対象者のニーズを明らかにし必要となる支援を計画・コーディネートすること。また、計画に従って実施されたケアとその結果をモニタリングし、次の計画にいかすという一連のマネジメントの過程のことをいう。

第4章　認知症ケアの実際

167

ト）の5領域16種類のアセスメントシートで構成されています。

2 センター方式の理念

ケアマネジメントでは、ケアにあたるチームが、対象者の理解を共有し、共通の理解にもとづいてケアできることが重要となります。センター方式では、「いつでも、どこでも、その人らしく」という利用者本位のケアの実現を理念としています。つまり、認知症の人の立場で理解を共有し、チームでケアするためのツールと理解することができます。そのため各シートには「私の」というキーワードが随所に出てきます。ここでいう「私」はアセスメントの対象となる認知症の人をさします。これは、認知症の人が「私の情報である」ととらえられるように、認知症の人の立場を常に意識しながらアセスメントを行うというセンター方式の理念が反映されているのです。

3 共通の5つの視点

利用者本位のケアマネジメントを展開していくためには、ケアマネジメントにたずさわる関係者が、認知症の人の立場に立とうとする「姿勢」を備えている必要があります。その姿勢を支えるのがセンター方式の共通の5つの視点です。具体的には、①その人らしいあり方、②その人の安心・快、③暮らしのなかでの心身の力の発揮、④その人にとっての安全・健やかさ、⑤なじみの暮らしの継続（環境・関係・生活）が位置づけられています。センター方式では、単にシートを記入するのではなく、これらの視点をチームが意識しながらケアマネジメントを進めていく必要があるという前提に立っています。以下に、簡単に解説します。

（1）その人らしいあり方

認知症の人それぞれのその人らしいあり方を探る視点です。認知症という診断がおりると無意識に「介護が必要な人」という視点になることがあります。そうすると、一見理屈に合わないような、でも実はその人らしい側面を、介護者の視点で修正したり、その人の決定が尊重されなかったりということが起こりがちです。

たとえば、認知症の人が部屋のなかでも常にかばんをもって離さないようなときに、介護福祉職がごまかしたり、なだめたりして預かろうとすることがあります。しかし、認知症ケアではその人がかばんを持っている理由や気持ちを理解する過程が重要になります。そのかばんの中身やかばん自体が大切なものなのかもしれません。あるいは、何か手元にないと不安なのかもしれません。なぜ大事に持っているのか、その人を理解することが大切になります。認知症で判断力が低下しているから行動を修正しないといけないと考えるのではなく、**その人独自の、その人らしいあり方**をとらえようとしているか、**その人なりの理由や特徴**を探っているかという視点が求められます。

（2）その人の安心・快

　認知症になると、認知機能の低下によって安心して落ち着いて暮らすことがむずかしくなる場合があります。時間の見当識障害があれば、今何時か、予定はどうなっているかといったことが不安になり、落ち着いて過ごすのがむずかしくなるかもしれません。同様に、場所や人の見当がつかなければ、知っている場所に行ったり、人に会ったりするまでは落ち着かないでしょう。認知症が進行すると、自宅にいても自宅とわからなくなる場合もあります。その人のなじみの場所だからいいということでなく、その人にとっての**安心・快**はどういったことかを探る視点が求められています。

（3）暮らしのなかでの心身の力の発揮

　認知症があってもなくても、人は社会のなかで力を発揮することができることにより、自分を認め、満足することができます。一方で、認知症というだけで、料理ができない、お金をおろすことができない、ごみ出しができないなどできないことを指摘されがちです。しかし、料理のすべての工程はできなくても、野菜をきざむなどの手続き記憶は保たれていてだれよりも早くきざめるといった場合もあります。暮らしのなかで存在を認められ、あるいは頼りにされて能力が発揮できているかをみる視点が大切です。これは、単にリハビリテーションをして歩くことができるようになるというADLの維持・向上というだけでなく、**暮らしのなかで**発揮されていることが重視されます。

（4）その人にとっての安全・健やかさ

　認知症の人の安全・健やかさについても、介護者目線で展開されることによって、逆に本人を危険にすることもあります。たとえば、認知症の人が外に出て行方不明になるからと、玄関の鍵を閉めれば、窓から外に出ようとして、けがをしてしまうというケースもあります。このようなとき、介護者は認知症の人の安全を願って外に出ないようにしている一方で、本人にとっては、「自由に外に出られない危険なところに閉じこめられている」という認識を与えているかもしれません。認知症の人の視点に立って安全や健やかさの見きわめを行う考え方が重要です。

（5）なじみの暮らしの継続（環境・関係・生活）

　なじみの暮らしの継続は、ケアマネジメントにおいて、なじみの暮らしをあらためてとらえ直す視点です。これまでの4つの視点の基盤として、「なじみの環境（場所、もの）、なじみの関係（なじんだ存在、かかわり）、なじみの生活（暮らしのリズム、なじみの過ごし方、なじみの場面)」[1]が助けになる場面が多々あります。その人らしいあり方、安心・快、心身の力の発揮、その人にとっての安全・健やかさそれぞれを確保するための視点としても意識したい点です。

4　センター方式シート──各シートのねらい

　センター方式シート（以下、シート）は、**表4－1**の16シートから構成されていますが、すべてのシートを記入しなければアセスメントできないというものではありません。各シートのねらいに記述されている内容を理解し、目的に応じて使いこなすことが重要になります。現在、施設・事業所で利用されているアセスメントツールがあるのであれば、それを補う形でシート1枚から利用することもできます。とくに核となるシートには★印がついていますが、これはコアシートと呼ばれます。センター方式に習熟していくためには、まずはこのコアシートから利用を始めるのも1つの方法です。なお、これらすべてのシートは認知症介護研究・研修センターが運営する認知症介護情報ネットワーク（DCnet）から無料でダウンロードすることができます。

第2節　認知症の人の理解と認知症の人の特性をふまえたアセスメント・ツール

表4−1　センター方式シート──各シートのねらい

※シート名に★マークがあるシートはセンター方式シートの中でもコアになるシートです。
　どこから書けば…とシートの選択に迷ったら、まずは★シートから書いてみよう。

領域	シート名		ねらい
A 基本情報	A−1	私の基本情報シート	これらの情報はご本人のためのものです。全てのシートは「利用者本位」を忘れずに、ご本人（私）を主語に、ご本人の視点でご記入ください。
	A−2	私の自立度経過シート	私の自立状態が保てるように、私の状態と変化の経過を把握してください。
	A−3	私の療養シート	今の私の病気や、のんでいる薬などを知って、健康で安全に暮らせるように支援してください。
	★A−4	私の支援マップシート	私らしく暮らせるように支えてくれているなじみの人や物、動物、なじみの場所などを把握して、より良く暮らせるよう支援してください。
B 暮らしの情報	B−1	私の家族シート	私を支えてくれている家族です。私の家族らの思いを聞いてください。
	★B−2	私の生活史シート	私はこんな暮らしをしてきました。暮らしの歴史の中から、私が安心して生き生きと暮らす手がかりを見つけてください。
	★B−3	私の暮らし方シート	私なりに築いてきたなじみの暮らし方があります。なじみの暮らしを継続できるように支援してください。
	B−4	私の生活環境シート	私が落ち着いて、私らしく暮らせるように環境を整えてください。
C 心身の情報	C−1−1	私の心と身体の全体的な関連シート	私が今、何に苦しんでいるのかを気づいて支援してください。
	★C−1−2	私の姿と気持ちシート	私の今の姿と気持ちを書いてください。
D 焦点情報	★D−1	私ができること・私ができないことシート	私ができそうなことを見つけて、機会を作って力を引き出してください。できる可能性があることは、私ができるように支援してください。もうできなくなったことは、無理にさせたり放置せずに、代行したり、安全・健康のための管理をしっかり行ってください。
	★D−2	私がわかること・私がわからないことシート	私がわかる可能性があることを見つけて機会をつくり、力を引き出してください。私がわかる可能性があることを見つけて支援してください。もうわからなくなったことは放置しないで、代行したり、安全や健康のための管理をしっかり行ってください。
	★D−3	生活リズム・パターンシート	私の生活リズムをつかんでください。私の自然なリズムが、最大限保たれるように支援してください。水分や排泄や睡眠などを、介護する側の都合で、一律のパターンを強いないでください。
	D−4	24時間生活変化シート	私の今日の気分の変化です。24時間の変化に何が影響を与えていたのかを把握して、予防的に関わるタイミングや内容を見つけてください。
	D−5	私の求めるかかわり方シート	私に対するかかわり方のまなざしや態度を点検してみましょう。
E	★24時間アセスメントまとめシート（ケアプラン導入シート）		今の私の暮らしの中で課題になっていることを整理して、私らしく暮らせるための工夫を考えてください。

出典：認知症介護研究・研修東京センター・認知症介護研究・研修大府センター・認知症介護研究・研修仙台センター編『三訂　認知症の人のためのケアマネジメント　センター方式の使い方・活かし方』認知症介護研究・研修東京センター、p.87、2011年

第4章　認知症ケアの実際

5 センター方式を活用する際のポイント

（1）チームで作成する

　ケアマネジメントは、チームが効果的に機能し、対象となる認知症の人等が尊厳をもって、有する能力に応じ自立した日常生活を営むことができるように行うものです。そのため、センター方式を1人で記入しても、その目的は達成しにくいはずです。記入に際しては、多職種がかかわって情報収集することによって、より幅広く情報収集できますし、情報収集の過程が情報共有につながります。情報提供を求めるのは、専門職ばかりとは限りません。認知症の人をよく知る家族にシートを渡して記入してもらうこともあります。認知機能の程度によっては、認知症の人に情報提供してもらうことも考慮します。

（2）情報源を明確にして集約する

　センター方式を作成していく過程では、情報源を明確にすることが求められます。具体的には、「●：私が言ったこと、△：家族が言ったこと、○：ケア関係者が気づいたこと、ケアのヒントやアイデア」と情報を区別して記号とともにシートに記入します。このように区別することによって、認知症の人本人の訴えなのか、家族の要望なのか、専門職としての見立てなのかを整理したうえで、アセスメントおよびケアプラン作成を行うことができます。

（3）教育的なツールとして利用する

　現場での認知症の人をとらえる視点の教育ツールとして活用することもできます。研修を通じて、シートの説明をしたうえで、実際の事例で記入を進めることによって、新たな視点を身につけることもできますし、認知症の人の視点でとらえることのトレーニングにもなります。

3 ひもときシート

　認知症の人の言動には、さまざまな背景要因が考えられることを述べてきました。その背景要因を言動からひもとくためのツールが**ひもときシート**です。

第2節 認知症の人の理解と認知症の人の特性をふまえたアセスメント・ツール

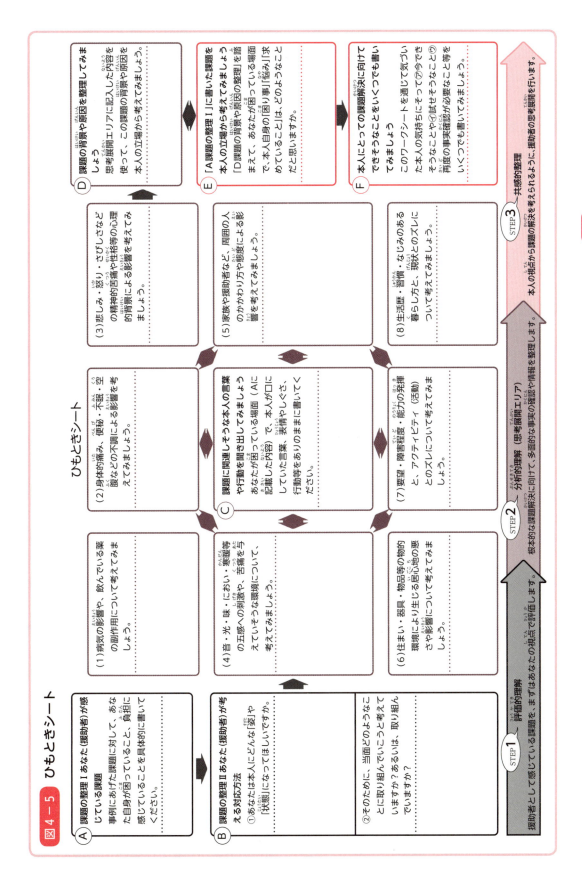

図4-5 ひもときシート

図4−6　3つのステップによる認知症の人への理解

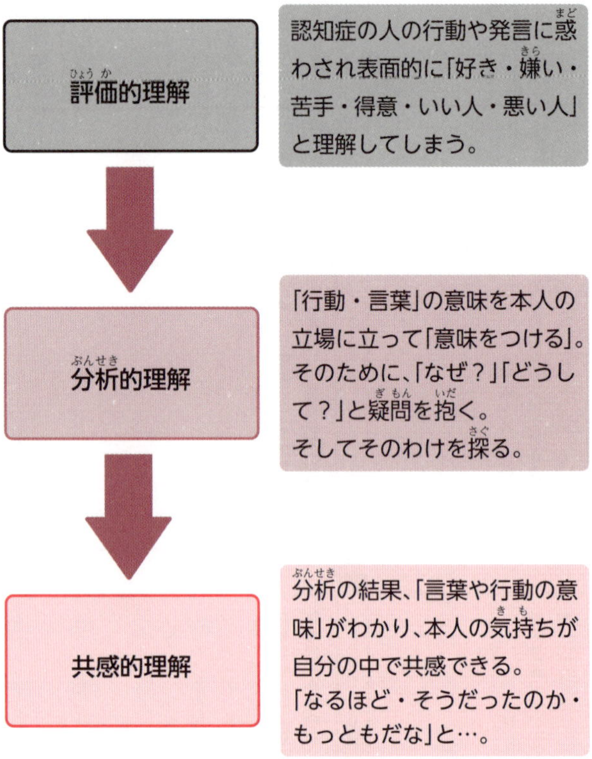

評価的理解
認知症の人の行動や発言に惑わされ表面的に「好き・嫌い・苦手・得意・いい人・悪い人」と理解してしまう。

↓

分析的理解
「行動・言葉」の意味を本人の立場に立って「意味をつける」。そのために、「なぜ？」「どうして？」と疑問を抱く。そしてそのわけを探る。

↓

共感的理解
分析の結果、「言葉や行動の意味」がわかり、本人の気持ちが自分の中で共感できる。「なるほど・そうだったのか・もっともだな」と…。

出典：認知症介護研究・研修東京センター

---

❸視点取得
p.30参照

❹パーソン・センタード・モデル
p.158参照

　ひもときシートには思考の転換と思考の展開の2つの意義があります。1つ目の「思考の転換」とは、認知症の人の言動を「介護者の視点」から「認知症の人の視点」に切り替えることです（視点取得❸）。ひもときシートは、シートの左側（A・B）から右側（D・E・F）へ書き進めていくことで、「評価的理解」から「共感的理解」へ支援者の視点を切り替えることができる構造になっています（図4−5）。

　2つ目の「思考の展開」とは、認知症の人の言動の背景要因を分析することです。これを分析的理解といいます。要因にはパーソン・センタード・モデル❹を参考にし、さらに環境要因を加えて8つの要因で言動を分析します（図4−5）。

　これら2つの意義は、認知症の人を理解するための「評価的理解」「分析的理解」「共感的理解」の3つのステップに反映されるひもときシートの大切な考え方です（図4−6）。

　図4−5の「評価的理解」の欄は、A欄「援助者が感じている課題」

第 2 節　認知症の人の理解と認知症の人の特性をふまえたアセスメント・ツール

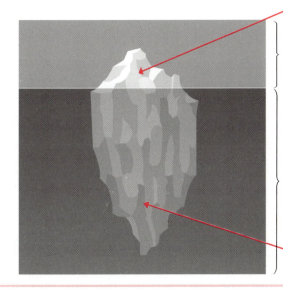

図4-7　氷山モデル図

見えている部分(顕在化ニーズ)
サイン／メッセージととらえる

氷山の一角（言動）

水没している氷山（言動の背景要因）・（身体の健康状態、社会心理、性格傾向など）

背景要因
(潜在化ニーズ)

では、たとえば、「お風呂に入ってくれないこと」「夜間眠ってくれないこと」「ほかの利用者に暴言や暴力をふるうこと」など介護者の負担や課題を整理することができます。認知症の人の言動に対して介護者が困っていること、悩んでいること、負担に感じていることを書きます。

次にB欄①は、A欄に書いた課題に対して認知症の人になってほしい姿を、B欄②には、そのために取り組んでいることを書きます。なってほしい姿とは、A欄と関係づけて整理するとわかります。A欄で「お風呂に入ってくれないこと」は、B欄では①「お風呂に入ってほしい」、そのため②「お風呂の準備からかかわってもらっている」など、介護者の困りごとが解決した後の姿、介護者の希望が書かれます。しかし、それは必ずしも認知症の人のニーズではないため、思いどおりにいかないことは、介護者の負担感を強めます。介護者の試行錯誤、その場しのぎの対応は認知症ケアとはいえません。

次に、分析的理解について詳しくみてみましょう。図4-7は海に浮かぶ氷山です。氷山の一角が海面から出ていますが、実はそれは氷山全体の一部でしかありません。それを認知症の人の言動にたとえると、見えている言動は氷山の一角でほかの多くの部分は水面に隠れて見えていません。この見えていない部分が言動の背景要因ということになります。

背景要因は、次の8つの項目で設定されています。

1 病気の影響や、飲んでいる薬の副作用による影響

　この項目は、認知症の人の言動と中核症状からの影響について推測します。

　また、さまざまな身体合併症のある高齢者は、複数の薬を服用しており、それが思わぬ副作用により、認知症状の悪化につながることがあります。服薬の状況や服用前後の様子など生活の周辺での変化から薬との関係を推測します。

2 身体的痛み、便秘・不眠・空腹などの不調による影響

　認知症の人は、身体的痛み、便秘・不眠・空腹などの不調があっても、そのことを自覚し、周囲に訴えることができない場合があり、それが思わぬBPSD（Behavioral and Psychological Symptoms of Dementia：認知症の行動・心理症状）を引き起こしてしまうことがあります。認知症の人は身体疾患を併発することが多いといわれ、体調管理が欠かせません。多くのBPSDにこの項目が影響している可能性があります。

3 悲しみ・怒り・さびしさなどの精神的苦痛や性格等の心理的背景による影響

　認知症の人は、認知機能の障害により、理解、思考、判断する力が低下します。すると不安感、焦燥感、怒り、悲しみなど感情でとらえることが多くなります。強い不安感や焦燥感など不快な感情で、BPSDを引き起こしやすくなります。

　認知症の人は、何らかの身体的・心理的ストレスを感じたときにその場から立ち去ろうとしたり、たとえば、大切な財布をしまったことを忘れて、いくら探しても見つからないストレスに対して「だれかが盗んだに違いない」と都合のいい解釈（合理化）をするかもしれません。また、思いどおりにならないと、感情を介護者やほかの利用者にぶつける

（置き換え）などの行動をとることもあります。

4 音・光・味・におい・寒暖等の五感への刺激や、苦痛を与えていそうな環境の影響

　ここでは、おもに2つの点について考えます。1つは五感の機能が低下したことにより、感覚的な刺激を受け取ることができない状態です。たとえば、味がわからない（味覚障害）、聞こえない（聴覚障害）、見えない（視覚障害）、においがわからない（嗅覚障害）などによる影響です。味覚障害による食欲の低下や、嗅覚障害により腐ったものを食べたり洗剤を飲む「異食」などの行動を起こす影響要因として考えることができます。

　2つ目は、音や光、においなどの感覚的な刺激が強くストレスの原因になる場合です。たとえば、通所介護（デイサービス）での大勢の人の姿や声に対して落ち着いていられないなどです。

5 家族や援助者など、周囲の人のかかわり方や態度による影響

　パーソン・センタード・ケアでは、**認知症の人の価値を低める行為**[5]（**悪性の社会心理**）によって、認知症の人は介護者の不適切なかかわりに対して不快感、不安感によるBPSDを起こすと考えます。すると、介護者は認知症の人の言動に対してストレスを感じます。このように、介護者と認知症の人は「合わせ鏡」のような関係にあります。また、介護者からのかかわる質やかかわる量が影響して、BPSDが起こることもあります。

[5] 認知症の人の価値を低める行為
p.156参照

6 住まい・器具・物品等の物的環境により生じる居心地の悪さやその影響

　施設やグループホームへの住み替えで、環境が変わる、使い慣れていたものが見当たらないことで不安感や焦燥感が起こり、その結果が言動に影響を及ぼします。

　たとえば、自宅での生活スタイルからいすやベッドでの生活に変わる

こと、施設では1日中外出着や靴をはいた生活のためくつろげないこと、長時間車いすに座ることでお尻や腰の痛みがストレスになる、などが行動に影響を及ぼします。とくに住み替えなど、物品やしつらえだけではなく、日課や家族以外の人からの介護による「リロケーションダメージ」(住み替えによるショック)がストレスになりBPSDの要因になるかもしれません。

7 要望・障害程度・能力の発揮と、アクティビティ(活動)とのズレによる影響

　認知症の人は、慣れ親しんだ生活ができなくなることで、不安感や不快感、焦燥感を感じます。また、介護者が本人のためにと思っているアクティビティ(活動)が本人の精神的負担や、自尊心を傷つけることにつながるかもしれません。

　たとえば、複雑なレクリエーション、遂行機能障害がある人が行う調理やそうじ、洗濯などの家事行為など本人の能力にそっていないことでストレスを感じ、言動に影響が起こるかもしれません。

8 生活歴・習慣・なじみのある暮らし方と、現状とのズレによる影響

　長年たずさわってきた仕事や家事などの役割、知識や経験などでつちかわれてきた価値観などが行動に及ぼす影響について考えます。たとえば、夕方になると帰宅を訴える認知症の人は、仕事が終わって自宅に帰る、自宅で家族の夕食をつくるために帰る、家族が待っているから帰るなど長年の生活に関係する言動があります。それらは、これまでの生活に影響されているものと考えることができます。

　分析的理解では、認知症の人の言動をC欄に書き出します(図4－8)。言動はできる限り具体的に書くことで、行動と8つの項目と関連づけて考えるヒントになります。たとえば、C欄に「夕方の忙しい時間帯に『自宅で用事があるので帰ります』と不安そうな表情で何度も玄関にやってくる」と書きます。すると、「夕方」というキーワードは言動を考えるうえでのヒントになるわけです。

　「夕方」と「家に帰る」の2つを結びつけることで、たとえば、「夕

第2節 認知症の人の理解と認知症の人の特性をふまえたアセスメント・ツール

図4-8 分析的理解（思考展開エリア）

「分析的理解」と（1）～（8）を記入しよう

（1）病気の影響や、飲んでいる薬の副作用について考えてみましょう。

夕方になり、不安をやわらげる薬の効果が切れているのではないか。

（2）身体的痛み、便秘・不眠・空腹などの不調による影響を考えてみましょう。

夕方になり、疲れや空腹が影響しているのではないか。

（3）悲しみ・怒り・さびしさなどの精神的苦痛や性格等の心理的背景による影響を考えてみましょう。

夕方になり、周囲が薄暗くなることで心細くなっているのではないか。

（4）音・光・味・におい・寒暖等の五感への刺激や、苦痛を与えていそうな環境について、考えてみましょう。

夕方になり、食事の香りがするからではないか。

C　夕方の忙しい時間帯に『自宅で用事があるので帰ります』と不安そうな表情で何度も玄関にやってくる。

（5）家族や援助者など、周囲の人のかかわり方や態度による影響を考えてみましょう。

夕方は、介護福祉職が引き継ぎなどで忙しく、かかわりが少なくなっているためではないか。

（6）住まい・器具・物品等の物的環境により生じる居心地の悪さや影響について考えてみましょう。

夕方になり、ユニット内の雰囲気が変わり、落ち着ける居場所がないためではないか。

（7）要望・障害程度・能力の発揮と、アクティビティ（活動）とのズレについて考えてみましょう。

夕方は、何もすることがなく手持ち無沙汰になっているためではないだろうか。

（8）生活歴・習慣・なじみのある暮らし方と、現状とのズレについて考えてみましょう。

かつての生活では、夕方は買い物、食事づくり、洗濯物を取り込むなど家事が忙しい時間帯だからではないか。

方になり、遅くなったので家族が心配しているから家に帰る」「主婦は、夕方にはさまざまな家事役割があるので家に帰る」といった状況を想定します。このように、言動をいくつかの事柄をつなげるストーリー（物語）として考えることができます。

そして、分析的理解では、認知症の人の言動に対して8つの項目で物語をつくる道筋を考えることができます。具体的には、①夕方になり、不安をやわらげる薬の効果が切れているのではないか、②夕方になり、疲れや空腹が影響しているのではないか、③夕方になり、周囲が薄暗くなることで心細くなっているのではないか、④夕方になり、食事の香りがするからではないか、⑤夕方は、介護福祉職が引き継ぎなどで忙し

第4章 認知症ケアの実際

179

く、かかわりが少なくなっているためではないか、⑥夕方になり、ユニット内の雰囲気が変わり、落ち着ける居場所がないためではないか、⑦夕方は、何もすることがなく手持ち無沙汰になっているためではないだろうか、⑧かつての生活では、夕方は買い物、食事づくり、洗濯物を取り込むなど家事が忙しい時間帯だからではないかなど、「夕方」というキーワードは行動を考えるうえで重要なヒントになります。同様に、「忙しい時間帯」になぜ行動が起きるのか、「自宅での用事」にはどのような意味が考えられるのか、「不安そうな表情」からはなぜ精神的苦痛を感じているのかなどについて8つの項目から推測しましょう。

　しかし、認知症の人の言動を8つの項目と関連づけて考えても、それは事実とは異なります。そこで、ひもときシートにより推測したことに対して事実を確認するためアセスメントする必要があります。

　たとえば、C欄で「訪室すると、顔が赤く元気がない」に対して、「顔が赤い」のは「熱があるためではないか」と推測します。その事実を確認するためアセスメントを行います。この場合、検温です。検温によって「顔が赤く元気がない」のは「体温が39℃あるため」ということがわかります。そして、発熱の原因を明らかにするために医療と連携し、熱を下げるための処置を行います。このように、状況を分析しそれを裏づける**客観的情報❻**の収集により 根拠にもとづいた介護 が可能になります。

❻客観的情報
p.166参照

　最後に、共感的理解について述べます。8つの項目で認知症の人の言動の背景要因を考えると、認知症の人にとって何が課題なのかをD欄に整理をします。先ほどの例で考えてみましょう。「夕方の忙しい時間帯に『自宅で用事があるので帰ります』と不安そうな表情で何度も玄関にやってくる」のは、「かつての生活では、夕方は買い物、食事づくり、洗濯物を取り込むなど家事が忙しい時間帯」でありながら「介護福祉職が引き継ぎなどで忙しく、かかわりが少なくなっている」ため、「何もすることがなく手持ち無沙汰になっている」ことが課題になっていたことがわかります。また、「夕方になり、周囲が薄暗くなることで心細くなっている」ことや「ユニット内の雰囲気が変わり、落ち着ける居場所がない」ことも課題の1つになっていることがわかります。そして、この課題解決のために認知症の人が望んでいることをE欄に整理し、そのための取り組みをF欄に整理します。

　たとえばD欄では、夕方やることがなく手持ち無沙汰になっているの

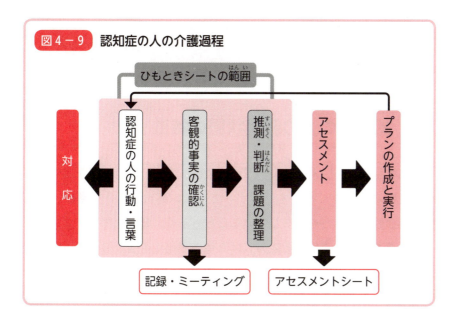

図4-9 認知症の人の介護過程

で、E欄「何か自分にできることをしたい」「人の役に立てることがしたい」に対して、F欄で「配膳の準備を介護福祉職といっしょに行うこと」や「洗濯物やおしぼりたたみをすること」が解決策として考えられます。また、E欄「夕方をゆったりと気分よく過ごしたい」に対して、F欄では「不安をやわらげる薬の服用のタイミングを夕食時から朝食時に変更することについて看護師や医師と検討すること」も考えられます。

ひもときシートがもつ「思考の転換」「思考の展開」の2つの意義は、かつて問題行動といわれた認知症の人の背景要因にひそむ認知症の人のニーズを明らかにし、根拠にもとづいた介護につなげるための「認知症の人の介護過程」の一部とみることができます（図4-9）。

言い換えると、介護者は認知症の人の介護をする場合「思考の整理」が必要です。つまり、「『困った人』への対応」から「『困っている人』の視点に立った支援」に視点取得を行ったうえで、介護計画の策定や介護の提供を行うことで、認知症の人の生活課題の解決が実現できるのです。

4 健康状態のアセスメント

1 認知症の人の健康状態の特徴

認知症の人は、脱水、肺炎、尿路感染症、便秘、排泄障害などの身体疾患を起こしやすくなっています。さらに、高血圧、骨粗鬆症、糖尿病、脳血管障害などを合併していることも多く、健康状態のアセスメントが必要です。とくに認知症の人は身体の変化や苦痛を言語で正確に訴えることができないことがあるため、次の認知症の人の特徴をふまえたアセスメントが重要となります。

① 加齢による変化はだれにも起こりますが、認知症の人の場合は個人差がいちじるしく、その人の**いつもの状況**（ベースライン）も異なっています。その人が落ち着いて過ごしているいつもの状況を把握しておきましょう。

② 認知機能の低下にともない、心身の機能も低下しています。「心身の機能の低下や廃用症候群がさまざまにからみ合って**老年症候群❼**」[2)]を引き起こしやすくなります。

③ 身体機能の予備力が低下しやすく、認知症の人はとくにストレスに対応しにくいために症状の悪化や急変を起こしやすくなります。

④ 身体疾患の悪化や苦痛によって、認知症やせん妄や認知機能の低下をきたしやすくなります。

⑤ 向精神薬の投与や薬物の多剤併用・過剰投与などによりBPSDの悪化やせん妄を引き起こすことがあり、そのために転倒を起こしやすくなります。「5種類以上の内服薬は転倒を引き起こすリスクが高まる」[3)]ことが指摘されています。

> ❼**老年症候群**
> 加齢にともなう心身の機能の低下に関連した症状の総称で、さまざまな原因や症状がからみ合い悪循環を生じやすいことが特徴である。おもな症状に認知、骨粗鬆症、転倒、尿失禁、ADLの低下（寝たきり）などがある。

2 認知症の人の健康状態のアセスメントのポイント

認知症の人の健康状態のアセスメントの3つのステップを下記に示しました。**パーソン・センタード・ケアを実践するための3つのステップ❽**と同様に、認知症の人の話を聞き、次に家族や周囲の人から話を聞

> ❽**パーソン・センタード・ケアを実践するための3つのステップ**
> p.157参照

き、情報を集めましょう。認知症の人の場合は自分で症状を言葉で的確に伝えられない、正確に判断できないこともあります。認知症の人がいつもの状態と違うと感じた介護福祉職の感覚が病気の発見にもつながります。認知症の人の場合、免疫機能や回復力も低下しており、発見が遅れ疾患が進行してしまうと回復しにくいのが特徴です。早期診断や予防が重要になります。

3 認知症の人の健康状態のアセスメントのための3つのステップ

ステップ1：話を聞く

症状を訴えたら、必要な情報をもれなく、アセスメントします。静かな場所で、アイコンタクトをとりながら低音でゆっくりと話を聞きましょう。

ステップ2：いつもの様子との違いを比較する

① いつもと状態が違う

何か訴えているようだが何かはわからない、いつもと違う表情（苦痛・不快な表情、顔色、皮膚の状態）、行動やBPSDの悪化などの場合は、身体疾患の可能性があります。

② バイタルサイン（血圧、脈拍、呼吸数、体温）、表情・動作・行動のパターンの変化を把握する

体温が高ければ感染症、呼吸状態が悪ければ呼吸不全や肺炎などの疑いがあります。

③ 薬剤の副作用

薬剤の副作用（多剤投与、過剰投与による副作用）などの影響、とくに新規処方の薬剤の副作用などがないか、看護師・薬剤師などに相談します。

ステップ3：やさしく触れて反応をみる

正確に痛みの部位や程度を訴えられない場合もあるため、訴えを過少評価せず、「どこが痛みますか？」などやさしく声をかけながら触れ、触れたときの表情を観察し、苦痛の表情などがあれば痛みなどがある可能性があります。

以上をふまえて総合的に認知症の人の健康状況をアセスメントしま

す。

（1）話を聞く

　「話を聞く」では、パーソン・センタード・ケアを実践するための3つのステップと同様に認知症の人の訴えをていねいに聞きます。とくに痛みの訴えであればその程度や部位を詳しく聞きます。痛みの程度や部位をうまく言語化できない場合は、「ズキズキしますか？」「ジンジンしますか？」などのように、はい、いいえで答えられるように聞きます。痛みの部位と思われる部分を軽くさわりながら「ここですか？」と聞くと、答えやすいでしょう。

（2）いつもの様子との違いを比較する

■1 いつもと状態が違う

　認知症の人は、自分の身体的な異常をうまく伝えることができなくなる傾向があり、突然、BPSDが悪化したり、せん妄を起こしたりすることがあります。身体疾患や身体的な変調が原因で発症し、短期間で意識レベルが大きく変化します。

　たとえば、落ち着いた状態だった人が、夕方、一時的に「バカヤロー」と叫んだりするといった場合では、腹部のCT検査❾により肝臓がんがみつかりました。認知症との鑑別はむずかしいですが、一時的な意識レベルや感情の変動などはせん妄と呼ばれる症状です。放置すると認知症が悪化するので原因疾患の治療が必要となります。いつもと異なる言動がある場合には、身体疾患がある可能性があるので、早期に受診する必要があります。

■2 バイタルサイン（血圧、脈拍、呼吸数、体温）

　バイタルサインとは「生命徴候」のことで、人が生きていることを示す徴候です。臨床ではバイタルサインは通常、血圧、脈拍、呼吸数、体温をさします。

・血圧

　日本高血圧学会が示す高血圧の基準値は140/90mmHg以上です。ショック時の血圧としては収縮期血圧が80〜90mmHg以下となったときをさすことが多いですが、ふだんの血圧よりも40〜50mmHg以上低い場合は注意が必要です。

❾CT検査

Computed Tomographyと呼ばれるレントゲンに高度なコンピューターを組み合わせて身体の断面の画像を作成して、診断に役立たせる検査のことである。

> いつもより10～20mmHg程度高い：正常な変動範囲内であることが多い
> いつもより30～40mmHg以上高い：高いストレスや健康障害のある可能性がある
> いつもより30～40mmHg以上低い：心筋梗塞、心不全の悪化、脳血管障害など
> 　　　　　　　　　　　　　　　　の重大な身体疾患の可能性がある

・脈拍

脈拍は血液が拍出されるときに、動脈に触れて感じる波動のことをいい、1分間に拍動する回数で示しますが、成人では1分間に60～100回となります。

> いつもより20～30回/分以上多い：心不全、発熱、脱水症の可能性がある
> いつもより20～30回/分以上少ない：危篤状態、低体温、ジギタリスなど薬物過
> 　　　　　　　　　　　　　　　　　剰の可能性がある

・呼吸数

呼吸数は環境や意識によって左右されますので、高齢者に気づかれないように測定することがポイントになります。呼吸音を聞きながら、胸郭の動きから測定します。また、努力呼吸（不足した呼吸量を補うために呼吸胸郭や肩が大きく動く呼吸）の有無などもあわせて観察します。呼吸数の基準値は成人で15～20回/分です。

・体温

高齢者の体温には個人差があり、平常時の体温（平熱）を把握しておくと、異常の早期発見につながります。外気温の影響や運動後、入浴後、食後は体温が少し高くなります。体温が上昇すると発汗、低下するとふるえなどが起こります。腋窩温を測定し、37℃以上を発熱、34℃以下を低体温といいます。

・薬剤の副作用

高齢者はさまざまな疾患を同時にもっていることから、多くの内服薬を処方されています。そのため、多剤併用による副作用を起こしやすいです。「5種類以上の薬剤を内服している場合は、副作用のめまいやふらつきから転倒を起こしやすいことが指摘されています」[4]。

3 聴力、視力

・聴力

難聴は加齢によって引き起こされ、多くの高齢者がかかえる課題でもあります。耳垢の詰まりによって聞こえにくくなっている場合もあり

ます。通常の会話ができているか、会話をしながら聞き間違えなどが
ないかをアセスメントします。補聴器はもっていてもハウリングする
ためにつけたくない人もいます。補聴器が合っているか、適切に使用
されているかもたしかめます。

・視力

加齢によって視力が低下し、水晶体の硬化や酸化変性によって老眼や
白内障を起こしやすくなります。新聞などの文字が読めるか、日常生
活に不便がないか確認します。長年使用しているめがねも現在合って
いるか確認しましょう。合っていないめがねをかけていることは日常
生活が不便なだけでなく、段差につまずいて転倒にもつながりますの
で、眼科の受診が必要です。

4 表情・動作（痛み・苦痛）

認知症の人の表情はその人の感情や思いが表現されているためにてい
ねいにアセスメントする必要があります。笑顔やリラックスした表情、
喜びや楽しい表情はその人のよい状態を示しています。不安やおそれが
あり、悲しんだり、苦しそうな表情はよくない状態を示しています。さ
らに健康状態に関係した痛みのアセスメントの指標を**表4－2**に示しま
したが、言語的な痛みの訴えがない場合でも、痛みがあると予測される
場合には治療が必要です。

表4－2 American Geriatrics Society（AGS）のガイドラインによる痛みの指標

顔の表情：少し眉をしかめる、悲しそうで怖そうな表情、しわが寄った額、閉眼あるいは固く閉じられた目、混乱した表情、速いまばたき

発語・発声：うめき、うめいて不平を言ったり、ため息をつく、人を呼ぶ、大声で呼ぶ、あらい呼吸、援助を求める

身体動作：硬直したり、緊張した姿勢、そわそわする、速い歩調、制限された移動、歩行あるいは可動性の変化

人間関係の変化：攻撃的、闘争的であり、ケアを拒否する。社会的相互関係の現状は、社会的に不適当、破壊的、内向的

活動パターン・日課の変化：食事の拒否、食欲の変化、休み時間のなかで睡眠、休息パターンの変化、通常の日課の突然の中止、徘徊の増加

精神状態の変化：叫び、悲嘆、混乱の増加、いらだち、苦痛

資料：American Geriatrics Society, "The management of persistent pain in older person," *Journal of the American Geriatrics Society*, 50(6), pp.205-224, 2002.

第 2 節　認知症の人の理解と認知症の人の特性をふまえたアセスメント・ツール

5 食事（摂食・栄養）

　食事量や摂取状況、口腔内の状況、体重の変化など栄養状況も含めて考えてみましょう。

□ふだんの食事の様子と変化はないか。食事の形態、食事の体位、食欲の有無
□摂食・嚥下に障害はないか
□1日の食事量・水分量に変化はないか
□口腔内の乾燥、唾液の減少、炎症などの状態があるか
□悪心、嘔吐など、消化器の状態
□栄養状態：BMI＝ 体重kg ÷（身長m）²
　　BMI（Body Mass Index：体格指数）が22で標準体重であり、25以上の場合を肥満、18.5未満を低体重（痩せ型）

6 排泄（排尿、排便）

　加齢によって排泄障害を起こしやすく、失禁や便秘、尿路感染症、イレウス（腸管の癒着や血流障害などにより、腸管の内容が流れなくなる状態）などを起こしやすいです。以下のようなことに注意しましょう。

□排泄方法（トイレ、ポータブルトイレ、パッド、おむつなど）
□尿意や便意はわかるか
□失禁・便秘などはあるか
□夜間頻尿はあるか
□排尿障害（排尿困難（尿がでにくい）、尿閉（尿がでない）、尿失禁（尿が漏れる）、頻尿（尿の回数が多い、8回以上／1日）、排尿時痛（排尿時に痛みがある））

7 清潔（皮膚・毛髪・爪）

　皮膚は薄くなり、かゆみを起こしやすく、損傷を受けやすいです。爪は厚くなったり、割れたりします。また、座位姿勢のために下肢に浮腫などを起こしやすいです。

□皮膚や爪の状態、褥瘡の有無
□脱水はないか、水分貯留になっていないか

8 姿勢、移動、移乗

　いすから立ち上がることができるか、歩行ができるか、姿勢や歩行状況を確認します。歩行や立位ができていた人が急にできなくなったときには、骨折などの重度の健康状態も予測されます。認知症の人はうつ状態になることや、動きたくない状況もあるので見きわめていく必要があ

第4章　認知症ケアの実際

187

ります。また、認知症の人は歩行・バランス障害を起こしやすく、転倒しやすいために転倒予防のためにもいつもの状態と比較する必要があります。

（3）やさしく触れて反応をみる

いつもと違う変化があれば、やさしく触れて反応をみます。触れるということは、人と人との絆を深め合う基本的なコミュニケーション方法でもあります。認知症の人は記憶の障害に関連して日常生活の失敗や困難なことも多くなり、不安や孤独感を抱いています。そのために、あなたは私にとって"とても大切な人"というメッセージをこめて認知症の人に触れてみましょう。また、言語的コミュニケーションができなかった人の"こころを開く"きっかけにもなります。

いつもと違う変化が認知症の人の心身の健康状態にどのように関連しているのか、何が原因なのか仮説を立てて認知症の人に触れてみましょう。

認知症の人の場合、痛いという訴えが家族や親しい人と離れて暮らすためのさびしさや不安の訴えであったりする場合もあります。ていねいに痛みの訴えを聞くことも含めて、本人のこころの訴えもあわせて聞いてみましょう。その場合、身体の痛みなどの苦痛はないと判断するのではなく、認知症の人は加齢などの影響でセルフケアができず、さまざまな合併症を起こしやすいため、身体の痛みなどの苦痛のアセスメントも行いながら、不安や孤独感がそれを増幅させる可能性も含めて、心身の両面からの痛みのケアをするとよいでしょう。

1 話しながら数秒間触れる

「体調はいかがでしょうか」と話しながら数秒間、肩や腰など軽く触れてみましょう。ストレスが高い状況や本人がいやがる様子ならばそこで中止します。いやがる様子がなければ触れる時間を長くします。

2 触れながら思いを聞く

触れてアイコンタクトをしながら、会話をしましょう。会話ができない場合は、本人の思いを考えてみましょう。正確に痛みの部位や程度を訴えられない場合もあるため、訴えを過少評価せず、「どこが痛みますか？」などやさしく声をかけながら触れ、本人の思いを聞いてみましょう。

3 反応をみながらニーズを探す

「ステップ2：いつもの様子との違いを比較する」でえられた情報について、仮説を立ててみましょう。触れたときの表情を観察し、苦痛の表情などがあれば痛みなどがある可能性があります。「どこが痛みますか？」と聞いて「おなか」と答えた場合、腹部に軽く触れながら、痛みの場所や種類について、本人の思いも含めて話を聞きながら、腹痛、下痢、便秘、消化器系の病気なのか仮説を立ててみましょう。

◆ 引用文献

1）認知症介護研究・研修東京センター・認知症介護研究・研修大府センター・認知症介護研究・研修仙台センター編『三訂 認知症の人のためのケアマネジメント センター方式の使い方・活かし方』認知症介護研究・研修東京センター、pp.85-86、2011年
2）鳥羽研二『日常診療に活かす老年病ガイドブック1 老年症候群の診かた』メジカルビュー社、p.7、2004年
3）日本老年医学会編『高齢者の安全な薬物療法ガイドライン2015』メジカルビュー社、p.15、2015年
4）同上、pp.12-16

◆ 参考文献

● 大西基喜監、角濱春美『手技と事例で学ぶ 実践！ 高齢者のフィジカルアセスメント──老化を理解して、異常を見逃さない！』メディカ出版、2017年
● 鈴木みずえ・高井ゆかり編『認知症の人の「痛み」をケアする──「痛み」が引き起こすBPSD・せん妄の予防』日本看護協会出版会、2018年
● 伊苅弘之『認知症高齢者の身体状態 見方と急変対応』日総研出版、2007年
● 鈴木みずえ監『認知症の介護に役立つハンドセラピー』池田書店、2014年

演習4−2　ひもときシートを用いた事例

次の事例を読んで、ひもときシートを用いながら **1**〜**3** について検討してみよう。

> Cさんは、当施設のショートステイを利用して3日経ちました。初日から毎日決まって夕方になると、「こんなことはしていられない、ご飯の支度をしないと、旦那に叱られるから帰ります」と言って玄関にやってきます。介護福祉職や相談員が「自宅は売却してもうなくなってしまいました」とか「旦那さんは5年前にお亡くなりになりましたよ」と説明しますが、そのときは「あっ、そうだったわね」と言って納得し、食堂まで誘導すると自分の席に戻りますが、夕食が始まるまでに数分ごとに何度も同じことを繰り返します。「帰る」という言動は、夕方になると起きますが、日中はとくにそのようなことを言いません。また、夜中もぐっすりと休みます。
>
> 廊下に置いてある車いすを勝手に部屋に移動させたり、洗濯室にある汚れた洗濯物をかごから出して畳んでいたり、「ほら、こぼさないで食べなさいよ」「みそ汁もちゃんと飲んでね」など周囲にお節介なところがあります。男性利用者から「いちいち、うるせい！」と怒鳴られることがありました。しかし、Cさんは悪気がない様子です。

1 4〜5人のグループでひもときシート（p.173参照）の8つの視点とCさんの行動について関連づけながら整理してみよう。

2 「本人がしたいこと」は何か、「本人が困っていること」は何かをグループで話し合ってみよう。

3 ひもときシートを通して、気づいたことを出し合ってみよう。

第 **3** 節

認知症の人との
コミュニケーション

学習のポイント

- 認知症の人とのコミュニケーションにおける留意点について理解する
- 認知症の人とのコミュニケーションの実際について学ぶ

関連項目 ⑤『コミュニケーション技術』▶ 第3章第2節「さまざまなコミュニケーション障害のある人への支援」

1 認知症の人とのコミュニケーション

1 認知症の人がかかえる特性

　認知症の人は、脳の疾患により記憶障害を中心とする認知機能障害をかかえることになります。これを中核症状といいます。記憶障害のない人は、今、この瞬間に交わされる相互交流の背景にあるこれまでの出来事を思い出しながら、それに照らし合わせ、意味解釈しながらコミュニケーションをはかっていきます。しかし、記憶障害のある認知症の人は、適切に過去の出来事と結びつけて理解することができず、誤解してしまうこともあります。以前に交わした約束を忘れていることもあります。このように記憶障害等の認知機能障害があるために、適切に情報を入手することができなくなりやすいのです。

　また、時間、場所、人間関係のつながりの感覚を喪失しやすい見当識障害のある認知症の人は、昼寝をして起きたあとに、今が何時かわからなくなることや、住み慣れた家の付近でも迷子になることもあります。また、いっしょに生活をしている家族のことを、家族として認識しづらくなることも起こりえます。このような見当識障害があると、生活上、さまざまな不自由が生じてきます。認知症の人のなかには、自分自身が

繰り返し失敗してしまうことから、自信をなくし意欲を喪失し、混乱や不安を訴える人もいます。中核症状から引き起こされる混乱や不安のあらわれとして、BPSD（Behavioral and Psychological Symptoms of Dementia：認知症の行動・心理症状）が派生してくることもあります。

　認知症の人にかかわる家族や介護福祉職が、BPSDに目を奪われて、認知症の人の失敗にばかり着目してしまうと、認知症の人の家族や介護福祉職の自己の内的な対話は、認知症の人のBPSDによる生活上の混乱に焦点があたり、それにどう対応するかばかりとなってしまいます。ちょっとした認知症の人の失敗を見つけて、「またこんなことして！」と指摘していると、認知症の人も「私の失敗を見つけては、あげ足を取る！」と、不快感を示すことになります。1つ歯車がかみ合わなくなると、どんどんくずれていき、ますます認知症の人のBPSDはひどくなり、認知症の人の家族や介護福祉職の介護負担感は増していきます。

　認知症の人のできないことや失敗ばかりに着目するのではなく、まだ保持されている能力や楽しめることに視点を切り替えることが重要となります。

2 認知症の人とのコミュニケーションの第一歩
——コンタクトケア

　いすに座りながら居眠りをしている認知症の人がいたとします。その人の姿勢が右側に傾きややくずれているときに、介護福祉職はその人に声をかけることなく、いきなり座り直しの介助を行ってしまうことがあります。急に身体に触れられ、ドキッとした認知症の人が怒り出し、その怒りを鎮めるのに15分とか20分といった時間がかかってしまうこともあります。介護福祉職からすると、「認知症の人が突然怒り出した……」と感じてしまうかもしれませんが、いきなり身体に触れられたり、自分のスペースに入り込まれたら不快感をもつことが普通でしょう。

　認知症があってもなくても、人はだれでも自分自身のプライベートスペース（ヒューマンスペースともいいます）をもっています。そこに許可なく、いきなり入られると不快感をおぼえやすいものです。その不快感を生じさせないように配慮してするべきことが、コンタクトケアです。

　高齢者は視野がせまくなる傾向があるので、正面近くに位置し、目の

第3節　認知症の人とのコミュニケーション

高さを合わせるようにします。そして、ゆっくり目を合わせて会釈をして、認知症の人からの反応があったあとに、名前を呼びかけ、「座り直しのお手伝いをさせていただいてよろしいでしょうか？」とたずねます。そして、了解をえてから座り直し等の介助を行います。この相手から見えるところに位置し、目の高さを合わせて会釈をし、相手の了解をえてから声をかけていく、というこの手順にかかる時間は、せいぜい10秒か15秒でしょう。しかし、この10秒から15秒のコンタクトケアを行ったあとに、座り直しの介助を行った場合は、認知症の人が急に怒り出して、それを鎮めるために15分や20分の時間が必要であった、ということはなくなります。

　コンタクトケアは、相手のスペースに入るときにあたりまえにするべき手順です。居室に入るときにノックをするのと同じことです。相手から了解をえて、はじめて相手の領域に入っていくということは、その人を尊重してかかわっているという姿勢をあらわすことを意味します。

　認知症の人とのかかわりの第一歩として、このコンタクトケアから始めると、その後の支援がスムーズに行えるようになるでしょう。

3　認知症の人の特性に配慮したコミュニケーションの留意点

　記憶障害等の認知機能障害のある認知症の人とコミュニケーションをするときには、記憶障害の状態やどのような認知機能障害がみられるのかを把握する必要があります。また、どのような言語表現が、その認知症の人にとっては理解しやすいものであるのかを把握したうえで、その人にふさわしい表現を選択するように心がけます。

　一般的には、認知症の人とコミュニケーションをとるときには、次のことに気をつけるようにします。

- ・短い文章を用いる。
- ・1つの文章では1つのメッセージを伝えるようにする。
- ・はっきりと明確に、わかりやすい表現を用いる。
- ・「それ」「あの」などの指示語を多用しない。
- ・指示語に替わり、具体的なわかりやすい表現を用いる。
- ・その人の生活歴に即した表現を用いる（トイレ→厠、便所）。

・言語的表現のみならず、視覚情報（写真・道具などの具体的な物）などをおぎないながらコミュニケーションをとる。
・言語的コミュニケーションのみならず、非言語的コミュニケーションも用いる。

4 認知症という症状を理解したうえで、「その人らしさ」に着目を

　認知症という症状を理解したうえで、それに対する配慮を心がけることはとても重要ですが、それだけにとどまることなく、それぞれの認知症の人の個別性をふまえてコミュニケーションをとることが大切となります。たとえば、アルツハイマー型認知症の人が10人いるからといって、その10人と同じようにコミュニケーションをとればよいというわけではありません。

　認知症という新たな体験と折り合いをつけながら、今を生きる１人ひとりの存在を、個別性をふまえて理解し、その人にふさわしいかかわり方をしていくことが重要になってくるということです。

　同じアルツハイマー型認知症の人であっても、もともと社交的な性格の人もいれば、内省的な性格の人もいます。また、職業歴などから形成されてきた社会的性格もそれぞれの人の人となりの一部分となっています。このようなその人らしさに着目し、それぞれの人にふさわしいかかわりとはどのようなものであるかを探求していく必要があります。

5 最後まで社会的存在としてあり続けられることをめざして

　認知症の人とのコミュニケーションにも、手段としてのコミュニケーションと目的としてのコミュニケーションがあります。手段としてのコミュニケーションを用いるときには、それぞれの認知症の人の認知機能障害等に配慮した表現や技法を用いていくことが重要となります。

　認知症ケアで重要となるのは、認知症の人との目的としてのコミュニケーションです。認知症の人について、その人がいないところで専門職同士が語り合うだけではなく、認知症の人を交えてその人がどのように

第3節　認知症の人とのコミュニケーション

生きていきたいのかをいっしょに探っていくことが重要となります。当事者のことを当事者抜きで決めるのではなく、当事者とともに話し合っていくということです。仮に本人が多くを語らないとしても、カンファレンスの場に本人が同席しながら、自分に対する支援を専門職が検討していることを肌で感じることができれば、それは当事者を中心とする支援を志向する姿勢のあらわれであるといえるでしょう。

　認知症の人がコミュニケーションにおいて議題として登場するということにとどまらず、その人の支援について語り合う場の一員となることを実現していくことが求められています。

2 認知症の人とのコミュニケーションの実際

1 「できること」と「できないこと」の適切な見きわめを

　認知症の人は、簡単にひとくくりにできるものではありません。1人ひとり記憶障害の程度や、それぞれの生活歴から得意とすること、関心があること、逆にまったく関心をもっていないことなど、さまざまです。それでも、記憶障害をかかえながら生きている人であるなど、ある程度、共通の傾向をもちやすいところもあります。そして、ある程度、その特性に応じたコミュニケーション方法を心得ておくことも有用です。

　認知症の人とのコミュニケーションで、もっとも大切にしておきたいことは「できること」と「できないこと」を見きわめ、「できること」をいかしながらコミュニケーションをとるということです。認知症が進行してくると、だんだん自分自身の体験を言語化して他者に説明することもむずかしくなる時期が訪れることがあります。それでも、その人のアルバムを見せてもらいながら、「家族旅行のお写真ですか？」「みなさん、素敵な笑顔ですね」「楽しかった思い出ですね」と、ゆっくり語りかけるとニコニコしながら、いっしょにそのアルバムをながめてくれることがあります。

　その人が何を語れるかということにこだわるのではなく、その人の人生をいっしょにふり返りながら、人生の一部分を共有するだけでも意味

のある交流となりえます。認知症の人が不得意なことは、さり気なく介護福祉職や家族がおぎないながらコミュニケーションをとります。

たとえば、前頭側頭型認知症に含まれる意味性認知症の人では、物の名称などの意味記憶がくずれ、語義失語という状態になることがあります。物の名称は出てこないものの、その物を知らないというわけではないので、いっしょに道具などの物を使用しながら会話をするとコミュニケーションをとることができます。もし、ここで介護福祉職がその物の名称をおぼえさせようとし、「この物の名前は何ですか？」「この物の名前をおぼえていますか？」というと、途端に苦手なことに焦点をあてることになります。そのような質問に答えることができる時期もありますが、やがてそのような質問に答えることができない時期も訪れます。それよりも、物の名称を言葉にすることがなくなっても、介護福祉職がその物の名称を言葉にし、わかり合っている部分を大切にしながら交流しているほうが、認知症の人の尊厳が守られたコミュニケーションとなるでしょう。

2 同じ時間・空間・体験を共有していることを大切に

時々、認知症の人同士で、まったくかみ合っていない会話をしているものの、お互いにとても楽しそうに過ごしていることがあります。認知症の人とのコミュニケーションでは、あまりにも会話の意味にとらわれすぎると行きづまってしまうことがあります。やがて認知症が進行し、発する言葉が少なくなっても、いっしょに庭をながめ、いっしょに同じ時間・空間を共有し合っているだけで、コミュニケーションはそこに存在していることになります。同じ時間・空間・体験を共有しながら、気持ちを通わせ合うこと自体がコミュニケーションとなります。

言葉にとらわれすぎることなく、そのときの表情、仕草から何を感じるか、そして介護福祉職が認知症の人を見つめる眼差しのあたたかさが、認知症の人とのコミュニケーションとなっていくのです。

◆ 参考文献
● 下山久之『BPSDを改善 パーソン・センタード・ケア事例案』日総研出版、2015年
● 鈴木みずえ監『認知症の人の気持ちがよくわかる聞き方・話し方』池田書店、2017年

第 **4** 節

認知症の人へのケア

学習のポイント

- 認知機能障害による生活への影響を理解する
- 認知症の人の生活障害へのケアについて理解する
- 認知症の人の人間関係づくり、社会への参加について理解する

| 関連項目 | ⑥『生活支援技術Ⅰ』▶ 第1章「生活支援の理解」 |
| | ⑧『生活支援技術Ⅲ』▶ 第1章「利用者の状態・状況に応じた生活支援技術とは」 |

　まずは、認知症の早期から生じるIADL（Instrumental Activities of Daily Living:手段的日常生活動作）障害のケアについてみていきます。

1 食事の準備——IADL障害のケア

　認知症の人のなかには、「献立を考える」「必要な食材の買い物に出かける」「調理する」といった行為がむずかしくなる人がいます。その場合、介護福祉職は、むずかしいからといってすべてを代行するのではなく、認知症の人の思いを聞きながら、「何ができるか」「何がむずかしいのか」をアセスメントします。そのうえで、調理工程を簡単にするなど認知症の人が自分でできるように工夫します。また、どうしてもむずかしいことは適宜介助しながらともに行うという視点が重要です。

2 服薬管理——IADL障害のケア

　認知症の人のなかには、記憶障害から薬を服用することを忘れる、飲んだばかりでも忘れてまた服用するなど、適切な量を服用できないと

いった服薬管理に困難が生じる場合があります。「お薬カレンダー」などを活用し1回に服用する量をわかりやすくすることや、認知症の人が確実に把握できる場所へ適切な量の薬を置いておくなどの工夫が必要です。

　また、1日に複数回薬を服用している、1回の服用で複数の種類の薬を服用している場合には、主治医へ相談し、服用回数の見直しや一包化してもらうことも有効です。

3 ごみの処理——IADL障害のケア

　1人暮らしの認知症の人の場合、「ごみの分別」や「ごみを出す曜日（時間）」がわからなくなって、近所とのトラブルが生じることがあります。また、ごみを適切に処分できず自宅内にごみが溜まって、いわゆる「ごみ屋敷」のようになってしまうことがあります。

　ごみの分別がむずかしい場合は、分別するごみ箱ごとにわかりやすい目印（表示）をつける方法があります。

　ごみ出しの曜日や時間がわからない場合は、カレンダーにわかりやすくごみの種類を記載することや目印をつける方法もあります。あるいは、いっしょにごみ出しの準備をして目につきやすい場所に置いておき、ごみ袋へ捨てる曜日や時間を書くなどする工夫も考えられます。それでもむずかしい場合は、介護福祉職が近隣に援助者を探し、ごみ出しの朝、近隣援助者に声をかけてもらうことをお願いすることや、あらかじめごみを置いている場所を伝え、いっしょにごみ出しをしてもらうなど援助が受けられる体制をつくることも考えられます。

　次に、ADL（Activities of Daily Living：日常生活動作）障害のケアについてみていきます。

4 食事——ADL障害のケア

　まずは、認知症が食事に及ぼす影響とそのケアについて考えていきます。

1 食欲

認知症の人は、「食欲がない」ために適切な食事行為ができないことがあります。食欲が湧かないおもな原因としては、健康状態の悪化があげられます。

（1）活動量の低下

認知症で介護が必要な状況になると、他者から介助してもらう機会が増える、見当識障害などから生活上行動する範囲が限定される（散歩や買い物など外出する機会が少なくなる）など社会心理的状況に課題が生じ、受身的な生活となり活動量が少なくなります。そうなると、おなかがすきにくくなり、空腹感がないため食欲は湧きません。

（2）便秘

認知症の人は、自らが便秘であると理解できないことがあります。便秘が続くと食欲は湧きません。また、認知症のため尿意・便意が判断しにくくなるなどの理由でおむつやパッドで排泄していることもよくあります。とくにベッドでおむつを使用し、臥位で排便をすると、肛門の位置が直腸内にある便より高い位置になり、重力や腹圧がうまく使えないため出にくくなります。ほかにも、先に述べた活動量の低下と認知症による注意障害などから水分摂取量が少なくなることもあります。こうした要因がからみ合って、便秘を引き起こすことで食欲に影響を及ぼします。

便秘と聞いたらすぐに下剤と考えがちですが、下剤を飲んだこと自体を忘れてしまいます（記憶障害）。下剤が効きはじめると腸のなかで起こる刺激が何のことかわからず興奮し、食卓についてもらえないことも多くあります。まずは、活動量の確保と十分な水分摂取、食物繊維や乳製品の活用、トイレでの排泄といった工夫が必要です。

（3）その他の要因

慢性疾患の悪化や、身体に痛み、不快感があるなどの場合でも、認知症の人は正しく訴えることができません。食欲がない場合、内臓機能などに問題が起きている場合もあると知っておき、様子を観察し、必要に応じて医療職へ情報提供する必要があります。

また、ドネペジルなどの認知症治療薬が食欲低下の原因となることもあります。鎮痛剤なども注意が必要です。

そのほか、認知症の人は、注意障害が影響し食堂などに誘導してもソワソワして落ち着かない、席についてもすぐに立ち上がりウロウロすることなどがみられます。そうすると「食欲がない」と解釈されがちですが、顔なじみの人と食卓を囲む（人的環境）、食事をする場所を落ち着ける雰囲気にする（物的環境）などの配慮をすると解決します。

2 食事行為

（1）認知期の障害

まずは、食事にふさわしい座位姿勢（背面開放端座位）を援助することが必要です。そのためには、その人の身体に応じた高さのいすや机の工夫が必要です。足底を床につけ、少し前かがみになり、足底に体重をかけることで脳内（脳幹網様体❶）へ信号が伝わり、覚醒水準が上がります。認知症の人は、とくに覚醒水準を上げることで注意障害や食事動作の遂行機能障害などを防ぐことができます。食べる準備が整うと、お膳や食卓に「どんな食材があり、何から食べようか」と考える時間である認知期が始まります。しかし、失認がある場合は、この「認知期」が確立できず、食事動作が始まりません。

❶脳幹網様体
脳幹内にある神経線維が網目状をなす神経系で、筋の緊張・運動の協調をつかさどり、意識の水準を維持する。

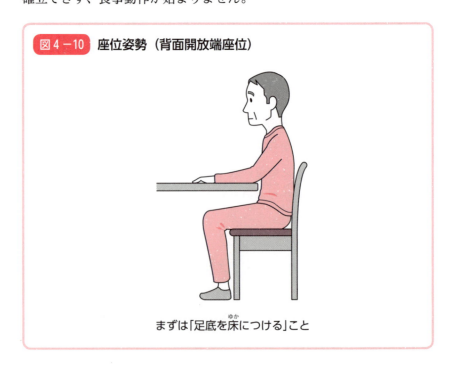

図4-10 座位姿勢（背面開放端座位）

まずは「足底を床につける」こと

「好物を用意する」「なじみの献立である」「彩のよい盛りつけを行う」「お皿の雰囲気がよい」「よい香りがする」など、視覚や嗅覚にはたらきかけることが重要です。また、ミキサーにかけてある、過度にきざんであるといった食事形態から食事と認識できないこともあります。なるべく食事だとわかる形状（**常食**）にする必要があります。

ほかにも、白色の茶碗に白米を盛りつけると食べない（視覚認知障害）、脳血管障害の後遺症で左片麻痺のある人が、お膳の右側のものばかり食べるといった左半側空間無視もみられます。こうした場合、色のついた茶碗を使用して白米だとわかるようにする、見えている範囲を確認し、認識できている範囲へ食具を置くようにします。

（2）咀嚼と食塊形成の障害

口へ運んでからは、**咀嚼**、**食塊形成**と進んでいきます。認知症の人は、義歯（入れ歯）がきちんと調整できていないことが多くみられます。そのため「咀嚼」が十分にできず、いつまでも噛み続け「食塊形成」へ進まない人もいます。あるいは、食事途中で義歯をはずし机やお膳の上に置く人もいます。認知症の人は、感覚を言葉で説明することがむずかしいこともあるため、介護福祉職は歯科医師と連携して義歯の調整を行う必要があります。「咀嚼」や「舌の動き・唾液の分泌」が十分でないと**舌苔**❷が付着しさらなる口腔トラブルを引き起こす原因になります。口腔ケアなど介護福祉職が適宜サポートし、口腔内のトラブルを予防する視点も重要です。

（3）嚥下の障害

アルツハイマー型認知症の終末期や脳血管障害の後遺症などで、**嚥下機能**が低下した人に対してきざみ食を提供することがみられますが、かえって誤嚥を招くことがあります。むしろ食材をやわらかく煮る、一律にきざむのではなく様子をみながら適切な大きさに切る、餡をかけるなどの工夫をすることが望まれます。市販のやわらかい食事のレトルト食品も充実していますので、嗜好をみながら活用することも考えます。また、「介助による食事摂取は、自立による食事摂取より誤嚥を引き起こす（深刻なむせが起こる）率が高い」[1]という研究データもあります。座位姿勢を整えて、適切な食事形態の工夫をし、ゆっくりと自分のペースで食べられる工夫をすることが誤嚥防止につながります。

❷**舌苔**
口内の粘膜からはがれ落ちた細胞や食物のカスなどが舌の表面に付着したもの。細菌がひそんでいることもあり、口臭や味覚異常の原因となる。

（4）失行に対するケア

　認知症の人のなかには、手に運動障害がないにもかかわらず、箸やスプーン等を使わず、手づかみで食べるといったことがみられます。これは箸だとわかっていても、箸やスプーン等の使い方がわからなくなった状態で、失行と呼ばれるものです。介護福祉職が箸やスプーン等を手に持ってもらうよう援助し、食べることをうながすことが有効な人もいますが、箸を使うことを強要せず、ご飯はおむすびにする、手巻き寿司風にする、主食をパンにするなど、手でつかんでも違和感のない状況をつくる発想も重要です。

（5）失認に対するケア

　認知症の人は、ご飯やおかず、みそ汁などを混ぜ合わせてしまい食べようとしないことがあります。こうした状況を「食事をもてあそぶ」と表現することがあります。その原因として、食物だと認識できなくなっていること（失認）や、一連の動作をうまく行えないこと（失行）があります。いつも「食事をもてあそぶ」行為がみられ、まったく食べていないのであれば低栄養や脱水につながり、最悪の場合、生命にかかわる状態になっているはずです。もしそうでないならば、必ず食べたり飲んだりしている場面があるはずです。「食事をもてあそぶ」場面に着目するのではなく、どういう状況だと食べたり飲んだりするのかに着目することが解決策になります。

　「空腹である」または「便秘していない」に加えて、好物を用意してみる、気心知れた人と食卓を囲むことも大切です。ほかにも、テレビの音や食器がぶつかる音などの耳ざわりな音がしない、食事中に目の前を他人が横切ったりしない、過度に「食べてください」などの言葉がけをしないといったその人のペースで食事に注意や関心・興味を向け続けられる状況をつくることが必要です。

　また、器が自分のものか、他者のものか識別がつかないことがあり、他者のものを自分のものだと思いこみ食べることがあります。お膳を活用し識別しやすくする、食卓を囲む人との距離間を調整する、介護者もいっしょに食事するなどの工夫をします。

（6）人間関係のケア

　施設や通所介護などでは、家族以外の人と食事をします。本来、他者

第 4 節　認知症の人へのケア

といっしょに食べる機会（会食）は人間関係を深める時間でもあります
が、認知症の人は、食事の途中でがまんができず、急に立ち上がり席を
離れることや、イライラしはじめ興奮して他者とトラブルになることが
あります。これは前頭葉に障害がある場合、感情のコントロールがうま
くいかないことが原因です。多くの場合、他者からの命令・指示といっ
た刺激や孤独といった社会心理的状況がおもな原因となります。

　たとえば、次のような場面がみられます。

> ・自分のペースで食事をしている認知症の人に、介護者が「おかず
> 　がここにも残っていますよ」と言葉をかけながら器の位置を変え
> 　たときに急に怒り出し席を立った。
> ・食卓を囲むまわりの人から「こぼさないで食べなさい」と食べ方
> 　を指摘されたら怒り出した。

　これらは、他者からの言葉や行為が、その人にとっては指示・命令さ
れたと感じることで起こります。また、食卓を囲んでいたまわりの人が
食べ終えてそそくさと席を離れ、1人ぼっちになる（孤独を感じる）
と、じっとしていられなくなり席を離れるということもあります。原因
を探り、取り除くことが鍵となります。「食事中に介護者が不必要に器
の位置を変えない」「まわりの人が自分は食べ終わっても待ってくれて
いる」「食べこぼしや食べ残しがあっても注意されない」「食事をともに
する仲間として受け入れられている」など、安心して食事と向き合える
人間関係づくりが大切です。

（7）食事中、口を開けてもらえない人へのケア

　認知症の人の食事介助中、口を開けてもらえないという場面に遭遇す
ることがあります。どの状態であるのかをしっかりと観察して、適切に
対応しましょう。

■1 眠っている、ぼんやりしている

　表4－3を参考に状況をアセスメントします。ちなみに、高齢者の場
合、体重の約半分が水分と考えられており、個体差はあるもののその水
分の1～2％が喪失した状態が続くと意識障害（ぼーっとする、眠るな
ど）が起きると考えられています。まずは、水分摂取が鍵となります。
いわゆる水分（液体状）がとれないようであれば、ゼラチンで固める、
シャーベット状にしてみる（かき氷）などの飲みこみやすい形状にして

第4章　認知症ケアの実際

203

| 表4−3 | 食事中眠る、ぼんやりする原因として考えられること |

① 意欲低下、脳自体が疲れやすいために起こる。
② 脱水により健康状態がよくないために起こる。
③ 座位姿勢の影響。足底に体重がかかっていない姿勢（車いすのフットサポートに足を乗せているなど）。

みる、食事が少しでも食べられるようであれば、水分を多く含んだメニューにしてみるなど工夫します。

2 反応がほとんどない（ぼーっと1点を見つめているなど）

食事にこだわりすぎず、認知症の人がその他の生活場面で興味・関心を示す要素を投げかけて（五感をフル活用して）眼球運動を引き出します。そうすると、食事の場面でも眼球運動がみられるようになり、食事が適切に行えるようになります。また、食事の場面ではきちんと義歯を装着することも必要です。聴覚や視覚、嗅覚に食事だという情報をしっかり届けることでも眼球運動がみられるようになります。

3 終末期

人生の最期が近づくと、食事がとれなくなります。認知症の人は、言葉での意思表示がむずかしい場合があり、口を開けないことで「食べたくない」と意思表示をすることがあります。食事がとれなくなり体重が減った、BMI❸（Body Mass Index：体格指数）が低下したなどの変化がみられたら医療職と連携し、事前指示書❹や本人の発言などから推定した本人の意思を尊重しつつ、家族などと最期の過ごし方について話し合う必要があります。

❸BMI
p.187参照

❹事前指示書
p.243参照

（8）食後のケア

認知症の人は、さっき食事したばかりなのに「食べていない」ということがあります。記憶障害による言動なので説得しようとしても効果がえられないことがほとんどです。この場合は、否定や注意をするのではなく「食べていない」と訴える気持ちを受け入れる必要があります。会食を心がけ、ゆっくりと楽しみながら食事をすることで気持ちが満たされ、改善することも多くあります。1人ぼっちで食べる、食べるのが速すぎると気持ちが満たされません。また、食べ終わってもすぐに下膳し

第4節　認知症の人へのケア

ないで、お膳を前にして会話をすることや、食後の飲み物を提供してから下膳することで改善することもあります。認知症の人の能力に応じて、後片づけをいっしょに行うことも有効です。

　食事のケアでは、日ごろから定期的に体重をチェックしておき、急な変化から異変に気づくことが大切です。また、「食べさせなければいけない」という介護福祉職の仕事意識にとらわれず、本人の「食べたい」「食べたくない」といった意思表示に柔軟に対応しつつ健康を保つためにも、日ごろの体重チェックで食事が足りているのか・不足しているのかがわかることが有用です。

5　排泄──ADL障害のケア

認知症が排泄に及ぼす影響とそのケアを考えていきます。

1　尿意・便意の認知とケア

　尿であれば膀胱、便であれば直腸へ溜まると、脊髄を通って脳へ信号が届きます。すると前頭葉が尿意・便意と判断し、排泄にかかわる動作を指示します（表4-4）。しかしながら、認知症の人は、膀胱や直腸からの信号を尿意・便意として認知できないことが起こります。このため、前頭葉からの指示が行われず衣類のなかへ排泄（失禁）してしまいます。こうした場合に、単純に尿意・便意がないからおむつやパッドでもしょうがないと考えず、尿意・便意に代わる反応をみつけます。「尿が溜まるとソワソワと歩きまわる」「便秘が続くと興奮する」などの代替反応があれば、その反応が起きたとき、あるいは起きる周期を探り、

表4-4　排泄時の前頭葉の指示

トイレはどこか探す
　→トイレまで移動するよう指示する
　→そのあいだがまんするよう指示する
　→衣類操作などを指示する
　→排泄状況が整ったと判断したら排泄可能と指示する

第4章　認知症ケアの実際

トイレへの誘導のタイミングを見きわめていきます。仮に、おむつやパッドに出ていたとしても、その情報を集め、データ化してトイレへ誘導するタイミングの材料にします。ただし、大声で「トイレへ行きましょう」と誘うと自尊心が傷つきます。周囲の人への配慮とともに、声の大きさ、誘い方（たとえば「お願いしたいことがあるので立っていただけませんか」など）にも注意が必要です。

2 トイレに行けないことの弊害

尿意・便意を感じないとトイレに移動するという判断はできません。したがって、トイレに行こうとしないために失禁してしまいます。こうした状況が続くと、排泄にともなう一連の活動（トイレまで歩く、便器から立ち上がるなど）をしなくなることから廃用症候群を引き起こすことにつながります。

尿意・便意を感じない場合、たとえば食事の前や後、入浴の前など生活場面の節目でトイレへ誘導することを習慣化します。それでも、失禁が続く場合、衣類を汚す確率を少なくすることを目的に、尿量等に応じたパッドを選び、2 〜 3 時間ごとにトイレへ誘導してみます。失禁するからといっておむつやパッド交換のみで済ませると、まったく尿意・便意を感じなくなることもあります。

3 場所の見当識障害に対するケア

尿意・便意を感じる認知症の人でも、トイレの場所がわからない（見つけられない）といった見当識障害によって失禁することが多々あります。

> ・トイレの表示の文字を大きくする。
> ・視界に入りやすい場所にトイレの表示をする。
> ・部屋からトイレまで離れている場合、道順を表示する。
> ・夜間だとトイレを明るくし、目立つようにする。

こうしたトイレの場所をわかりやすくする工夫をします。

第 **4** 節　認知症の人へのケア

4　排泄行為のケア

（1）排泄の準備

　認知症の人は、排泄に関連する一連の準備行為がうまくできないこと（**遂行機能障害**）や簡単な動作ができないこと（失行）もあります。失行などにより何ができて何がむずかしいのかを詳細にアセスメントし、対応する必要があります。

（例）

・トイレにたどり着いても、ドアの開け方がわからない。

・電気がつけられない。

・便器のふたをあげられない。

・衣類をうまく操作できない。

（2）排泄中の配慮

　認知症の人は、注意障害が考えられますので、「他者がいると気が散る」「トイレ内が暗く落ち着かない」「音が気になる」など、排泄への注意力を削ぐ状況をなくし、排泄中は注意が持続できる環境づくりをします。

5　排泄後のケア

　認知症の人は、失行や失認によりトイレットペーパーが自分では取り出せないため陰部が拭けない、流すためのレバーやボタンがわからないため排泄物を流せないといった後始末ができないことがあります。さらに、元どおりに下着やズボンをはくといった衣類操作がむずかしいことも多々あります。トイレットペーパーをあらかじめ介護者が用意し手渡す、**落とし紙❺**になじみがある人には用意しておくなどします。流し方がわからない場合、レバーやボタンがわかるように紙などに表記し貼ります。衣類操作がむずかしい場合は、操作しやすい衣類の工夫をすることが重要です。そのうえで、どうしてもできないことは介護者が介護します。

❺落とし紙
四角のちり紙。

207

6 排泄状況の確認

　認知症の人からは、実際に排泄があったかどうか、ましてや排泄物の状態（便の硬さや大きさ、尿の色など）を明確に教えてもらえないことがあります。

　羞恥心への配慮が足りない聞き方をするなど確認方法に問題があり、教えてもらえない場合もあります。排泄の後始末や衣類操作をしているうちに忘れてしまうことも多々あります。介護者が適宜、排尿や排便の状態を確認し、健康状態の把握に努めることも重要です。

7 その他排泄に関するケア

（1）頻繁にトイレの訴えがある

　認知症の人は、さっきトイレに行ったばかりなのに、また行きたいと頻繁に訴えがあり、誘導しても排泄がないことがあります。原因としては、「トイレが間に合わずに失敗してしまうのではないか」「トイレの場所がわからない」「今いる場所自体がどこなのか認識できない」といった不安感が募った心理状態から起こります。しっかりとかかわりをもち安心してもらうことや、孤独感を軽減する取り組みで改善することが多くあります。

　ただ、泌尿器などに問題が起こっていても、認知症の人はその不快感を適切に訴えることができない場合もあります。あまりにも頻繁にトイレの訴えがある場合、医療職へ情報提供します。

（2）尿などで汚れた衣類を隠す

　認知症の人は、失禁した下着などをタンスなどにしまいこむことがあります。排泄を失敗したことに大きなショックを受けた羞恥心からの行動です。絶対に注意や否定をしてはいけません。「汚れたものはここに入れる」と表記したふたつきのバケツを用意するなどして、タンスに入れなくてもよい環境をつくります。それでも、しまいこむ場合には、本人の羞恥心に最大限配慮し、そっと取り出して洗濯にまわします。

（3）トイレ以外の場所で排泄する

　認知症の人は、トイレの場所がわからず（見当識障害）トイレ以外の

第4節 認知症の人へのケア

場所で排泄することがあります。あるいは、洗面台を便器だと勘違いして排泄することもあります。決して注意や叱責する、驚いて大声で騒ぐなどしてはいけません。まずは、トイレの場所をわかりやすくすることが重要です。

また、タイミングをはかって誘導します。トイレに行きたい仕草があればすぐに誘導します。廊下や部屋の隅など、特定の場所で排泄する場合、バケツやポータブルトイレを置いておくことが有効です。洗面台には、洗面台と表記した紙を貼るなどしてトイレと識別ができるようにします。

（4）紙パンツやおむつのなかの便を触る（弄便）

認知症の人は、紙パンツやおむつに出た自分の便の不快感を取り除こうとするため手で触ることがあります。さらに、今度は手についた便の不快感を取り除こうと壁などに擦りつけたりすることがあります。この行動を弄便と呼びます。原因は、紙パンツなどに便が出ることです。排便パターンを探り、適切にトイレに誘導し、トイレで排便できるようにします。また、下痢が紙パンツなどに出ている場合は、その原因を探るとともに、医療職へ情報提供します。

（5）男性で立って排尿するためトイレ内が汚れる

認知症の男性で立って排尿する習慣がある人に、洋式便座へ座って排尿するよういくら注意してもその行動は修正できません。そのため、いつも便器やまわりを汚すことがあります。小便器があれば誘導することが有効ですが、洋式便座しかない場合、便器に近づくように足元へ立つ位置の目安となるテープを貼る、便器のまわりに尿が飛び散っても吸収してくれる製品を活用するなど、環境を工夫することが有効です。

6 入浴──ADL障害のケア

認知症が入浴に及ぼす影響とそのケアを考えていきます。

1 入浴するきっかけのケア

食事は空腹を感じる、排泄は尿意・便意を感じるといった信号からその行為が始まりますが、入浴の場合、こうした明確な信号がありません。**生活習慣**として行っていることであり、自分の意思で入らない日もあったりします。脳がその生活習慣を記憶していて、いつもの入浴する時間になった、夕食を食べたら入るといった習慣・状況になったと判断したら行います。認知症の人は、記憶障害によりいつ入ったのか覚えていないことや、いつ入ればよいのかその判断ができなくなることがあります。入浴の目安を表示することも大切ですが、介護者が適宜、誘導することも重要です。

2 入浴準備のケア

認知症の人は、理解力の低下があり、今から入浴するということが十分に理解できず、脱衣室へ誘導されても衣類を脱ごうとしないことがあります。介護者が脱がそうとすると、羞恥心や理不尽なことをされると感じ、抵抗します。ゆっくりと1つひとつの行為をていねいに説明し、納得をえながら進めていくことが重要です。また、失語のため言葉で伝えることができない場合などは、湯船を見て視覚情報からお風呂に入ることを理解してもらうことも重要です。

3 入浴中のケア

（1）身体や髪を洗う

介護者がていねいに説明し、ゆっくりと湯温を確認しながら足元からかけることが重要です。なかには、シャワーになじみがなく、洗面器でかけ湯をする習慣の人もいます。こうした生活習慣も把握して取り入れることが、混乱を引き起こさないことにつながります。

身体や頭を洗う際も、どこからどうやって洗ってよいかわからないこと（**遂行機能障害**）があります。1つひとつの行為をていねいに説明する、やり方を見せる（**モデリング**）などを行い、自分でできるところは行ってもらい、できないところを介助します。

（2）浴槽に入る

　認知症の人は、今まで入り慣れた浴槽ではない（見慣れない環境である）と混乱を引き起こし浴槽と認識できず、浴槽へ入ることを拒否することがあります。なるべく個浴槽（家庭的浴槽）に入れるよう援助することが重要です。浴槽につかると汗腺につまった老廃物がとれ、皮膚呼吸が活発になります。すると、脳が爽快感を感じ、認知症の人はおだやかな気分になります。ただし、この気持ちよさからなかなか浴槽から出ようとしないこともあります。様子をみながら出るように言葉をかけることなども大切です。

（3）入浴後のケア

　認知症の人のなかには、着衣の際に次のような失敗をすることがあります。

- ・脱いだ服と着替えの服の判断ができない。
- ・どういう順番で着たらよいか判断できない。
- ・服やズボンの前後や左右の判断ができない。
- ・ズボンを頭からかぶって着ようとする。

　これらは着衣失行という障害で、介護者がどうすればできるか（判断ができるか）を考え、脱いだ服はすぐに片づけ、新しい着替えだけを用意する、着る順番に積み重ねるなど、わかりやすい状況にすることが重要です。それでもできないことは、適宜、介助します。

---

7 清潔保持——ADL障害のケア

認知症が清潔の保持に及ぼす影響とケアについて考えていきます。

1 口腔ケア

　口腔ケアの中心となるのは、歯みがきや義歯の手入れです。歯みがきや義歯の手入れはさまざまな判断と動作が求められる行為です。

　認知症の人のなかには、失行などがあるために**表4-5**の手順がわからなくなり、いくつもの判断や注意力を必要とするため口腔ケアを自分

表4−5	歯をみがく（義歯の手入れ）

① 歯をみがこう（義歯の手入れをしよう）と思う
② 洗面台まで行く
③ 歯ブラシを手にする
④ 歯みがき粉をつける
⑤ 歯をみがく（または義歯の手入れをする）
⑥ うがいをする（義歯を洗う）

で行うことが困難な人がいます。そのため、歯や義歯に問題がある場合や、舌の動きが悪くなっている場合があります。あるいは、口臭がきつくなり他者との人間関係を損なう要因になることもあります。1つひとつの動作をていねいに説明することが重要です。介護者がいっしょに歯みがきをして、やり方を見てもらうこと（モデリング）でできることもあります。どうしてもむずかしい場合は、介護者が行います。うがい等で口腔内の残渣物を取り除いてもらうことも大切です。必要に応じて、歯科医師や歯科衛生士と連携することも大切です。

2 整容

（1）髪を整える

　髪を整えることを忘れている、あるいは意欲が低下して整えようとしない人もいます。言葉かけで記憶を補完することによってできる人もいます。また、鏡の前まで行けるように、見当識障害への配慮をします。言葉かけではむずかしい場合、鏡の前まで誘導しヘアブラシなどを手渡しします。なかには、鏡に映った自分の顔が記憶にある自分の顔とは違うと判断し、混乱したり、他人がいると思い話しかけたりしてうまくできないことがあります。こうした場合、手鏡を準備し、自分で持ってもらいながら整えることが有効です。

（2）ひげをそる

　ひげをそることを忘れている、もしくは意欲の低下によりしない人がいます。髪を整える行為と同様に、鏡の前まで行けるよう配慮し、ひげをそるよううながします。注意力が低下していると十分に行えていない

のにやめてしまうことがあります。言葉をかけることも必要ですが、むずかしいところは介護者が介助します。認知症の人で、T字カミソリなどでそる習慣がある人は、電気シェーバーを使うと不慣れなことからうまくできないことや、電気シェーバーの音に反応していやがることがあります。生活習慣を把握することも大切です。

（3）服を着替える

遂行機能障害により、朝、パジャマから普段着に服を着替えることや、着替えるタイミングを忘れている人がいます。言葉をかけ、みずから行うようにうながすことが大切ですが、できない場合は適宜介助します。また、服を着替えるときに、どの服を選んだらよいか、判断ができない人もいます。2択にして選びやすくすることや、いっしょに選ぶことが大切です。入浴のケアでも述べたとおり、着衣失行にも留意する必要があります。

8 休息と睡眠のケア

認知症が休息と睡眠に及ぼす影響とそのケアについて考えていきます。

1 休息のケア

認知症の人は、状況を認識することや理解することが苦手なため、判断するのに時間がかかったり、自分がしたい行為とは別の結果となる判断をしてしまいます。思うような状況にならない（結果がえられない）ことや不安感から、繰り返し同じ行動をとり続けることが起きます。こうしたことが、日常生活のさまざまな場面で起こり、ストレスを感じてしまいます。

また、認知症の人は、自分で必要な情報かどうかの識別もむずかしい人も多くいて、毎日、大量の情報が脳に入ってきます。すると、脳が疲れてしまい、イライラしたりすることもあります。

まずは、認知症の人がわかりやすい環境整備を行い、環境から受けるストレスをなくします。そのうえで、休息する時間（休憩時間）を日課

のなかにとり入れ、**メリハリのある生活づくり**をしていきます。ただし、日課に合わせた生活を強要してはいけません。昼寝の習慣がある、好きな本を読む、好きな音楽を聞く、好きな飲み物を飲むなど生活歴を読み解き、その人に応じた休息の仕方を援助します。

2 睡眠準備のケア

（1）時間の見当識障害

認知症の人には、「今が何時なのか」「今は夜かどうか」などがわからなくなる人がいます。そのため、寝るための準備（パジャマに着替える、歯みがきをする、電気を消す、寝室へ向かうなど）ができないことがあります。時計を見て何時なのかをいっしょに確認することもよいですが、**生活リズム**を整えることが大切です。おおむね同じ時間に繰り返し行うことで習慣化していくことが大切です。そうするとスムーズに睡眠の準備ができるようになり、眠りにつくことができます（**表4−6**）。

また、部屋には、自宅に置いてあるなじみの物を置くことや、記憶に強く残っている自宅の部屋の様子を調べ、レイアウトを近づけることも大切です。枕もなじみのものだと安心します。ここは自分の居場所だと安心してもらえる工夫が鍵となります。

（2）昼夜逆転

認知症の人のなかには、生活リズムを自分で整えることが苦手になり、日中ウトウトと眠ること（**傾眠**）がみられます。まずは、日中の傾眠を改善することが重要です。**食事のケア❻**を参照し、水分摂取量の確認とケアを行います。眠れないと昼間と勘違いして、廊下を歩いたりします。また、眠れないため、睡眠剤を服用することがありますが、認知

❻食事のケア
p.198参照

表4−6 睡眠準備（習慣）

介護者がパジャマを用意して着替えてもらうよううながす
→寝る前の歯みがきをするようにうながす
→トイレへ行くよううながす
→いっしょに電気を消す
→寝室へ誘導しベッドに横になるよううながす

第 4 節 認知症の人へのケア

症の人の場合、服用したことを覚えていません。そのため、睡眠剤の影響で足元がふらついても歩こうとし、転倒の要因になることもあります。睡眠剤の服用の前にできるケアを行うことが重要です。

眠れないときには、無理に寝てもらおうとせず、いっしょにお茶を飲む、会話をするなどしてリラックスするようにします。夜、お風呂に入り身体を温めることでも眠気をもよおします。足浴や手浴でも一定の効果があります。日中何もすることがなく起きているのはむずかしい（退屈な）ため、アクティビティや散歩などを取り入れ、活動的に過ごす時間をつくります。しっかり身体を動かして、動いたら水分や食事をしっかりとることをめざします。起床時にカーテンをいっしょに開け、朝日を浴びることも生活リズムをつくるうえで有効です。

（3）夜間せん妄

急に意識の混濁が起こり、興奮し、幻覚が見えたり、つじつまの合わないことを言い出したりすることがあります。こうした状態を**せん妄❼**といい、夜にあらわれることを夜間せん妄といいます。夜間せん妄があらわれると、睡眠障害となります。せん妄は時々、認知症の症状と勘違いされることがあります。せん妄のおもな原因と考えられることをみていきます。

❼せん妄
このような過活動性せん妄ばかりでなく、ぼーっとして活動性が低下している低活動性せん妄もある。

1 環境や人間関係（社会心理的状況）の変化

認知症の人は、見当識障害があるため入院や入所した場合などには、環境の変化から受けるストレスが大きくなります。とくに、夜は暗くなり、不慣れな場所で、家族とは違う人がいるなかで過ごすストレスは、とても大きなものになります。こうした状況が原因となり夜間せん妄を引き起こします。孤独を感じないようなかかわりをもち、不安を取り除くよう援助します。また、認知症の人が落ち着く環境づくりへも配慮が必要です。

2 脱水

水分摂取量が足りないため、脱水になり夜間せん妄を引き起こすことも多くあります。1日に必要な水分量がとれているのかを確認し、とれるよう援助していく必要があります。また、夕方から夜にかけて、水分を極端にとらないのもよくありません。

3 その他の要因

脳血管障害や感染症、服用している薬の副作用が原因で起こることが

あります。せん妄がみられた場合、いずれにしても医療職への情報提供が必要です。

（4）夜間頻尿

過活動膀胱や膀胱炎、心不全などが影響するほか、認知症の人は、ドネペジルなどの薬の影響などにより夜間も頻回にトイレに行くこと（頻尿❽）があります。このため、睡眠障害を引き起こします。こうした場合、医療職と連携していく必要があります。

❽頻尿
p.46、p.187参照

ほかにも、認知症の人は、先に述べた昼夜逆転などにより眠れず、さっきトイレに行ったばかりでも、行ったこと自体を忘れる（記憶障害）ため、またトイレに行こうとします。結果的にトイレが気になりすぎて、ますます眠れず睡眠障害を引き起こします。

日中の活動量は足りているか、ストレスが蓄積していないか、孤独感や不安感はないかなど眠れない原因をアセスメントし、原因を除去していく必要があります。

9 活動・生きがいのケア

認知症が生きがいに及ぼす影響とそのケアについて考えていきます。

1 閉じこもり予防

認知症の人は、見当識障害により１人で出かけると道に迷うため付き添いが必要なことがあります。また、出かけても失語などがあると他者との会話もなかなか成り立たないこともあります。そして、そもそも認知症の人が出かける気持ちにならないこともあります。

その結果、自宅や施設などに閉じこもった生活となります。閉じこもった生活を続けていると、活動量（動く範囲と機会）が少なくなります。することもないため寝て過ごす時間も増えます。そうすると、足腰が弱る、体力が落ちるといったこと（廃用症候群）によりさらに外出することがむずかしくなっていきます。

外出しないと、脳への刺激も少なくなり、さまざまなことを認識・理

解・判断するといった認知機能も低下します。買い物や散歩、地域のイベント、外食など、外出する機会をいかにつくるかが鍵となります。認知症の人が出かけたくなる場所（機会）があると理想的です。

また、地域住民のなかには、認知症の人が外出すると危険であると考える人がいます。こうした間違った考え方も閉じこもりをつくる要因です。介護福祉職は、認知症の人やその家族と地域住民のあいだに入って、正しく認知症を理解してもらう役割もになう必要があります。認知症の人の外出を手助けし、見守る地域住民（**認知症サポーター**[9]）をつくっていくことも大切です。

❾認知症サポーター
p.309参照

2 人間関係づくり（社会心理的状況づくり）

認知症の人は、介護家族や介護福祉職だけの人間関係では息が詰まってしまいます。介護する側と介護を受ける側という一方通行の人間関係だけでは、ストレスが大きくなり、意欲を失っていきます。ときには、友人や知人などの気心知れた人たちの輪に入ってこそ、生き生きとできます。

在宅であれば、通所介護などで仲間をつくる支援を行います。施設であれば、ともに暮らす人たち同士で、仲間と呼べる関係をつくる支援をします。介護福祉職も、たとえばそうじや洗濯を手伝ってもらったら感謝の気持ちを伝える、遊びリテーションはいっしょに参加し楽しむなど、支援する側と支援される側の関係を越えてともにある関係をめざします。

ただし、認知症の人は、「他者の名前を覚えられない」「以前会ったことがあるが覚えていない」「相手からの質問に適切に答えられない」などの状況が発生します。そうした状況だと、他者と人間関係をうまくつくることはできません。認知症の人ができることとむずかしいことをしっかりアセスメントします。認知症の人がむずかしいことは代わりに行い、他者とつながれる配慮をしていくことが必要です。

以前会ったことを覚えていない場合の対応としては、認知症の人に以前にも会ったことやそのときのエピソードを説明して、認知症の人の記憶を補完し、他者とつながれるよう橋渡しをします。

また、生活歴をしっかりと把握して、認知症の人のプロフィールを代わりに紹介することも必要です。最終的には、名前や以前の出来事を忘

表4−7	「遊び」の要素

●参加するだれもが理解できるルール（平等）であること
●記憶力といった知的能力に左右されない（運に左右される）こと
●参加する人たちが自由意志で行える（創造力を使える）こと

れていても、顔をみたら互いに安心できる**人間関係づくり**を支援する必要があります。

3 遊びリテーション

認知症の人は、記憶障害から「いつ」「どこで」「何をしたのか」は覚えていられないことが多くあります。こうした場合でも、体を動かして、大声で笑った時間があることで、**ストレス**や**不安感**が軽減され、精神的に落ち着きます。また、ルールがたくさんあるゲームやレクリエーションだと認知症の人は、ルール自体の理解や記憶がむずかしいこともあり楽しめないことがあります。「遊び」の要素を兼ね備えて他者と交流する時間が必要です（**遊びリテーション**[10]）。夢中になり、日ごろでは体験できないような笑いがある時間をつくり出すことで、日常のストレスや不安感から解放されます（**表4−7**）。

[10]遊びリテーション
「遊び」＋「リハビリテーション」＝「遊びリテーション」。「楽しい」「夢中になる」といった遊びのなかに、生活行為で必要な動作を取り入れ、知らず知らずのうちにリハビリテーション効果をえられる技法。

4 役割

人間は、ささやかでもだれかの役に立ちたいと思って生きています。そのための行為を**役割**と呼びます。役割を通じて生きがいを感じる人はたくさんいます。ただ、認知症の人には、物事を手順どおりに行えないこと（**遂行機能障害**）が起こります。

・家族のために料理やそうじ、洗濯などをになっていたけれど、手順どおりにできなくなった。
・買い物に行くため、家族を乗せて車を運転していたけれど、運転がうまくできなくなった。

認知機能障害により仕事や家事などの役割ができなくなると、「自分

第 **4** 節　認知症の人へのケア

表4-8	役割の再構築のポイント

●今の認知機能でもできること
●昔からよくやっていた（なじみがある）こと
●本人が得意なこと
●感謝してくれる人がいること

はだめになった」「他者に迷惑をかける存在になった」と感じてしまい、大きな挫折感やストレスを感じます。そのため、役割を再構築する必要があります（**表4-8**）。

　ただし、注意を要することがあります。施設では、役割として洗濯物をたたんでもらったり、そうじを手伝ってもらったりすることを認知症の人にお願いすることがあります。しかし、時間の経過とともに、職員をはじめまわりの人がいつものあたりまえの光景と感じるようになり、感謝の気持ちを伝えることを忘れてしまいます。役に立っていることを実感してもらうためには感謝の気持ちを伝えることが重要です。

　自宅で家族と暮らしている場合で、食器の後片づけ（食器洗い）をしていたとします。その人なりにはきちんとできているつもりでも、家族からみると不十分で家族がもう一度洗い直すといった出来事もあります。そうすると、家族の役に立つための行為が、逆に家族の手間を増やすことになってしまいます。しっかりと状況をアセスメントし、家族が感謝できる状況をつくり出すことが大事です。そのうえで、家庭内で役割をつくり出すことがむずかしければ、通所介護などで仲間に対して役割を果たしていくことも大切です。この場合も、きちんと感謝の気持ちが届き、役に立ったと実感できていることが重要です。

10 BPSDのケア

　最後に、介護現場でみかけるおもな**BPSD**[11]（Behavioral and Psychological Symptoms of Dementia：認知症の行動・心理症状）が及ぼす生活への影響とそのケアについてみていきます。ただし、症状や課題にだけ目を向けてはいけません。その人の健康状態やその人を取

[11]BPSD
p.49参照

第**4**章　認知症ケアの実際

219

| 表4-9 | 暴言・暴力の「きっかけ」となったこと |

「本人は静かに過ごしたいのに、まわりで大声がする」
「介護者の言葉が指示（命令）的である」
「他者の言葉の意味が理解できず、自分の悪口を言われていると感じた」
「アクティビティのルールがわからないのに、周囲から行為をうながされた」
「その気がないのに、トイレに行くよう強くうながされ、手を引っ張られた」

り巻く人間関係、環境、そして、心理状態にその行動の原因がしばしばあります。BPSDは認知症の人が、つらさ、苦しさを言葉で説明できないために発しているSOSであることが多いととらえる必要があります。

1 暴言・暴力

　前頭前野に脳病変がある場合、感情のコントロールがむずかしくなり**暴言**や**暴力**といった症状があらわれます。多くの場合、症状があらわれる「きっかけ」があります（**表4-9**）。その「きっかけ」は認知症の人ではなく、周囲（人的環境）に原因があることが多くみられます。アセスメントし、原因を除去することが大切です。

　また、すでに症状があらわれている場合、まずは介護者が冷静になります。介護者が感情的になり、認知症の人を叱責する、抑制するような言動をとるとさらに状況は悪化します。かなり緊迫した状況では、まず、介護者やまわりの人に危険が及ばないよう避難等を行い、おさまるまで見守ります。しかし、これは緊急的な対処法ですので、症状があらわれた「きっかけ」を探り除去することが大切です。

2 1人歩き

⓬**理由**
せん妄を合併していると、理由なく歩くことが多い。薬の副作用で理由なく歩きまわることもある。

　人間が歩くという行動をするには、多くの場合、何らかの**理由**⓬があります（**表4-10**）。

　認知症の人の場合、さまざまな心理の変化や環境による**影響**（社会心理的状況の要因）がみられます。歩く理由をきちんとアセスメントしたうえで、認知症の人の思いを受け止めて、困っていることを見つけ出し

第4節　認知症の人へのケア

表4-10　認知症の人が歩く要因

「ここがどこで、なぜここにいるのかが認知できないため、どうしてよいかわからず不安になっている」
「急に見慣れない場所（施設）へ連れてこられ、知らない人たちに囲まれて、混乱し自宅へ帰りたいと思っている」
「現実がつらくて、現在を記憶に残る古きよき時代（例：「子育てしているとき」「主婦としての役割をになっているとき」「仕事をしているとき」）と読み替えて、その記憶にある光景を探している」
「閉じこもった生活を強いられており、外に出かけたいと思い出かけたら、どっちに進んだらよいかわからなくなった」
「孤独感が強くなり、家族に会いたくなった」
「便秘や発熱など体調が悪く、落ち着かない」

解決することです。歩くという気持ちが強いときには、会話しながらいっしょに歩く、散歩などに出かけ、歩かずにはいられない理由を探ります。無意味に長時間歩くだけという行為はやめましょう。また、「行動を否定する」「行動を抑制する」「ここが居場所だと無理にわからせようとする」といったことを行うとかえって混乱やストレスを招き、状況が悪化します。いかに周囲の安全を確保し、本人が歩いてもよい状況にしていくと同時に、**本人が安心して過ごせる状況**（居場所）にしていくケアを行います。

　もしも、現在を古きよき時代と思いこんでの行動であれば、その時代のこと（生活歴）をしっかりと把握して、今の思いを受け止め、つきあいます。決して「今は違う」と否定してはいけません。

　また、いっしょに散歩や話をする仲間がいるなど、よい人間関係を築き、孤独感を解消していくことも重要です。

3　異食

　認知症の人が、食べ物ではない物を口に入れることを異食といいます。これは、視覚認知障害（失認）から食べられない物を食べられると誤認して起こる場合があります。また、口唇傾向という認知障害で、手に取るものすべてを口に運ぶために生じます。判断力の低下から、調理が必要なものをそのまま食べてしまうといったことも起こります。

| 表4−11 | 異食した状況 |

「食後、食堂で、1人ぼっちで過ごしていると、置いてあった花瓶の花を口に入れた」
「夕方、家に帰りたくて、1人で施設のなかを歩いていたら、置いてあったティッシュペーパーを口に入れた」
「午前も午後も、1人でソファーに座って過ごしていたが、置いてあったクッションから中身のスポンジを取り出し口に入れた」

　異食がみられる場合、口に入れると危険な物を身のまわりに置かない（隠す）といった対応は、一時的に危険を除去するという意味では有効です。しかし、人の生活のなかから食べられない物をすべて除去することは困難であり、介護者の見守りが不可欠です。また、異食がみられた際には、異食が「いつ」「どこで」「どのような状況」で行われたのかをアセスメントする必要があります（**表4−11**）。

　孤独感が強くなり、不安や混乱が生じたとき、それをうめるための行動と考えられる場合があります。他者と接しているときや、みんなで運動しているときなどには異食はなく、1人ぼっちの状況で孤独感が強くなり、不安や混乱が生じると異食することがあります。孤独感を緩和することが有効なこともありますので、その場合は、気心知れた人と接する機会を増やす、いっしょに散歩や買い物に出かける、スキンシップの機会をつくるといった、他者とふれ合いながら孤独を感じない時間を増やすことを試してみます。

4　もの盗られ妄想

　認知症の人は、記憶障害により物をしまった場所がわからなくなったときに、自分には非があるとは考えられず、単純にだれかに盗られたという思考になることがあります。

　身近で介護をしている家族が泥棒扱いされることもあり、家族としては大きなショックや怒りを感じることになります。家族は「盗むわけないでしょ」「一生懸命介護しているのになんてひどいことを言うんだ」「自分でなくしたのに他人のせいにするな」といった反論をしてしまいます。しかしながら、認知症の人は被害者だと思いこんでいるため、反

論は逆効果となり状況はかえって悪化します。まずは、本人が盗まれたと思いこみ混乱している状況を受け止めることが重要です。なかなか見つからず不安に感じる気持ちを受け止めながら、いっしょに探す姿勢が重要です。根底には大切なものが自分の手元にない不安感があるので、それを理解することが必要です。そのうえで、認知症の人は、1つの考えにとらわれた場合、みずからそこから抜け出すことがむずかしいため、タイミングをみてお茶に誘う、外出に誘うなどして関心をそらします。

　物をしまった場所に見当がつくならば、本人といっしょにその場所へ行き、いっしょに見つけることで安心することもあります。

> ・しまった場所が思い出せない自分自身への腹立たしさ。
> ・自分ではちゃんとしているはずなのに、思いどおりの結果にならない現実へのいらだち。
> ・いつも一方的に介護を受けるばかりで自分自身が情けないと感じる気持ち。

　本当は、こうした心理が背景にあり、その葛藤から逃れるために「自分は被害者なんだ」と信じこむことで心のバランスをとろうとしているとも考えられます。

> ・認知症の人が得意なことを教わりながらいっしょに行う。
> ・いっしょに外出して気分転換をはかる。
> ・気心知れた人とお茶をする。

　こうした認知症の人が孤独や不安を感じない状況をつくって、気持ちを満たしていくことが重要です。

5　物を集める

　認知症の人は、物を集めて身のまわりに置くことで、安心感をえようとする心理になるものだと考えられます。介護者からみて、不要または不適切だからといって集めた物をすぐに片づけてしまうと状況はかえって悪くなります。

　孤独や孤立を感じる状況がないかをアセスメントします。他者とお茶を飲みながら交流できる時間、いっしょに活動する時間などをつくりま

す。その人ができることで役割をみつけることも有効です。

◆ 引用文献

1）竹内孝仁監、小平めぐみ・井上善行・野村晴美・藤尾祐子・古川和稔『介護の生理学
　　──自立支援介護の実践のために知っておきたい理論と技術』秀和システム、pp.75-
　　76、2013年

◆ 参考文献

● 竹内孝仁『新版 介護基礎学──高齢者自立支援の理論と実践』医歯薬出版、2017年
● 橋本圭司『高次脳機能障害がわかる本』法研、2007年
● 三好春樹・上野文規『新しい痴呆ケア──アセスメントと遊びリテーション』雲母書房、
　2004年

第 **5** 節

認知症の人へのさまざまなアプローチ

学習のポイント

- 介護を受ける人の能力をうばわない重要性を学ぶ
- ４つの柱から構成されるマルチモーダル・ケアについて理解する
- すべての介護は５つのステップで構成される１つのシークエンス（物語）であることを理解する
- 介護のゴールは相手とよい関係を築くことであると理解する

関連項目 ⑤『コミュニケーション技術』▶ 第１章「介護におけるコミュニケーションの基本」

第**4**章 認知症ケアの実際

---

1 ユマニチュード

1 ユマニチュードとは

　ユマニチュードはフランスの２人の体育学の専門家ジネスト（Gineste, Y.）とマレスコッティ（Marescotti, R.）が開発した介護の技法です。病院や施設の専門職の腰痛を予防するためのよい移動の方法を教えてほしいと依頼されたことがきっかけで、２人はこの分野での仕事を始めました。

　介護の現場で彼らがまず気がついたのは、介護福祉職は相手に「何でもやってあげている」ということでした。たとえば、立てる力があるのに寝たままで保清をしたり、歩く能力のある人にも車いすでの移動をすすめたり、といったことです。２人は本人がもっている能力をできる限り使ってもらうことで、その人の健康を向上させたり、維持することができると考え、無理なくそれが実現できるように「その人のもつ能力をうばわない」ためのさまざまな工夫を重ねながら現場で介護を実践して

225

いきました。

　認知機能が低下し、身体的にも脆弱な高齢者に対して介護を行うとき、あるときはおだやかに介護を受け入れてもらえるのに、別のときは激しく拒絶されることがあります。その原因を考え続けた2人は、介護がうまくいくときといかないときには「見る方法」「話す方法」「触れる方法」が違っていることに気がつきました。さらに、人は「立つ」ことによってその人らしさ、つまりその尊厳を自覚していることから、この4つの要素の見る、話す、触れる、立つを介護の4つの柱と名づけました。また、「その人のもつ能力をうばわない」という介護に関する哲学と「介護の4つの柱」、あとで述べる介護を1つの物語のように一連の手順で行う「介護の5つのステップ」をまとめました。そしてこの哲学にもとづく介護の技法を「ユマニチュード」と名づけました。ユマニチュードとは「人間らしさを取り戻す」という意味をもつフランス語の造語です。

② 4つの柱はあなたを大切に思っていることを相手にわかるように伝える技術

　介護福祉職はだれもが介護を受けている人のことを大切に思っていることでしょう。しかし、相手をどんなに大切に思っていても、またやさしくしたいと思っていても、その気持ちは相手が理解できるように表現しなければ、相手には届きません。4つの柱は、介護を受けている人に対して「あなたは私にとって大切な存在です」と伝えるための技術です。ここで重要なのは、この4つの柱は1つだけではうまくいかないということです。介護をするときにはこの柱を同時に複数組み合わせて行うことが大切で、このことをマルチモーダル・ケアと呼びます。この意味は「複数の（マルチ）要素(モーダル)を使ったケア」です。

　だれかとコミュニケーションを行うとき、人はだれもが自分でも気づかないうちに「言葉による」または「言葉によらない」メッセージを相手に伝えています。とりわけ介護を行うときには「言葉によらない」メッセージが重要な役割を果たしています。ユマニチュードでは、この「言葉による」「言葉によらない」メッセージを双方向に交わし合うコミュニケーションによって、介護をする人と介護を受ける人とがよい関係を築くことを介護の目的としています。

（1）ユマニチュードの４つの柱・見る

　介護福祉職が相手を見るとき、多くの場合仕事をする部位を見ています。たとえば口腔ケアをするときに口のなかを見る、といったようなことです。しかし、「見る」ことで相手を大切に思っていることを伝えるためには、仕事のために必要な「体の部位を見る」ことだけでは十分ではありません。「相手の目を見る」ことが伝える言葉によらないメッセージは、たとえば同じ目の高さで見ることで「平等な存在であること」、近くから見ることで「親しい関係であること」、正面から見ることで「相手に対して正直であること」を相手に伝えています。

（2）ユマニチュードの４つの柱・話す

　介護をするときには、「じっとしていてください」「すぐ終わります」というような言葉を発しがちですが、このような言葉にはそんなつもりはなくても「私はあなたに命令しています」「あなたにとって不快なことを行っています」というメッセージが言外に含まれています。これでは相手にやさしさを届けることはできません。「話す」ときも仕事のための「話す」ことだけではなく、相手を大切に思っていることを伝えるための技術を用います。低めの声は「落ち着いた安定した関係」を、大きすぎない声は「おだやかな状況」を、前向きな言葉を選ぶことで「心地よい状態」を実現することができます。難聴の人に対しては、ついつい大きな声で話してしまいますが、勢いが強すぎると、怒られているように相手に感じさせてしまいます。また、相手から返事がないときには、人はしだいに黙ってしまいます。介護の場に言葉をあふれさせる工夫として、ユマニチュードでは自分が行っている介護の動きを実況する**オートフィードバック**という方法を用います。

（3）ユマニチュードの４つの柱・触れる

　介護を行うとき、たとえば体位変換、保清、着替え、歩行介助などで、必ず相手に触れていますが、そのとき、相手をつかんでいることに私たちは無自覚です。つかむ行為は、介護をする人が相手の自由をうばっていることを意味し、BPSD（Behavioral and Psychological Symptoms of Dementia：認知症の行動・心理症状）のきっかけとなってしまうこともよくあります。触れることでも相手へのメッセージが伝わります。具体的には、「広い面積で触れる」「つかまない」「ゆっくり

と手を動かす」「下から支える」ことが、相手を大切に思っていることを伝えるための技術です。

（4）ユマニチュードの４つの柱・立つ

　人間は直立する動物です。立つことによって、体のさまざまな生理機能が十分にはたらくようにできています。それだけでなく、立つことは「人間らしさ」の１つであり、人の尊厳を保つためにも重要です。１日合計20分立つ時間をつくれば寝たきりになることを防げるとジネストは提唱しています。20分という時間は、トイレや食堂への歩行、洗面やシャワーを立って行うなど、介護を行うときにできるだけ立つ機会をつくることで実現できます。

　「見る」「話す」「触れる」「立つ」の４つの柱は、一見すると目新しいことはなく、また、介護をしている人の多くは「あたりまえのこと」「自分はいつもそうしている」と思っています。しかし、介護の様子を撮影して情報学的な分析をしたところ、「相手のことを大切に思っていることを伝えるため」の４つの柱はほとんど使われていないことがわかりました。介護がうまくいくときには、自分だけでなく相手もまた私たちを見て、話して、触れています。つまり、コミュニケーションが双方向的に行われているのです。ユマニチュードのトレーニングでは、介護の映像分析をすることでコミュニケーションの定量化を行っています。現在は人工知能を用いた評価や教育も行えるようになってきました。

3　介護を一連の物語として行う、５つのステップ

　ユマニチュードではすべての介護を一連の物語のような手順「５つのステップ」で行います。この手順は、①出会いの準備（自分の来訪を告げ、相手の領域に入ってよいと許可をえる）、②ケアの準備（ケアを行うことの合意をえる）、③知覚の連結（いわゆるケア）、④感情の固定（ケアのあとでともによい時間を過ごしたことを振り返る）、⑤再会の約束（次回のケアを受け入れてもらうための準備）の５つで構成されます。いずれのステップも、４つの柱を十分に組み合わせたマルチモーダル・コミュニケーションを用います。

第 5 節　認知症の人へのさまざまなアプローチ

 4　ユマニチュードの具体的な技術

　ユマニチュードの具体的な介護の技術は400を超えます。これらの技術は、実践研修や書籍などで学ぶことができます。YouTubeでも紹介しています（本節の参考文献にQRコードを掲載）。

2　バリデーション

 バリデーションとは

　バリデーションとは、ナオミ・ファイル（Feil, N.）によって開発されたアルツハイマー型認知症および類似の認知症の高齢者とのコミュニケーション法です。ファイルは、「バリデーションでは、共感を通して認知症高齢者の心の現実に合わせていきます」[1]と述べています。仮に認知症高齢者の訴えが事実とは異なっていたとしても、支援者はそれを「彼らの現実」として受け入れ、たとえば、「…だから、不安なのですね」と共感していくのです。バリデーションによって感情を表出し、その思いを受け入れられた認知症の高齢者は、まるで失った機能（身体的・知的）を復活させたかのように元気を取り戻すことがありま

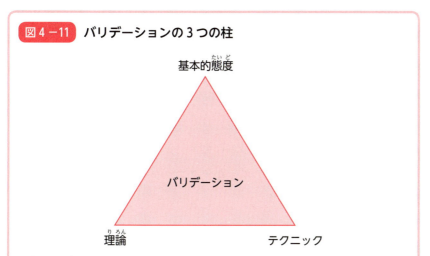

図4－11　バリデーションの3つの柱

出典：バリデーションセミナー2017テキスト、p.22、日本バリデーション協会、2017年を一部改変

表4−12	バリデーションの基本的態度

- 一方的な判断をしない（誠実）
- 唯一の存在として探索する（敬意）
- あるゆる感情の表出を受け入れる（受容）
- 相手の人の感情を共有する（共感）

資料：N.ファイル・V.デクラーク・ルビン、高橋誠一・篠崎人理監訳『バリデーション・ブレイクスルー』全国コミュニティライフサポートセンター、p.15、2014年より筆者作成

表4−13	代表的なバリデーションの基本テクニック

- リフレージング（キーワードを反復する）
- カリブレーション（感情を一致させる）
- 「誰、何、どこ、いつ、どのように」の質問をする
- 反対のことを想像する
- 極端な表現
- レミニシング（昔話をする）
- 行動と欲求を結びつける
- ミラーリング
- タッチング
- 音楽を使う
- 好きな感覚を使う
- センタリング
- アイコンタクト

資料：N.ファイル・V.デクラーク・ルビン、稲谷ふみ枝監訳『バリデーション ファイル・メソッド』全国コミュニティライフサポートセンター、p.115〜131、2016年より筆者作成

す。それは、人生の最後のステージにおいて認知症になり、さまざまな喪失体験を加速せざるをえない高齢者に対して、最後までその人らしく生きること（あたりまえでありながら、これまで成しえなかった）を介護者が可能にするための方法論だといえます。

　バリデーションの定義は、次の図4−11で示されます。

　この図より、バリデーションとはテクニックが使用できるだけでは十分ではなく、基礎となる理論（11個の原則およびバリデーションのゴール）を理解し、基本的態度が整ってこそ、正しく実践できることがわかります。基本的態度とは表4−12のとおりです。さらに基本テクニックには、表4−13のような技法があります。

　バリデーションでは以上のようなテクニックを認知症の進行度合いに応じて使い分けていきます。

第5節　認知症の人へのさまざまなアプローチ

2　バリデーションの実際

　ここでは、バリデーションを実際に行った事例をあげます。

　失語症の診断が出ていて、だれとも7年間話すことがなかったDさんは、バリデーション・ワーカーによる基本テクニックや基本的態度により、「受け入れられた」ことを実感し、自分の人生歴を語るにいたったと考えられます。

事例3

Dさん
　女性、90歳、要介護4
経過：1997（平成9）年に脳出血のため、右片麻痺、認知症、失語症の後遺症が残る。2007（平成19）年より7年間、特別養護老人ホーム（E県F市）に入所している。

　Dさんは上記のように、脳出血の後遺症による失語症と診断されており、ほとんど言葉を話せない高齢者であるとの情報をえていました。しかし、約20分間、時折、聞き取りにくい箇所はありましたが、Dさんはしっかりとした大きな声で自身の人生歴（ライフヒストリー）を語りました。

Dさんとのバリデーション（W：バリデーション・ワーカー、C：利用者）

話者	内容	使用した技法と態度
W	会いたい人はいませんか？	
C	…はずかしい話だけど、いないんです。	
W	はずかしい話だけど、いない。	＊リフレージング（キーワードを反復する）
C	（うなずく）	
W	これ、はずかしい？　ほかに会いたい人いないの、はずかしいですか？	（基本的態度）誠実
C	縁故がない。	
W	ああ（なるほど）、縁故がない。	＊リフレージング
C	子どもが1人と、孫が1人と、それだけが縁です。	
W	それだけ。もっとたくさんのお子さんとか孫さんに囲まれたかった？	＊ミラーリング（利用者と同じ動作をしながら）
C	私は子ができなかったんだ。それで、42のときに、妊娠した。	
W	妊娠した。それで無事、おなかの子は生まれましたか？	
C	おなかからこの子が出てくるまで、自分は死んではならないって。	
W	死んではならない。	＊ミラーリング（おなかに手

第4章　認知症ケアの実際

231

C	そりゃ、がんばって、出さないといけないなぁと思いました。	を当てて妊娠を示す利用者と同じ動作をしながら話を聞く）、＊リフレージング
W	そうだね、その子が生まれなかったら生きていけない、そう思った。 （このあと難産だったこと、生まれた子どもの病気の治療のため遠方の病院に通院したこと、今では立派に仕事をしていることなどの話をされる）	
W	毎日毎日、大変でしたね。そうやってお子さんを育てられたんだ。	＊欲求と行動を結びつける
C	元気に大きくなりました。	
W	大きくなりましたか。それなら、幸せですね。	＊タッチング（肩を包みこむようになぜる）
C	うれしいわ、こんなうれしいことないと思う！（涙を流しながら）	
W	ねえ、こんなうれしいことないですね！ 苦労して苦労してやっとできた子が、病気になって、それでまた元気になって、孫ができて、月1回会いに来てくれる。	＊リフレージング
W	見に来てくれる。よかったなぁ、本当に。苦労しましたね。	＊欲求と行動を結びつける

3 その他の各種アプローチ

ユマニチュードやバリデーション以外にもさまざまなアプローチが認知症ケアで行われています。本項では、そのなかで代表的なものを解説します。

どのアプローチを実施するにしても、事前に学習して、実施にあたっての最低限の予備知識を有していることが不可欠です。また、①本人の反応を見ながら楽しく進めることが基本です。認知症の人は、そのときそのときが楽しくないと続きません。②双方向コミュニケーションを大切にしましょう。楽しい会話は必須です。③認知症の人が何らかの役割をもてるように配慮しましょう。お仕着せではなく、本人が失敗しないでできる役割を見つけます。④その役割に感謝したり、役割ができたことをほめましょう。参加してくれていることへの感謝、「参加してくれてありがとう」も有効です。本人のやる気（参加意欲）がアップします。⑤本人の失敗体験を増やさないように気配りして進めましょう。エラーレスサポートで自尊心を守ります。この①～⑤は筆者が提唱している脳活性化リハビリテーション5原則❶です[2)]。以下に紹介するいずれ

❶脳活性化リハビリテーション5原則

どんなアプローチ（介入）でも、その介入が上手だと効果が出る。その上手な介入原則を5つにまとめた。この5原則は認知症の人だけでなく仲間や家族との良好な対人関係を築く原則でもある。

のアプローチを実践する場合でも、この5原則を守るように心がけましょう。

　これらのアプローチを社会参加につなげることで効果が高まります。たとえば、アートセラピーの作品展覧会、音楽療法の成果発表会、習字や編み物などの展示、園芸療法で育てた花や野菜を販売するなどです。こういった**社会参加活動**が目標となり、活動意欲を高めます。そして、社会参加活動を通じた他者（近隣の人や家族など）との交流が、ほめられ・認められる機会となり、好循環が生じます。

　介護施設では**レクリエーション**（レク）も大切です。オーストラリアでは、楽しみやレクの企画・準備・実施を担当するセラピストを育成し、介護施設への配置を義務づけています（ダイバージョナルセラピー）。認知症の個人ごとに、その人の残存能力を評価し、その人にあった活動を企画・提案し、実施した後の評価も担当するプロが介護施設にいて、「その人の楽しみを増やす活動」をしています。

　若年性認知症の人を中心とした通所系介護サービスについては、地域（施設外）での社会参加活動について自治体から疑義が生じていたため、2018（平成30）年に、社会参加活動のための留意点が厚生労働省から示されました。これにより、デイサービス利用者が社会参加活動として、公園のそうじ、公園の花壇の手入れ、進学路での見守り活動などを行える素地が整いました。さらにはデイサービス利用者である若年性認知症の人が会社に出向いて少額を受け取る有償ボランティアについても留意点が示されました。このようにして、若年性認知症の人の働きたいというニーズに対応しています。

1　リアリティオリエンテーション

　リアリティオリエンテーションとは現実見当識練習のことをいいます。日々の会話や日課のなかにさまざまな情報を盛り込みます。たとえば、本人の名前、年齢、誕生日、生まれた場所、家族の人数や名前などの個人情報、施設の名称や居場所などの地誌的見当識の情報、今日の年月日や季節など時間の見当識の情報、季節の花や行事などの情報と、見当識を高めるさまざまな情報を盛り込みます。「Ａさん、あじさいが咲きましたよ。もう梅雨ですね。今日は火曜日だけど雨が降っているので散歩に行けないですね」「ご主人のＢさんが面会に来てくれるといいで

すね。そろそろＡさんの誕生日ですね」などと会話に情報を盛り込みます。実際は、一度にこんなにたくさんの情報を盛り込んではいけません。情報は小出しに、繰り返しながら、少しずつ現実見当識を高めるようにはたらきかけます。

リアリティオリエンテーションは、アルツハイマー型認知症では比較的軽度の人に有効です。一方、記憶障害が重度で過去の世界に生きているような場合は、現在の情報を伝えることがかえって混乱を招くでしょう。たとえば、「夫がそこにいた」と言う重度の人に、「ご主人は５年前に亡くなりましたよね」などという対応は、逆効果になります。「ご主人はやさしかったですか」などと、過去形でたずねる程度がよいでしょう。よって、実施にはスキルと本人の反応への注意深い観察力が必要です。

2 回想法

回想法は、高齢者を対象とする心理療法の１つです。高齢者の過去への回想は、従来は否定的にとらえられてきましたが、1960年代にアメリカの精神科医バトラー（Butler, R.）が、人生の再評価やアイデンティティの強化をうながして心理的安定やQOLの向上に役立つとして、高齢者への回想法を提唱し、対人援助の技法として広まりました。

アルツハイマー型認知症では、新しいことを覚える記銘力が低下していますが、発症前に経験して遠隔記憶として保存されている過去の記憶は比較的よく残っています。昔、本人が活躍した出来事や仕事の話、子育ての話など、自分史を楽しく振り返ることを、介護福祉職が共感的に支援します。その結果、生活意欲や精神活動の改善が期待できます。具体的には表情が豊かになる、発語が増える、他者への関心や集中力が増すなどといったことがみられます。その一方、戦争体験や姑による嫁いびりなど、つらい記憶が心理状態を不安定にする危険性も潜んでいます。

よって、実施にあたっては、一定程度のスキルと、反応を見定める注意深い観察力が必要です。また、参加者に思い出させるという態度ではなく、参加者から昔のことを教えてもらうという態度が大切です。そして、教えてもらったことへの感謝を相手に伝えます。

アルツハイマー型認知症では、小グループで実施するほうが、話が盛

り上がり有効です。一方、血管性認知症では、1対1で個別に実施しながら、本人が「私は大切にされている」と感じられることが有効です。

回想法の基本は人生を楽しく振り返ることですが、一歩進めて回想から自分の人生を肯定的に再評価することや、自分自身を肯定的に受容していく洞察を導くことが**ライフレビュー**です。話して終わりにしないで、回想したことを書き残す手法もライフレビューに有効です。六車らは「聞き書き」として推奨しています。

回想法を実施するにあたり、慣れ親しんだ昔の道具などを使って昔の作業を実演する**作業回想法**は、より効果的です[2],[3]。たとえば、手打ちそばやすいとんなどの食べ物づくり、洗濯板とたらいでの洗濯など、手続き記憶として残っている能力を引き出すことで、会話が盛り上がり、楽しく実施できます。そして、認知症の本人が主役になり、使い方を介護スタッフに手ほどきする先生役になることで自己肯定感が高まります。日ごろから喪失感を感じることの多い認知症の人にとって、回想法によって慣れ親しんだ昔をふり返ることは、現在の不安や混乱から解放されるよい機会となるでしょう。自分が生き生きと過ごした古きよき時代を思い出すことは快刺激です。自己の認識が薄れ、不安を抱えている認知症の人が、回想法を通じて自分の歴史をもう一度振り返ることで、自分の人生の意味を再認識します。そして、落ち着いた生活ができるようになるでしょう。

このように、参加した認知症の人が元気になるだけでなく、スタッフも認知症の人の隠れた能力に気づき、認知症の人に元気づけられるといったように、双方に効果がみられます。

筆者らにより、脳活性化リハビリテーション5原則に基づいた作業回想法を認知症グループホームで週2回・12週間実践し、対照群と比較して介入群では生活機能が有意に維持されることを示しました[3]。

3 音楽療法と芸術療法

音楽療法は音楽を媒介としたアプローチですが、「みんなでカラオケ」では効果が望めません。だれか1人がマイクをにぎりしめて歌い、周囲の人たちは黙って聞いているセッションでは音楽療法とはいえません。音楽療法士がかかわる場合は、まず対象者の特性をアセスメントします。どんな時代に生きた人で、どんな生活をしてきたか、そしてどんな

音楽が好きか、歌うことは好きか、演奏することは好きか、などです。そして、その人のその日の気分を感じ取り、明るい歌がよいのか、暗い雰囲気の歌がよいのか、速いテンポの曲がよいのか、ゆったりとした曲がよいのか、アセスメント結果と反応を見ながら進行します。

このように、セッション参加者の反応を見ながら対応するスキルと観察力が必要です。グループで実施する場合は、参加者全員が楽しめるように配慮します。歌が苦手でも、ハンドベルの澄んだ音は心地よい空間をつくり出すでしょう。上手に行えば、生活意欲の向上や心理的安定によるBPSD低減効果が期待されます。

芸術療法（アートセラピー）は、絵画を中心に、造形、陶芸、舞踏、演劇、ダンス、文芸や写真など、さまざまな創作表現活動を用います。絵画療法は単に絵を描くということではありません。リンゴを描く課題を例に説明します。まずはリンゴの実物を見ます。においをかいでみます。そして、リンゴにまつわる思い出話に花を咲かせます。それから、リンゴを切ってみます。そして食べてみます。こうして五感を刺激し、イメージをふくらませてから描きはじめます。描き方も、上手に描くことよりも、イメージをふくらませることを優先します。いろいろな形や色のリンゴが描かれるかもしれません。仲間同士で見せ合い、笑い合えばよいのです。上手・下手という価値観を捨てて、参加者が達成感・満足感を味わうことが目標です。そのため、実施するにはスキルと参加者への気配りが必要です。

4 アロマセラピーとタッチケア

こころの安定を生むものとして、アロマセラピーとタッチケアをあげました。**アロマセラピー**は、精油を部屋の芳香、衣類の芳香（襟元）、枕元などに用います。昼間や元気のない人には「すっきり系」のローズマリーやレモンバームで交感神経を刺激し、夜間や過活動の人には「リラックス系」のラベンダーやスイートオレンジで副交感神経を刺激するのがよいようです。後者では、怒りなどのBPSDが落ち着く効果が期待されます。

ゆっくりとしたリズムの**タッチケア**は、心地よい皮膚刺激となり、ドーパミン（やる気）、セロトニン（抗うつ）、オキシトシン（愛着）といった神経伝達物質を増やし、逆にコルチゾール（ストレス）やアドレ

第 5 節　認知症の人へのさまざまなアプローチ

ナリン（怒り）を減らします。

　両方を組み合わせたアロママッサージはさらに有効です。マッサージオイルに少量の精油を混ぜて、よい香りの中でマッサージを行います。

　足浴の場合も、湯に「温泉の素」粉末を少し混ぜれば、気持ちよく足浴してもらえます。

5　園芸療法

　野菜づくりや花壇づくりを通じて、仲間との共同作業、楽しい会話、昔習得した手続き記憶の活用など、作業回想法に似た効果がえられます。さらに、野菜や花などの生産物をえられる喜びがあります。そして、生産物を食べる喜び、飾る喜び、他者にプレゼントする喜び、さらには販売してお金をえる喜びを味わえます。筆者のかかわる施設では、デイケアの活動として皆で野菜をつくり、一袋100円で販売しています。いざ販売するときになると、「一生懸命つくった野菜だから、もっと高く売りたい」などと会話が盛り上がりました。

　プロダクティブ・エイジング（**生産的高齢者**）という概念が提唱されています。認知症になっても、残存機能を活用し、生産活動を介して主体的に他者とかかわることが生活の質を高めるでしょう。ある介護施設では、精神障害者の施設と連携して農作業を行っています。力仕事は若い精神障害者が担い、高齢者が野菜づくりのノウハウを精神障害者に伝え、仲よく共同作業を行う。これこそ残存能力の活用です。

第4章　認知症ケアの実際

◆引用文献

1）N.ファイル・V.デクラーク・ルビン、稲谷ふみ枝監訳『バリデーション ファイル・メソッド』全国コミュニティライフサポートセンター、p.16、2016年
2）山口晴保「脳活性化リハビリテーション」山口晴保編著『認知症の正しい理解と包括的医療・ケアのポイント 第3版』協同医書出版社、pp.175-180、2016年
3）Yamagami,T., Takayama, Y., Maki, Y., Yamaguchi, H., A randomized controlled trial of brain-activating rehabilitation for elderly participants with dementia in residential care homes, Dementia and Geriatric Cognitive Disorders Extra 2 (1), 372-380, 2012.

◆参考文献

- N.ファイル・V.デクラーク・ルビン、高橋誠一・篠崎人理監訳『バリデーション・ブレイクスルー』全国コミュニティライフサポートセンター、2014年
- 本田美和子・Y.ジネスト・R.マレスコッティ『ユマニチュード入門』医学書院、2014年
- 本田美和子監、Y.ジネスト・R.マレスコッティ『「ユマニチュード」という革命』誠文堂新光社、2016年
- Y.ジネスト・R.マレスコッティ・本田美和子『家族のためのユマニチュード』誠文堂新光社、2018年
- 本田美和子「ビデオ教材・ユマニチュード」東京医療センター臨床研究センター政策医療企画研究部門高齢者ケア研究室、2014年

- TBS NEWS「新たな認知症ケア『ユマニチュード』とは【報道特集】」YouTube動画、2021年

- 篠崎人理・高橋誠一訳、N.ファイル『バリデーション──認知症の人との超コミュニケーション法』全国コミュニティライフサポートセンター、2001年
- 篠崎人理監、日本バリデーション研究会『ケアワーカーが語るバリデーション──弱さを力に変えるコミュニケーション法』全国コミュニティライフサポートセンター、2005年
- 稲谷ふみ枝監訳、飛松美紀訳、V.デクラーク・ルビン『認知症ケアのバリデーション・テクニック──より深いかかわりを求める家族・介護者のために』全国コミュニティライフサポートセンター、2009年
- 都村尚子編『福祉コミュニケーション論──支援を必要な人が求めるもの、支援する人に必要なもの』中央法規出版、2011年
- 水野裕『実践パーソン・センタード・ケア──認知症をもつ人たちの支援のために』ワールドプランニング、2008年
- 六車由実「『聞き書き』の自己分析──『オープンな対話』の可能性」『季刊政策・経営研究』第4号、2016年

第6節

認知症の人の終末期医療と介護

学習のポイント

■ 終末期における高齢者の状態を理解する
■ 終末期における認知症の人の特徴を理解する
■ 終末期における認知症の人がかかえる課題を理解する

関連項目 ⑪『こころとからだのしくみ』▶第9章「人生の最終段階のケアに関連したこころとからだのしくみ」

---

1 高齢者全般に関する終末期医療と介護

　超高齢社会を迎え、自宅よりも医療機関で亡くなる人の割合が増え、近年では介護施設で亡くなる人も増えています。亡くなる場所はさまざまですが、人はいつか必ず死を迎えます。死はこれまでのその人の暮らしの延長線上にあります。そのため、認知症の人が**終末期**を迎えたからといって、突然何かが大きく変わるわけではありません。介護福祉職として、死に向かうその人に対してできることは何かを考えることは、**その人らしい生き方**を最期まで支えるために重要です。そのために、ここでは知っておきたい終末期に関する知識や工夫を記します。

1 終末期の定義

　認知症に限らず、高齢者の終末期を定義することは容易ではありません。そのため、統一的な終末期の定義は示されていませんが、学会やガイドラインでいくつか示されています。たとえば、**日本老年医学会**では、終末期とは「病状が不可逆的かつ進行性で、その時代に可能な限りの治療によっても病状の好転や進行の阻止が期待できなくなり、近い将来の死が不可避となった状態」[1]と定義されています。ただ、この定

義では、具体的に"いつから"といった期間は示されていません。

2 終末期のおもな状態の変化と支援

終末期を迎える高齢者全般に関するおもな状態を示したものが**表4-14**です。「死の数か月前～1か月前」「死の数週間前～1週間前」「死の数日前～数時間前」「死を迎えたとき」の4段階に分けています。

死を迎えるにあたり、眠っている時間が長くなっていく傾向があり、**身体の衰弱**や**意識の低下**がしだいにみられます。死の数週間前～1週間前には、嘔吐や疼痛がみられることもあり、症状に応じた**緩和ケア**も必要となります。

終末期を迎える高齢者のもっとも身近にいる介護福祉職は、その人を支える重要な専門職です。段階に応じて介護福祉職に求められるおもな支援内容も**表4-14**に示しています。終末期を迎えると、寝ている時間

表4-14　終末期のおもな状態の変化と支援		
期間	おもな状態	介護福祉職によるおもな支援内容
死の数か月前～1か月前	・食事量が減る ・睡眠時間が長くなる ・褥瘡のリスクが高まる	・好きなものが食べられる工夫 ・褥瘡の予防、身体の清潔保持 ・本人の意思の尊重や精神的な支援
死の数週間前～1週間前	・身体が衰弱する ・意識の低下がみられる ・嘔吐や疼痛がみられる ・心拍数・体温・呼吸に変動がある	・状態のきめ細やかな観察 ・尿路感染症や皮膚トラブルへの注意 ・手足のマッサージや声かけ
死の数日前～数時間前	・反応が遅くなる ・血行不良により身体に斑点が出る ・血圧が下がり、脈が弱くなる	・状態のきめ細やかな観察 ・苦痛を緩和するかかわり（おだやかな声かけや唇をしめらせるなど）
死を迎えたとき	・心臓が止まる ・呼吸がみられない ・瞳孔が拡大する	・関係者との連絡 ・意向に応じたエンゼルケア（更衣や化粧）

出典：長沼信治「医療はどのようにして終末期を支えるのか」『おはよう21』第313号、pp.16-19、2014年
塚本憲司「介護職に必要な知識とかかわり」『おはよう21』第313号、pp.20-27、2014年をもとに作成

が増えることで、褥瘡のリスクが高まります。その人ができる限り心地よく1日を過ごすことができるように、定期的な体位変換や拘縮の予防、身体の清潔保持などが大切になります。

聴覚はかなり最期のほうまで残るといわれています。声をかけたり、手をにぎったりとその人の五感にはたらきかけるなどの支援も大切です。また、身体的な観点のみでなく、精神的な支援もその人が孤独を感じないために必要です。だれかが常に気をかけていてくれるとわかることでえられる安心感や適度な静けさを提供することで、心おだやかに過ごせる時間を増やしていくことができます。そのほか、合併症を含め予期されるリスクをほかの専門職と情報共有し、いざというときにもあわてずに対応する心構えも大切です。

2 認知症の人に関する終末期医療と介護

1 認知症の人の終末期の定義

認知症の診断基準にはICD-10やDSM-Ⅴなどがありますが、そこには終末期の定義は示されていません。一方、アメリカの**ホスピス**❶の導入基準には、アルツハイマー型認知症のステージ分類を示す**FAST**❷（Functional Assessment Staging）で最重度分類である7に含まれる、サブグループc（歩行能力の喪失）、d（着座能力の喪失）、e（ほほえむ能力の喪失）、f（混迷および昏睡）の状態で、合併症を発症した場合に認知症の終末期と考えると示されています。ここでいう合併症とは、誤嚥性肺炎、尿路感染症、多発性の重度な褥瘡、抗生物質投与後の繰り返す発熱などが含まれます。

その他、**全米ホスピス・緩和ケア協会**（NHPCO）などにも基準が示されています。それらをふまえると、認知症の人の終末期は、①1人では移動できない、②意味のある会話ができない、③ほぼ全介助を要する、④尿失禁や便失禁がみられる、⑤誤嚥性肺炎、尿路感染症などの合併症を発症している、などがおもな基準と考えることができるでしょう。

❶ホスピス
余命の短い人々（アメリカでは6か月以下が基準）がその人の状況に応じて、疼痛管理や情緒的、スピリチュアル的な支援を適切に受けることで、おだやかに過ごせることを援助するプログラム・実施場所・施設をさす。

❷FAST
p.20、p.73参照

2 認知症の人の終末期における状態の特徴

認知症の人の終末期においては、「食べられなくなる」という課題に直面することが多くあります。とくに認知症が進行すると、食べ物自体を認識することがむずかしくなり、食べることに関心を示さなくなることもあります。さらに、嚥下機能の低下により、食べ物を口腔内に溜めこみ、長時間にわたり咀嚼も嚥下もしない状態になることもあります。そのため、進行した認知症では、脱水や低栄養の状態、誤嚥性肺炎❸が課題になることが多く、注意が必要です。

スウェーデンの研究では、認知症の人の直接的な死因として、気管支肺炎と虚血性心疾患が多くを占めていることが明らかにされています。なかでも、アルツハイマー型認知症の人では、気管支肺炎と誤嚥性肺炎・窒息による死亡が55％に達していることが示されています。認知症の人の場合でも、がんを患っている人と同じような苦痛があることが少なくありません。なかでも、肺炎や心不全にともなう呼吸困難感は認知症の人の終末期において多くみられます。がんと認知症の人を比較した報告では、認知症の人はがんの人と比べて、死亡前の症状として褥瘡、肺炎、発熱、嚥下障害が有意に多かったことが示されています。これらから、認知症の人の終末期では**表4−15**のような症状が出やすいという特徴があると考えられます。なお、日本呼吸器学会のガイドラインでは、誤嚥をきたしやすい病態としてアルツハイマー型認知症があげられており、アルツハイマー型認知症、脳病変が誤嚥を引き起こす場合があることがわかります。

また、認知症の人の終末期の場合、言語や身体から発せられるサインが微弱なために苦痛症状が見過ごされがちです。「苦痛があるか、ないか」という視点ではなく、「苦痛があるかもしれない」という視点で認

❸誤嚥性肺炎
嚥下機能障害のため、唾液や食べ物、あるいは胃液などといっしょに細菌を気道に誤って吸引することにより起こる肺炎を誤嚥性肺炎という。

表4−15 認知症の人の終末期のおもな症状

① 食べられないことによる低栄養や脱水
② 肺炎や心不全などから起こる呼吸困難
③ 発熱
④ 長期臥床と低栄養による褥瘡

知症の人の様子をていねいに観察することが大切です。認知症の人の表情、発声や息づかい、身体の硬直、落ち着かなさなどを客観的に観察し、評価していくことも必要です。

3 認知症の人の終末期のおもな課題

1 食べられなくなることに対する支援

（1）経管栄養をめぐる課題

　食べられなくなったときに、経口摂取の代わりに、人工的水分・栄養補給の実施の有無、実施する場合にはその方法を判断することが求められます。とくに、近年、経管栄養の1つである**PEG（Percutaneous Endoscopic Gastrostomy：経皮内視鏡的胃ろう造設術）** が普及し、胃ろうによる栄養摂取を継続する重度の認知症の人がいちじるしく増加しました。そのことにより、胃ろうの是非が課題の1つとして取り上げられてきました。国内外で認知症の人の終末期に経管栄養を用いるべきか否かについて検討が進められています。欧米では、複数の研究成果をふまえて、終末期を迎えた認知症の人への経管栄養は推奨されない傾向にあります。

　終末期医療を含むあらゆる医療行為は、**患者の自己決定**を最大限尊重して行われるべきだとされています。しかし、認知症の終末期には、認知症の人による自己決定や意思の確認が困難な場合が多くあります。この意思決定をめぐる課題は認知症の人の終末期医療や介護における大きな特徴であり、かつ、むずかしい問題といえます。また、アルツハイマー型認知症は死因となる疾患であるため、経管栄養をしなくても死を迎えることになります。経管栄養の選択では、寿命の延長ができるかどうかという視点のみではなく、医療によって延長される**生活の質**をどう考えるかも重要な視点となります。加えて、患者の自己決定を尊重するために、**アドバンス・ディレクティブ（事前指示書）**[4]の準備を推奨することも重要といえます。

[4]**事前指示書**
意思決定能力を喪失した場合の治療に関する意向を、前もって口頭または書面で意思表示したものである。日本では、アドバンス・ディレクティブは法制化されていないため、一定の様式は決まっていないが、『私の四つのお願い』等がある。

（2）食べることへの工夫

　人工的水分・栄養補給を選択しない場合にも、認知症の人への食べることへの支援にはさまざまな工夫ができます。これまで多くの認知症の人の看取りを実践してきた、グループホーム福寿荘での具体的な取り組みをみてみましょう。グループホーム福寿荘では、たとえ少量であっても口から食べられるようにさまざまな工夫のもと、以下のようにていねいな支援をしています。

　終末期を迎えた認知症の人は、食事中に話し声や足音が聞こえると、注意が向いてしまい食べることをやめてしまうことがあります。そのため、静かな環境づくりを大切にしています。また、**表4－16**のとおり、食べる前の準備から食後の支援まで、多様な取り組みが行われています。このほかにも、ほとんどの人がおはぎを食べられることをヒントに、もち米入りのお粥など食べやすい食事内容も検討されています。なお、少しでも食べてもらうためのさまざまな工夫のもとでも、誤嚥性肺

表4－16 認知症の人の終末期における食事支援

食べる前の準備	・必ずトイレに行く（途中で尿意などを感じると食べることに集中できない） ・車いすやベッドからいすに座りかえる
姿勢の工夫	・可能な限り食卓テーブルで食べる ・座位が保てなくなるため、クッションを背部や両腕の下に入れるなど工夫する
食事介助	・正面から介助し、必ず飲みこんだことを確認する ・タイミングを逃さないように、介助者は注意深く支援する
食事の工夫	・ごはんと副菜とは分けて、その物を味わえるようにする ・甘みの感覚は最後まで残るため、餡や煮豆などで食べやすさの工夫をする
食事の回数	・睡眠時間が長くなるため、朝夕の2回にし、目覚めたときはおやつとして甘めの食べ物を提供する
食後の支援	・お茶ゼリーなどを食べて、口腔内をさっぱりさせる ・食後は20〜30分、ゆっくりと過ごしてもらったうえで、口腔ケアを行う

出典：宮本礼子・武田純子『認知症を堂々と生きる──終末期医療・介護の現場から』中央公論新社、pp.183-192、2018年をもとに作成

第6節 認知症の人の終末期医療と介護

炎などのリスクは存在します。そのため、医師や看護師などの医療職との連携を密にとりながら支援していくことも非常に重要となります。

2 終末期医療と介護の意思決定に対する支援

　経管栄養に限らず、医療的な処置を実施するか否かの選択は認知症の人の終末期においては非常に重要な課題です。認知症の人の場合、自己決定に代わる**推定意思**、**代理意思**、**事前意思**にもとづいて決定していくことになります。厚生労働省による「人生の最終段階における医療・ケアの決定プロセスに関するガイドライン」や日本老年医学会の「立場表明2012」においても、①本人の意思が確認できない場合には、家族の意見などから本人の意思をできるだけ推定して尊重すること、②本人の意思を推定することも困難な場合には、関係者間での十分な話し合いにもとづいて、本人にとっても最善の方針を決定すべきであることが示されています。

　また、本人の意思をより明確にするための１つの方法として、**アドバンス・ディレクティブ**（事前指示書）や、認知症が重度化する前に本人と家族と専門職が事前に話し合い、本人の価値観を共有するプロセスを重視する**アドバンス・ケア・プランニング**の取り組みも進められてきています。

第4章 認知症ケアの実際

◆ 引用文献

1）日本老年医学会「『高齢者の終末期の医療およびケア』に関する日本老年医学会の『立場表明』2012」p.1、2012年

◆ 参考文献

- 坂井敬三・増田靖彦・宮西邦夫「介護老人保健施設の緩和ケアを受けた重度認知症高齢者の予後関連因子について」『日本老年医学会雑誌』第53巻第4号、2016年
- 平原佐斗司編著『チャレンジ！ 非がん疾患の緩和ケア』南山堂、2010年
- Brunnström,H.R. & Englund,E.M., "Cause of death in patients with dementia disorders", *European Journal of Neurology*, 16(4), pp.488-492, 2009.
- Mitchell,S.L., Kiely,D. et al, "Dying with advanced dementia in the nursing home" *Archives of Internal Medicine*, 164(3), pp.321-326, 2004.
- 後藤真澄「認知症高齢者の終末期ケアの場における課題に関する文献検討」『日本認知症ケア学会誌』第16巻第4号、2018年
- 平原佐斗司編著『医療と看護の質を向上させる認知症ステージアプローチ入門──早期診断、BPSDの対応から緩和ケアまで』中央法規出版、2013年
- 飯島節「認知症患者のエンド・オブ・ライフ・ケア」『Cognition and Dementia』第12巻第2号、2013年
- 宮本礼子・武田純子『認知症を堂々と生きる──終末期医療・介護の現場から』中央公論新社、2018年
- 長沼信治「医療はどのようにして終末期を支えるのか」『おはよう21』第313号、2014年
- 塚本憲司「介護職に必要な知識とかかわり」『おはよう21』第313号、2014年
- 日本呼吸器学会医療・介護関連肺炎（NHCAP）診療ガイドライン作成委員会編『医療・介護関連肺炎診療ガイドライン』日本呼吸器学会、2011年

演習4-3 　終末期における認知症の人の意思決定

　アドバンス・ディレクティブやアドバンス・ケア・プランニングにおいて、どのような内容が扱われているか調べてみよう。

第7節

環境づくり

学習のポイント

- 環境の要素を理解し、とくに認知症の人にとっての物理的環境の役割と重要性を知る
- 適切な環境を整えることが認知症ケアの1つになることを理解する
- 環境づくりのポイントを理解し、具体的な手法を考えることができるようになる

関連項目 ▶ ⑥『生活支援技術Ⅰ』▶ 第2章「居住環境の整備」

1 認知症と環境

❶環境

環境には、物理的な環境要素（空間など）のほか、社会的な環境要素（他者との関係・交流など）、運営的な環境要素（制度や介護など）、個人的な要素（心身の状況や生活歴など）などがあり、各要素が相互に作用し合いながらその人の暮らしをつくりあげる。

❷BPSD

認知症のある人にみられる行動（徘徊・暴言など）と心理（幻覚・妄想・うつなど）の症状。人的・物理的な環境因子が影響する場合が多い。

認知症の人にとって**環境❶**はきわめて重要な要素です。認知症という病は治せなくても環境のあり方次第では、その症状を落ち着かせ、その人らしい暮らしを支えることや、その人の自立を高めることも十分可能です。また、その逆もしかりです。同じ人でも、おかれる状況や環境が異なることで、まったく異なる行動や様子がみられることがあります。病気は変わらなくても、**BPSD❷**（Behavioral and Psychological Symptoms of Dementia：認知症の行動・心理症状）のあらわれ方は変わります。環境づくりのあり方を誤れば、認知症の人は危機的な状況におちいってしまいます。認知症の人を支える一要素としての環境を意識し、適切に整えていくことはとても大切なことです。

認知症は脳の病です。脳はその人そのものです。その人の人格や背負ってきた人生や記憶、そして時間のすべてをきざみこむものです。だからこそ認知症の介護はむずかしくも、深く尊いのです。認知症がつくり出す表層的な症状だけみていても、認知症の人を理解し、また支えることはできません。その人が歩んできた人生、そしておかれてきた（おかれている）状況や環境を的確に把握し、理解することから認知症ケアは始まります。

248

2 環境と向き合う力

　ここでいう「環境」にはさまざまな要素や意味を含みます。その人がおかれている状況や物理的な環境、その人のまわりにいる人とのかかわり、介護サービスのあり方、そして過去から現在、そして未来までの時間。すべてが認知症の人に影響を与える要素であることを意識しましょう。しかし、これは特別なことではありません。私たち自身の生活や日常を考えれば容易に理解できることです。それらの要素が適切に、また、ふさわしくあることで、自分らしくいることができますし、ストレスなく心地よく、安定した生活を送ることができます。私たちは、それら環境要素の相互の関係性のなかに身をおき、バランスを保ちながら生活することができます。私たちは、環境要素に向き合い、折り合いをつけて生きていく力をもっています。ただし、それがむずかしくなるのが認知症という病です。だからこそ、認知症の人の環境のあり方はより慎重に考えなくてはなりません。

3 物理的な環境の重要性

　表4－17は室伏君士による「認知症の人へのケアの原則（20か条）」❸です[1]。認知症ケアにおける大切な視点が示されています。これをみると、その人を取り巻く物理的な環境が非常に重要であることに気がつきます。見方を変えれば、どれほど介護を充実させても、その物理的な環境が整っていなければ十分な対応ができないということを意味しています。「急激な変化を避ける」「安心の場（状況）を与える」「生活的に扱う」「適切な刺激を少しずつでも絶えず与える」などは、物理的な環境の側からも積極的にアプローチできる内容です。

　「理屈による説得よりも共感的な納得をはかる」も物理的な環境づくりを考えるうえでのヒントを与えています。それまで暮らしていた環境と大きく異なる施設に移った認知症の人によくみられるBPSDとして、**帰宅願望**❹があります。「私の家ではない…」「自分の家に帰りたい…」と発する人は少なくありません。その場から「自分の家」ではない、ということを感じとっているのです。それはそこにいる人、そこに流れる

第4章 認知症ケアの実際

❸認知症の人へのケアの原則（20か条）
室伏が認知症の人のケアの原則を発表したのは1985（昭和60）年で、わが国における体系的な認知症ケアの幕開けとなった。

❹帰宅願望
願望を抱くだけではBPSDではないが、大声を出す・立ちつくす・抜け出すなどの異常な行動をともなえばBPSDである。

> **表4-17 認知症の人へのケアの原則（20か条）**

I その人が生きてゆけるように不安を解消すること
　① 急激な変化を避けること
　② その人にとって頼りの人になること
　③ その人にとって安心の場（状況）を与えること
　④ なじみの人間関係（仲間）をつくること
　⑤ その人を孤独にし続けないこと

II その人の言動や心理をよく把握し対処すること
　⑥ その人を尊重すること
　⑦ その人を理解すること
　⑧ その人と生きている時代を同じにすること
　⑨ 理屈による説得よりも共感的な納得をはかること
　⑩ その人の反応様式や行動パターンをよく把握し対処すること

III その人をあたたかくもてなすこと
　⑪ その人のよい点を見いだし、よい点でつきあうこと
　⑫ その人を生活的・情況的に扱うこと
　⑬ その人を蔑視・排除・拒否しないこと
　⑭ その人を窮地に追いこまないこと（叱責・矯正し続けない）
　⑮ その人に対して感情的にならないこと

IV その人に自分というものをえさせるようにすること
　⑯ その人のペースに合わせること
　⑰ その人と行動をともにすること
　⑱ 簡単にパターン化して繰り返し教えること
　⑲ その人を安易に寝たきりにしないこと
　⑳ 適切な刺激を少しずつでも絶えず与えること

※原文での「老人」を「その人」に置き換えて整理した

時間や、そこにある空気や雰囲気がそのように感じさせるのだと思いますが、当然そこにある空間（環境）もその一因になっている可能性があります。「ここが今日から○○さんのお家ですよ」と理屈で説得しても、その人が感覚的に「家」だと思えるような環境や状況、安心していることができる雰囲気がなければ「家」にはなりえません。認知症ケアのなかでの物理的な側面からの環境づくりは、身体的介護と同様に大切なケアの一要素であるという意識をもち、適切な環境づくりに努めなければなりません。

第**7**節　環境づくり

4 自宅と施設での環境づくり

1 自宅での環境づくり

　環境を整え、生活環境づくりに配慮するとは、その人が、その人らしく暮らすことができるような環境を提供するということにほかなりません。自宅で暮らしている場合と、自宅を離れて施設で暮らす場合に分けて考えてみます。

　自宅の場合、その人が暮らしている状況や環境を保持することが比較的容易です。まずはその人の暮らしの形を尊重した生活環境づくりが求められます。よかれと思って行った転居（たとえば子世帯への呼び寄せ転居など）、滞在場所（部屋）の移動やトイレや浴室の改修、身のまわりのものの整理が、認知症の人にとっては大きなとまどいと混乱を引き起こしてしまうこともあります。1つひとつの行為・行動の手順を感覚的に、また身体で覚えている認知症の人にとって、それらの手順が変わることで、適切に対応できなくなってしまうことがあります。家のなかでの暮らしにおいては、1つひとつの動きや行動のなかに習慣化されたことや、その人なりの意味をもつものが少なくありません。見えない秩序のなかで私たちの生活は組み立てられ成立しています。その人にとっての生活の全体像をしっかり把握・理解したうえで、そこにある秩序を乱さないような配慮が必要です。

　また、生活は家のなかだけで完結するものではなく、地域社会とのつながりによっても成立しています。その意味では地域のなかでその人の生活をとらえ、支えていくしくみづくりも不可欠です。長年住み慣れた地域のなかでは、見慣れた景色や風景、その地域の目印となるお店や施設などが道しるべとなり次の行動を導き、またみずからの居場所の目印ともなります。当然、認知症になってから知らない地域に住めば思うようにはいかなくなりますし、なじむことがむずかしい状況が生まれます。だからこそ、住み慣れた地域で暮らすことが大切なのです。このような認知症の特性を地域で理解・共有し、地域で支え合う意識を育てていくことも重要です。認知症の人を温かく見守り包みこむような地域やまちづくりが求められます。

251

❺グループホーム
障害者や認知症の人のための居住の一形態で、リビングやキッチンを共有する共同居住の場所。認知症の人のためのグループホーム（認知症対応型共同生活介護）は介護保険制度のなかで位置づけられていて、定員5〜9名、介護福祉職が常駐しケアにあたることとなっている。

❻特別養護老人ホーム
原則、要介護3以上で、自宅で暮らせなくなった人がケアを受けながら暮らす居住のための介護施設。近年では「看取り」まで対応する施設が増えてきている。

2 施設での環境づくり

グループホーム❺や特別養護老人ホーム❻など施設での環境づくりにあたっては、より強い意識でのぞまなければなりません。そもそも、認知症の人にとって自宅以外の場所に暮らしの場を移すということ自体、大きな困難をともないます。しかし一方で、1人で家に閉じこもり、刺激のないなかで暮らしている状況や、家族介護のもと互いにストレスをかかえながら過ごす状況や環境と比べると、適切な環境に身をおくことができれば、それはそれでその人の生活の質を高め、その人らしい暮らしを送ることにつながるかもしれません。外山は「『自宅でない在宅』というものがあり、それは単に住む場所の問題ではなく、たとえ住み慣れた自宅を離れて施設に移ったとしても、再び個人としての生活領域が形成され生命力が萎むことがないのなら、施設も『自宅でない在宅』でありうる」[2]と述べています。だからこそ施設の存在価値があり、自宅から移って暮らす意義があるのでしょう。

5 環境づくりのポイント

環境づくりのポイントを6つ示します。前述した「認知症の人へのケアの原則（20か条）」にそのヒントはあります。可能な限りその人にとってふつうの生活と変わりがない状況や環境を意識的に行うことです。

1 「私」が暮らせる環境

認知症の人はとても繊細で敏感ですし、ある意味でとても正直です。私たち自身が「このような環境では過ごしたくない、過ごせない」と思うような環境は、当然、認知症の人も同様に感じます。その結果がさまざまなBPSDとなってあらわれます。どのようにあればよいかを考えることはむずかしいですが、私だったらどのような環境はいやなのか、と考えるのは考えやすいのではないでしょうか。一人称から考える環境づくり、つまりは「私」は暮らせないと思うような環境づくりはしないということから始めてみましょう。

2 家庭的で親しみやすい環境

私たちが暮らしたいと思う環境とはどのようなものでしょうか。落ち着きのある家庭的な環境、毎日過ごしていてもあきのこない環境、私たちが暮らしている家にそのヒントがあります（写真4－1）。特別な場所である必要はありません。その人がその人らしく暮らすことができるように、その人にとって必要な物や家具、その人なりのしつらえによって支えられる環境です。もちろん、その具体的な形は1人ひとり違います。しかし、共通するのはその人にとっての日常がそこにあることです。1人ひとりの人生、生活歴、そして日常を包みこむような環境づくりが求められます。

3 わかりやすい環境

認知症の人にとって「わかりやすい環境」であることは重要です。しかし「わかりやすい環境」と「単純で単調な環境」とは異なります。見通しのきく長い直線の廊下、見渡しのきく大きな食堂、何も物がない「スッキリ」した空間。これまでつくられてきた多くの介護施設がもっていた環境です。たしかにある意味ではわかりやすい環境ですが、認知症の人にとっては、それまで過ごしてきた生活につながる手がかりがない、非日常的で「わかりにくい」環境です。

「わかりやすい環境」とは日常がある環境です。本来"あるべきところ"に部屋や物、空間のしつらえがなければ認知症の人は当然混乱しますし、あるべき雰囲気をその空間がもっていなければその空間は認識されません。逆にその空間が"あるべき"姿をもち、またふさわしい雰囲気

写真4－1　民家を活用したグループホームの生活空間

写真4－2　生活行為をうながすきっかけとしての物

を備えていれば、それを「きっかけ」にして生活が展開されます（**写真4－2**）。みずから積極的に環境にはたらきかけることが困難になる認知症だからこそ、生活のなかでさまざまな行為・行動をうながし、誘発するような「きっかけ」が空間やしつらえに求められます。

4 五感に訴えかける環境

❼五感
人がもつ5つの感覚機能。視覚（目からの情報・刺激）、聴覚（耳からの情報・刺激）、触覚（皮膚からの情報・刺激）、味覚（舌からの情報・刺激）、嗅覚（鼻からの情報・刺激）をさす。

　「きっかけ」の1つとなるのが**五感❼**です。人は五感で楽しみ、五感を頼りに生活を送ります。認知症の人も同様です。むしろ、認知症になると記憶を頼りにした生活や行動が困難になりますから、よりいっそう、五感へのはたらきかけが重要になります。五感が記憶に訴えかけることもあれば、生活を導くこともあります。認知症の人の五感に対して、積極的にはたらきかける環境づくりをすることで、意外と大きな効果を生み出す可能性もあります（**写真4－3**）。

　これまでの施設では、なるべく刺激を少なくするような環境づくりや介護をしてきました。しかし、屋外をながめたり接したりするなかで温度、湿度、風、色やにおいから季節を感じることができます。また、生活のなかでぬくもりのある素材にふれ、食事づくりをはじめとする日常生活の音、においや光景を五感で感じることで感情が揺さぶられ、行動をうながすことにもつながります。特別なことではない、きわめて日常的なことを、より意識的に、積極的に生活環境のなかに取り入れていくことが求められます。

5 自立心・自尊心・個性を高める環境

　認知症になっても**自立心**や**自尊心**、そして**個性**は残ります。それらをうばいとるような環境づくりは避けなければなりません。とくに認知症の人にとっては、**なじみ**のある使い慣れた物や、思い出の物に囲まれて生活をしていることが記憶に訴えかけ、大きな安心感を与えます（**写真4－4**）。それをきっかけに生活行動が豊かに展開していきます。物はその人にとって個性の表出の1つです。みずから部屋のしつらえや、飾りつけなどをすることが困難な場合も多いですが、そのような場合にはその人のことを知る家族や介護福祉職による環境づくりが重要になります。

写真4-3　五感に訴えかける環境づくり　　写真4-4　その人の生きる力を引き出す物

　また、認知症の人も私たちと同じように1人になれる空間や数人でいられる空間、1人でいながらも他人の気配が感じられるような空間など、さまざまな場所を求めています（**写真4-5**）。ずっと1人でいることはさびしいですし、常に大勢の人と過ごしていることも疲れます。自分に合った生活の形やリズムが実現できるような選択性のある環境づくりや、1人ひとりの個性を失わせないなかで生活を送ることができるような環境づくりが必要です。人としての尊厳が守られ、1人ひとりの輝ける瞬間を包みこめるような環境づくりが求められます。

6　「生活」のための環境

　これまでつくられてきた施設の生活環境は、日常の生活スケールからはかけ離れた大きさの空間（長い廊下や大きな食堂など）で構成されてきました。空間が大きければ、1つひとつの生活行動における動きが大きくなりますし、移動に時間がかかります。結果として、移動介助等に多くの時間が割かれるなど介護の内容にまで影響を及ぼすことになります。また、大きな空間では1人ひとりの顔はみえにくくなり、その結果として集団的な介護にならざるをえなくなります。介護福祉職との物理的・心理的な距離も遠くなり、認知症の人にとって大切な安心感や包容感がうばわれてしまいます。

　以上のように考えると、小さな空間のなかで個別ケアをめざすグループホームや**ユニット型施設**[8]は認知症の人にとっては理にかなった形といえます。求められるのは、「介護」のための空間ではなく、あくまでもふつうに生活するための環境です。人がふつうに生活するための場所として環境づくりを行うこと、そのうえで細やかな配慮と温かみのある

[8] **ユニット型施設**
個々の状況やニーズにそった個別的なケア（ユニットケア）の実践をめざし、居室は全室個室で、10～15人程度の単位（ユニット）に分けて居住空間がつくられる介護施設。ユニット型で計画されることが多くなっている。

写真4－5　1人になりながらも他者とつながる空間

写真4－6　そこに流れる時間をほかの人と共有できる心地のよい空間

環境づくりをすることこそが、何よりも大切なことです（**写真4－6**）。

6 環境要素に配慮した具体的な工夫

　認知症の人のための環境づくりでは、その人がおかれている環境と状況を探り、その人に合わせた個別的な対応が求められます。人によって好むこと、好まないこと、適したこと、適さないことは違いもありますので、決めつけた対応や環境づくりは避けるべきです。一方で、環境の各要素を意識して、また、配慮したうえでの環境づくりも大切です。以下に各要素に配慮した具体的な工夫や対応について示します。環境に敏感な認知症のある人にとっての環境だからこそ、よりていねいに対応していく必要があります。

 音

　場面や状況に応じた音の配慮は大切です。一般的には騒々しい音、テレビなどの大きく響く音は集中力を下げ、また不快な気分にさせます。疲労感をもたらし、混乱を招く要因にもなります。カーペットなどを敷くことで室内に反射する音を吸収させ、耳になじんだ音環境をつくることにつながります。静かな会話の場面では小さな音でも気になりますし、くつろぎの場面や活動の場面では、流れる音楽によっては心地よさがもたらされたり、気分を高揚させたりもします（**写真4－7**）。一方で、認知症の人は音の選択的聴取の力が低下することもあり、介護福祉職がよかれと思って流した「心地のよい」と思われるBGMでも、認知

写真4－7　くつろぎコーナーとボタン1つで好みの音楽が天井から流れるシステム（フィンランド）

写真4－8　天井・壁・床面の色を変えて空間を分ける工夫（イギリス）

症の人にとっては逆効果になる場合もあります。

2　色や素材

　色は、人の心理だけでなく、生理面・感情面にもはたらきかけ、影響を与えます。気分を高揚させたり、落ち着かせたり、逆に陰鬱な気分にさせたりもします。壁面、天井面や床面の色を変化させることで、空間認識を容易にさせ、空間機能の違いを明確に伝えることにもつながります（**写真4－8**）。素材の違いも色と同様に雰囲気の違いをつくり出し、人に影響を与えます。

　一方で、とくにレビー小体型認知症では細かい模様が幻視を誘発したり、落ち着かない状況を生み出したりもします。できるだけ混乱を招かないシンプルなデザインが望まれます。

3　コントラスト

　例えば、トイレの便座や手すりは、色をつけてコントラストを明確にすることでその認識が容易になります（**写真4－9**）。一方で、床面にコントラストの強い色や模様があると、その部分が溝（穴）や段差として認識されてしまい、恐怖心を抱かせてしまったり、歩行時の障害になることもあります。また、反射の強い素材は視覚的な混乱をもたらす要因にもなります。

写真4-9 便座や手すりの色を変えて（手すりや便座が赤色）コントラストを高める（フィンランド）

写真4-10 個人を表出する居室前の飾り棚（日本）

4 明るさ

　明るさは、空間の雰囲気をつくりだし、気分にも影響を与えます。明るい空間は活発な行動をうながします。一方で、静かに落ち着いた滞在のためには明るすぎないことも大切です。自然光とあわせて照明でその調整を行います。光源が直接目に入らない間接照明も効果的です。時間帯や季節によっても明るさは変化します。活動や場面に合わせた適切な明るさを工夫すること、また、調整できることが重要です。

　近年では、調光・調色機能をもった照明もあります。朝昼はクリアで白い昼光色、夕夜は暖かみのある電球色など、**サーカディアンリズム**[9]を意識した照明計画も可能となっています。

> [9] **サーカディアンリズム**
> 概日リズムともいい、人間（生物）がもつ生体リズム。一般的には体内時計とも呼ぶが、ほぼ24時間でワンサイクルし、光の明暗などの刺激がそのリズムをセットする。適切な照明（明るさ）により睡眠・覚醒障害の改善もうながされる。

5 もの

　同じ扉や部屋が連続していると、自室の認識ができなくなります。その人の慣れ親しんだものや、思い出のものを居室の中はもちろんのこと、入り口などに設置したり、飾りつけしたりすることができれば、空間認識の手がかりになります（**写真4-10**）。

6 サイン

　直接的に視覚に訴えるサイン（表示等）も重要です。サインが中途半端だと、逆にとまどいや混乱をもたらす要因となります。大きくて見や

すく、コントラストを明確に、目線の高さでだれが見てもわかるデザインで示すことが大切です（**写真4-11**）。扉のデザインを変えることで、その部屋の役割の違いや意味を視覚的に伝えることもできます（**写真4-12**）。

写真4-11　トイレの認識を高める工夫をしたサイン（イギリス）

写真4-12　居室とトイレの扉のデザインを変えることでの工夫（日本）

写真4-13　自動センサーと手動レバーを備えたシンク設備（フィンランド）

図4-12　認知症の人にもやさしいピクトグラム例

女性用トイレ

DIC 2259

女性用

男性用トイレ

DIC 2397

男性用

みんなのトイレ

DIC 389

男女共用
または男性・女性の両方
を同時に表示する場合

出典：福岡市「認知症の人にもやさしいデザインの手引き」

また、認知症の人にやさしいピクトグラム（図記号）の開発も進んでいます。シンプルな記号化、色、表示の方法にいたるまで、認知しやすいデザインの追求は認知症の人の環境づくりにおいてはとても重要です（図4－12）。

7 設備・機器

設備・機器の使用には手順があります。できる限り使い慣れたもの、視覚的に理解できるもの、シンプルなものが望まれます（写真4－13）。その人がどのような時代、環境、また、状況で暮らしてきたのかを認識することが環境づくりのヒントになります。

◆引用文献

1）室伏君士編『痴呆老人の理解とケア』金剛出版、p.44、1985年
2）外山義『自宅でない在宅――高齢者の生活空間論』医学書院、p.37、2003年

第 7 節　環境づくり

演習4-4　心地よい環境づくり

　心地よい「環境」（空間のあり方、場所のあり方、状況・雰囲気のあり方など）をあげて、それは五感にどのようにはたらきかけているのか考えてみよう。また、5つの感覚を刺激する心地よい環境を探してみよう（1つの環境や場面が複数の五感を刺激することもある）。

	心地よい環境	刺激を受けている五感
例1	台所からおいしそうな料理のにおいを感じるとき	□視覚　□聴覚　□触覚　□味覚　☑嗅覚
例2	大好きなお菓子を食べているとき	☑視覚　□聴覚　□触覚　☑味覚　☑嗅覚
例3	眺めのよい景色を見ているとき	☑視覚　□聴覚　□触覚　□味覚　□嗅覚
		□視覚　□聴覚　□触覚　□味覚　□嗅覚
		□視覚　□聴覚　□触覚　□味覚　□嗅覚
		□視覚　□聴覚　□触覚　□味覚　□嗅覚
		□視覚　□聴覚　□触覚　□味覚　□嗅覚
		□視覚　□聴覚　□触覚　□味覚　□嗅覚

第4章　認知症ケアの実際

第 5 章

介護者支援

第 **1** 節　**家族への支援**

第 **2** 節　**介護福祉職への支援**

第 **1** 節

家族への支援

学習のポイント

- ■ 家族介護者の現状と課題を理解する
- ■ 家族介護者の心の葛藤や心理過程を理解し支えることができる
- ■ 家族への支援に活用できるフォーマル、インフォーマルなレスパイトケアを理解し実践できる

関連項目	④『介護の基本Ⅱ』	▶ 第1章第4節「生活のしづらさの理解とその支援」
	⑤『コミュニケーション技術』	▶ 第4章「家族とのコミュニケーション」
	⑭『障害の理解』	▶ 第5章「家族への支援」

1 家族の状況

1 介護者の状況

（1）介護者と被介護者の関係性の移り変わり

❶家族
家族を明確に定義した法律はなく、その概念には個人差がある。血縁だけではなく、情緒的なかかわり合いで深く結ばれている関係を家族としてとらえることができる。

　家族❶は、それぞれ異なる生活や背景があり、1つとして同じ形はありません。また、介護は子育てとは異なり、期間の長さ、必要とする介護の内容の個人差が大きく先が見えにくいという特徴があります。住居および生計をともにする者の集まりを世帯といい、構成する人々の世帯構造は、社会情勢により就労や就学、生活設計などで大きく変化しています。

　かつては大家族で世帯人数も多く、地域のつながりも強く家族間や地域で助け合うことができた在宅介護は、今や家族の**自助**や地域内における**共助**を維持することがむずかしく、新たな課題が生まれています。**表5−1**は、介護保険が始まった2001（平成13）年と2019（令和元）年の主な介護者の状況を比較したものです。

第1節　家族への支援

表5-1	在宅介護の介護者とその世帯の移り変わり	

2001（平成13）年	2019（令和元）年
同居介護　71.1%	同居介護　54.4%
男性介護者　23.6%	男性介護者　35.0%
配偶者の介護　25.9%	配偶者の介護　23.8%
子が親を介護　19.9%	子が親を介護　20.7%
子の配偶者が介護（主に嫁）　22.5%	子の配偶者が介護（主に嫁）　7.5%
65歳以上同士の介護　40.6%	65歳以上同士の介護　59.7%

資料：厚生労働省「2001年国民生活基礎調査の概況」「2019年国民生活基礎調査の概況」より作成

2001（平成13）年と2019（令和元）年を比較すると、「同居介護」と「子の配偶者が介護者」が大きく減少しています。一方、「男性介護者」と「65歳以上同士」の増加が顕著です。これまで家族でも女性や子の配偶者が担っていたものが、今では3分の1以上が男性であり、配偶者間でありかつ高齢者同士の介護が多くを占めていることがわかります。

（2）介護者のもつ悩みやストレス

介護者の悩みは、介護者のおかれている世帯や個人の状況とも関係しています。図5-1は、性別にみた介護者の悩みやストレスをあらわしたものです。7割以上の家族が悩みやストレスをかかえており、約3割の人が介護者でありながら自分自身の病気や介護について、約2割の人が収入や家計について悩んでいます。介護者自身が高齢であることでの心身の負担、介護や年齢によって就労できないことでの負担を感じています。とくに、認知症の人を介護する家族の負担感は、身体的介護に加え常に見守りが必要になることや、さまざまなBPSD（Behavioral and Psychological Symptoms of Dementia：認知症の行動・心理症状）への対応が求められるために大きな課題になります。

介護負担感を評価する方法として代表的な尺度にZarit介護負担尺度❷があります。身体的・心理的・経済的困難さなどを総合して測定することができ、支援の指針として役立つものです。

❷Zarit介護負担尺度
介護負担感について「親族を介護した結果、介護者が情緒的・身体的健康、社会生活および経済状態に関して感じる苦悩（suffering）の程度」と定義している。これにもとづき尺度開発がなされ日本語版もある。8項目からなる短縮版も用意されている。

第5章　介護者支援

265

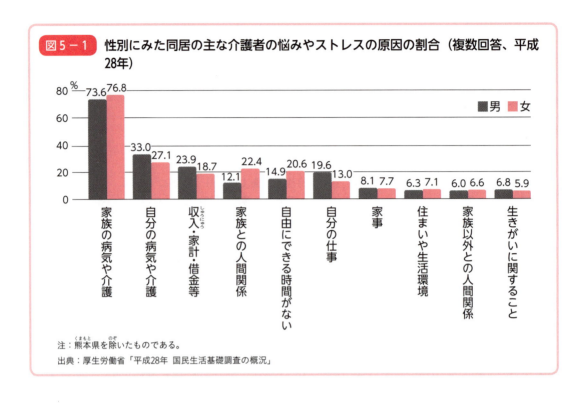

図5-1 性別にみた同居の主な介護者の悩みやストレスの原因の割合（複数回答、平成28年）

注：熊本県を除いたものである。
出典：厚生労働省「平成28年 国民生活基礎調査の概況」

2 家族介護者の介護力に影響をもたらすいくつかの課題

（1）男性介護

　女性が多くをになってきた在宅における介護は、核家族化による高齢の配偶者間介護の増加、男女平等の推進による就労状況や意識の変化により男性の介護者が増加しています。男性介護の場合、外部に支援を求めず孤立しやすいということや、家事の不慣れ、親密なコミュニケーションを好まないといった特徴や課題が負担となることが報告されています。一方で、一途に生きがいとして高い価値観で没頭するという側面もあるようです。とはいえ、男性すべてに共通した特徴ではないということも理解してください。市町村やNPO等では「男性介護者の会」を設け相談しやすい場づくりをしているところもあります。

（2）介護離職

　介護や看護を理由にして仕事を離職することをいいます。介護離職は2017（平成29）年には約9万人であり、2007（平成19）年と比較してお

よそ２倍に増加しています。企業にとって労働力低下となるだけでなく、介護者が生活を営むうえで経済的な困難を生じるおそれもあります。国では、「介護離職ゼロ」をかかげ取り組んでいます。介護休暇の推進等、働きながら介護をになえるための支援の拡充をめざし、「介護離職ゼロ　ポータルサイト」（厚生労働省）などで多くの情報を整理し、相談先や利用できる制度や給付を紹介しています。

（3）ヤングケアラー

　ヤングケアラーとは、家族のケアをになう18歳未満の子どもをさす言葉として使われています。もちろん、専門学校や大学などの学生、介護を理由にして就労をあきらめてしまった若年世代の介護者全般も含まれます。特徴として、介護は自分がするものと思い込み、本来は支援が必要であるが本人は気づいていない、または、気づいていてもだれに何を相談してよいのかわからないということがあり、その結果、学習や交友関係に支障をきたし、将来や人生設計ができないという課題が生じています。厚生労働省、文部科学省それぞれのサイトで相談窓口を紹介しています。

（4）ダブルケア

　ダブルケアとは、育児と介護が同時期に発生し、それらをになっている状態のことです。背景には、晩婚化の影響により出産が高齢化し、育児を行いながら介護を引き受けている実態があります。その支援が不足し、孤立化や離職につながっていることが課題です。推計では、ダブルケアの状況にある人は25万人以上存在しているとされており、男女比では女性が男性の２倍です。「ダブルケアカフェ」や専用の相談窓口を設置している自治体もありますが、まだ少数です。今後、新たな社会資源の開発が求められます。

（5）8050問題

　80歳代の親と50歳代の子どもの組み合わせによる生活問題のことです。親と同居する未婚の子どもが就労せずにひきこもりの状態になると、親の年金が生計の中心となり、しだいに生活は困窮し、社会的にも孤立していきます。こうした傾向が問題になっています。

　また、その親が要介護状態になることで、経済的な問題や子どもの自

第5章　介護者支援

第１節　家族への支援

267

図5－2 要介護者等と同居の主な介護者の年齢組み合わせ別の割合の年次推移

注：2016（平成28）年の数値は、熊本県を除いたものである。
出典：厚生労働省「2019年 国民生活基礎調査の概況」

立の課題など、事態はさらに深刻になっていきます。地域包括支援センターをはじめ、生活困窮者の自立相談支援窓口との連携による支援が求められます。

（6）老老介護、認認介護

　高齢者同士の介護を老老介護、認知症の人同士の介護を認認介護といいます。高齢夫婦のみで居住する世帯が増加していることから、こうした課題が増加しています（図5－2）。高齢の介護者は自分自身の健康問題をもっていますし、認知症は加齢にともない罹患率が高くなるため、こうしたリスクはいっそう高まります。介護できない状況の予兆を察知し、早期介入を心がけ、介護者の健康に配慮したかかわりが求められます。

第1節　家族への支援

（7）若年性認知症

　18～64歳までに発症した認知症を若年性認知症といいます。本人が現役で仕事をしていたり、主たる介護者が配偶者であったりすることも多く、子どもが就学中であれば経済的な課題も生じやすくなります。また、介護者が高齢の親である場合や、その世帯に複数介護を必要とする状況もあり、認知症が進行すると介護者の負担が非常に大きくなる傾向がみられます。相談は、「若年性認知症コールセンター」が窓口としてあります。また、全都道府県に**若年性認知症支援コーディネーター❸**が配置されていますので、行政担当窓口に問い合わせてください。

❸**若年性認知症支援コーディネーター**
p.310参照

（8）高齢者虐待

　介護をする家族等による高齢者虐待が多く発生しています。虐待をしてしまった家族の続柄で多くみられるのは、息子や夫といった男性です。また、虐待者とのみ同居の世帯や未婚の子と同居、夫婦のみの世帯が多く、地域から孤立し密室化していることも考えられます。そして、虐待を受けた人の7割以上が認知症であることから、認知症の人の介護は虐待のリスクを高めていることがわかります（2019（令和元）年度の国の調査結果より）。

　専門職は、変化や介護負担を早期に察知しやすい立場にあることから、高齢者虐待の防止、高齢者の養護者に対する支援等に関する法律（高齢者虐待防止法）では、「早期発見」と「通報の義務」について定めています。専門職から声かけを積極的に行い、虐待を未然に防止する視点でかかわることが大切です。なお、事業所等に勤務する専門職には、虐待が疑わしい場合にも**通報の義務❹**があり、窓口は市町村担当課となっています。

❹**通報の義務**
養介護施設従事者等に対しては、勤務先で養介護施設従事者等による高齢者虐待を受けたと思われる高齢者を発見した際や、それ以外でも高齢者の生命や身体に重大な危険があるときには、すみやかにこれを市町村に通報しなければならないとあり、通報が義務として定められている（高齢者虐待防止法第21条第1項・第2項）。

2　認知症の人の家族の心理過程と葛藤

1　家族の心理状況の段階的変化

　家族介護者の心理状態を理解するために受容にいたるまでの心理過程をステージ理論で段階的にとらえてみます。この考え方は、もともとは

第5章　介護者支援

269

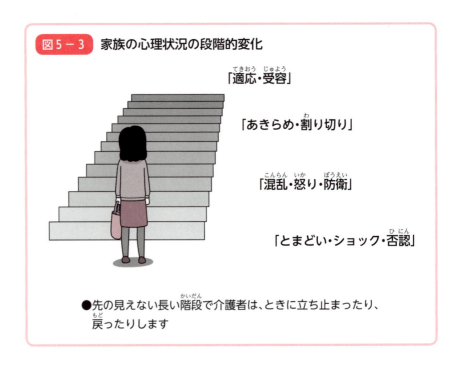

図5-3 家族の心理状況の段階的変化

「適応・受容」
「あきらめ・割り切り」
「混乱・怒り・防衛」
「とまどい・ショック・否認」

●先の見えない長い階段で介護者は、ときに立ち止まったり、戻ったりします

死を宣告された本人がその事実を受け入れる過程をステージで表現したキューブラー-ロス[5]（Kübler-Ross, E.）の「死の受容」と、障害者でもあった心理学者コーン[6]（Cohn, N.）がみずからの病気や障害に対する心理的回復過程をもとに提唱されました。これは、本人が本人の人生にかかわる重大な出来事や事実を受け入れるまでのプロセスを示したものであり、介護者の心理的サポートに役立つものとして、認知症の介護者の心理として使われています。注意してほしいことは、これは認知症の人や障害者の心理状況を、支援する側の家族の視点にあてはめようとしていることです。そのために、ここで紹介するプロセスは受容にいたる個人差があることを前提として考えてください。あくまでこころの様子を探ろうとするものではなく、第三者である支援者が介護者とともに歩む姿勢を示すための1つの指標として用いてください（図5-3）。

（1）「とまどい・ショック・否認」

認知症かもしれないという疑いや違和感を覚えはじめる段階です。頻繁に起こる記憶の障害や不可解な行動を目にしたとき「まさか」という思いと同時に正常な部分を見つけようとします。多くの介護者はこれまでに経験をしていないことなので、将来がみえずとまどいます。自身の気持ちを受け入れるための支援が必要になります。その際には、介護者

---

[5] キューブラー-ロス
病などで死と直面する人とのかかわり方を研究し、『死ぬ瞬間』（1969）の著者であり、その著書のなかで「死の受容のプロセス」を提唱した。「否認」→「怒り」→「取り引き」→「抑うつ」→「受容」の段階があると説明した。

[6] コーン
中途で身体障害を負った人の障害をどう受け止めるかということを「障害受容」のプロセスとして説明した。「ショック」→「回復への期待」→「悲哀」→「防衛」そして、最後の「適応」という5つの段階が仮定されている。

同士の**ピア・サポート**（同様の経験や体験を共有する人同士による支え合い）が有効です。具体的には家族会のような集まりに参加することです。実際に同じ思いをもち、生活している人と話をすることで、将来の経過や有効なサービスの使い方等を聞き精神的な安定につながるのです。

（2）「混乱・怒り・防衛」

　生活のなかでさまざまな理解しがたい出来事が頻繁に起こり、混乱し、今の状況に怒りさえ覚えはじめる時期です。この怒りは自分自身に対してであり、認知症の人に向けられる場合もあります。何度も何度も同じことを繰り返したり、外出し迷子になって周囲に迷惑をかけてしまうことや、排泄の失敗もあります。一方、認知症の人は、周囲の人には上手に取りつくろうこともあります。家族全体、周囲の人が認知症について理解をするための情報提供や話し合いの場面をつくっていくことが大切です。

（3）「あきらめ・割り切り」

　今の状況を受け入れると同時に、周囲の助けに限界があり仕方ないとあきらめ、介護者として生きていこうといった割り切りも生まれる時期です。一方で、介護に没頭し、孤立してしまうこともあります。介護者自身の心身の健康に注意を払い、介護者自身の休息時間を設けることも大切です。

（4）「適応・受容」

　介護者自身で生活のリズムも調整したり、上手に介護サービスを活用して、介護をすることで介護者の自己の成長や新たな価値観を見いだす時期です。できること、できないことの見定めや、認知症の人の生活の質の向上のために何が必要かを分析的に受け入れることができる時期でもあります。しかし、本質的には介護の負担は変わっていません。認知症の人の症状や介護者の環境や健康状況によって、再び混乱をきたすこともあります。また、終末期に向けた悲しみや悲哀の感情が生まれることもあるので、介護福祉職は注意深く見守る必要があります。

2 家族の葛藤を支える

　認知症介護は、診断の直後から家庭生活全体に変化と選択を迫られます。具体的には、「だれが」「どこで」「どのように」介護生活をするのかということです。自分では「大切な家族だからできるだけいっしょにいて介護をしてあげたい」という気持ちと、「やはりむずかしいのでは」という葛藤が生じます。ついきつい言葉を言ってしまう自分に、強い罪悪感を感じることもあります。認知症が進行してくると、在宅生活の限界を感じますが、施設入所にかかる費用であったり、親戚や近隣からの目が気になり決心がつきません。こうした「よい介護者像」と「現実」の板挟みから自己犠牲を強いられることがあります。また、介護にまつわるさまざまなことを家族が決めるのが当然と思われることで苦しみ葛藤しています。

　介護者は、介護が始まった段階から「Yes」or「No」の選択を迫られ、葛藤から疲弊していきます。この選択の際に1人で悩むのではなく、介護福祉職が味方となり、いっしょに考えてくれる姿勢があることは家族にとってとても心強いものです。その際には、家族も認知症の人ももっとも生活の質が高くなる選択を支援することが、介護福祉職による家族支援の基本姿勢として求められます。

3 認知症の人の家族へのレスパイトケア

1 レスパイトケアとは

レスパイトケアとは、在宅で介護をする家族に、一時的な休息や息抜きを行う支援のことです。家族が生活の一部として長期にわたり介護を継続するためには、家族がこころも身体も健康でなければなりません。在宅の介護者の状況では、高齢者が高齢者を介護する老老介護の世帯は、全体の半数を占めており、身体的な負担は重くのしかかっています。そして、1日に占める介護時間は、要介護5では、半数以上が「ほとんど終日」になります（図5-4）。介護の負担感は、1つの出来事だけではなく、いくつかのことが重なり少しずつ蓄積していくのです。

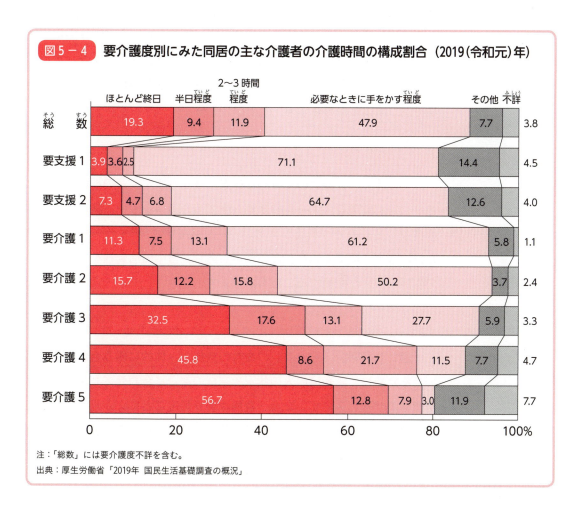

図5-4 要介護度別にみた同居の主な介護者の介護時間の構成割合（2019（令和元）年）

注：「総数」には要介護度不詳を含む。
出典：厚生労働省「2019年 国民生活基礎調査の概況」

同じように、認知症も少しずつ進行することから、期間が長くなれば徐々に対応に追われ、心理的にも負担は大きくなります。そのことから、長期間の介護生活を継続するためには、レスパイトケアが行われることが大切です。レスパイトケアを利用することで、介護福祉職とのかかわりも増えます。介護福祉職から認知症の人の現在の状況を聞き、介護に関する助言を受けることもできるので、在宅介護を継続するうえで役立ちます。とはいえ、介護保険サービスは、一義的には要介護者の支援であり、インフォーマルなサービスを上手に活用することも望まれます。

2 介護保険サービスにおけるレスパイトケア

（1）認知症対応型通所介護（認知症デイサービス）

認知症の人専用に行われる通所介護です。日中の時間に利用ができるために、家族は家事をしたり、自分の時間をつくることができます。また、通常の通所介護との違いは、認知症と診断された人のみが利用できることです。通常の通所介護より小規模で12人以下が定員となっています。小規模であることは認知症の人にとって混乱が少なく、安心する環境で過ごすことができます。

（2）通所介護（デイサービス）

日中の時間の介護者の一時的な休息に役立ちます。どの地域にも多くあり、特別養護老人ホームや短期入所生活介護（ショートステイ）等との併設が多いので、利用しやすいサービスです。「デイサービスに行った日は夜よく寝てくれた」という声もあり、日中の活動性を高めることで生活リズムが回復することもあります。

（3）小規模多機能型居宅介護

「通い」「訪問」「泊まり」の複数の機能が一体的に組み合わせて利用できるために、認知症の人の状況や家族の都合に合わせて利用することができるサービスです。また、費用は要介護度ごとに1か月を単位（短期利用の場合は1日単位）に一定の額を支払うことになり、利用頻度が増えても基本的に支払額は変わりません。

（4）短期入所生活介護・短期入所療養介護（ショートステイ）

認知症専門ではありませんが、**短期入所生活介護・短期入所療養介護（ショートステイ）**[7]はまとまった期間利用することが可能で、レスパイトケアとして大きな効果があります。食事、入浴、排泄の介護やレクリエーションや相談支援なども行われるために、家族は完全な休養をすることができて安心して利用することができます。連続で利用できる日数は30日間です。

3 介護保険サービス以外のレスパイトケア

（1）家族会

同じ境遇にある家族同士の語り合いの場である家族会は、家族のこころのよりどころになるピアサポートであり、心理的な休息につながります。家族会は全国的な組織である「**公益社団法人認知症の人と家族の会**[8]」が開催するものや、市町村が地域支援事業のなかで開催する**家族介護支援事業**での介護者交流会等があります。いずれにしても、同じ境遇の人が、同じ立場で「支援する―される」という関係ではなく、対等で水平な関係であり互いに学ぶ姿勢をもつことが基本です。

家族会では、経験を共有します。今感じていること、悩んでいること、やりたいことなどを話すことで自分自身と向き合う機会になります。目標をだれかに定められたり、指導されたりするのではなく、対話のなかで参加した家族がこの機会を通じて、力づけられたり、生活のなかの工夫を学んだり、ほかの参加したメンバーから励ましをもらい互いが支えになったりすることをめざしています。家族会には、専門職が入ることもありますが、指導などは行わず、あくまで、情報提供だったり、進行役だったりする役割です。このようなプロセスを経て自分自身や、介護者としての疲れた気持ちを回復していくことをめざします。

○家族会の流れ（おおむね1時間半から2時間）
はじめに（進行役から趣旨や簡単な流れを説明する）
→自己紹介（匿名でもよい）
→自身の境遇や現在の思いについて話をする
→参加メンバーから助言や経験を聞く
→終了

---

[7] **短期入所生活介護・短期入所療養介護（ショートステイ）**

連続しての利用は30日までと定められており、連続して30日を超えて利用する場合、31日目からは全額自己負担（10割負担）となる。

[8] **認知症の人と家族の会**

1980（昭和55）年に「呆け老人をかかえる家族の会」として京都で発足。全国に支部があり、電話相談や介護者同士の語らいの集まり「つどい」を定期的に開催している。また、国際アルツハイマー病協会にも加盟している団体である。

（2）介護者教室

　介護者教室は、認知症の知識や介護方法を学ぶことで客観的に自分の介護を見つめ直す教育的なサポートです。認知症の人の介護は、がんばりすぎて疲れてしまうことが多くあります。開催は、地域支援事業の市町村が行う場合、介護者教室では、認知症の症状や対応の工夫、食事介助、健康管理、排泄介助やおむつの使い方、移乗の方法、介護保険制度や費用など、介護をするうえで知っておくべき内容について講話や実技などで学ぶ機会になります。

　講話は、高齢者施設等で働く介護福祉職が行うことが多いものです。その際には、たとえば、「同じことを何度も言われてイライラする」という気持ちに対して、「認知症の人の気持ちに寄り添いましょう」というような理想ではなく、イライラする気持ちを前提として、どうしたら落ち着かせることができるか、そうならないための具体的な介護方法をどうすればよいかというような現実的で具体的な内容の講座の企画をします。介護者教室の時間は1時間から2時間が多く、何回かのシリーズで企画するとよいでしょう。

（3）認知症カフェ

❾認知症カフェ
1997年にオランダの老年心理学者ベレ・ミーセン（Miesen, B.）が発案したアルツハイマーカフェを起源に、日本では2012（平成24）年にオレンジプランにて紹介された。現在は世界各国に広がり、日本では現在6000か所を超えていると推計されている。ほとんどの認知症カフェはボランティアで運営されている。

　認知症カフェ❾は、地域のなかのオープンな場所で認知症の人、家族や友人、地域住民、専門職が水平な関係で語り合う場所です。認知症の人も家族もいっしょに気兼ねなく入ることができます。この活動によって、認知症があっても過ごしやすく理解のある地域づくりがなされるソーシャルサポートの場です。それによって、介護をする家族の地域でのストレスが軽減され、介護生活がしやすくなることが期待されています。認知症カフェは介護保険サービスではないので、そこで出会う専門職とも分けへだてなく本音で話ができることも魅力の1つです。地域包括支援センターや施設、事業所では言えない悩みや世間話ができることでこころが軽くなることもあります。

　1時間半から2時間で、月に1回、費用は参加費1人100円から200円が多く、内容はとくに決まっていませんが、30分程度のミニ講話とカフェタイムが組み合わされています。ここで、行われるのはつながりをつくることによる情緒的支援、そしてミニ講話による情報や知識の提供です。認知症カフェは、地域住民のボランティア等で運営されていて、地域のカフェやレストラン、公民館、施設の交流ホールなどで開催され

第1節　家族への支援

ています。また、高齢者だけの集まりでもなく、さまざまな世代の人が自由に出入りすることができ、間口が広くなっています。認知症の人がスタッフとして役割をもっているところもあります。介護福祉士や地域包括支援センター職員などの専門職も運営スタッフとして、また来場者として参加することができます。

実際のカフェなどを利用して行われることもあります。ただし、ボランティアで運営が行われているものなので、無理をせず、継続できる方法を考え、地域全体を巻きこんでいくことを大切にします。

> ○認知症カフェの流れ（1時間半から2時間）
>
> 　　カフェタイム→ミニ講話→カフェタイム→Q&A等
>
> ※この流れは、あくまで参考ですが、場所によっては体操などを行うところもあります。しかし、あくまで認知症カフェですから主目的は体操やレクリエーションではありません。

4　介護福祉職が行う認知症の人の家族への支援

1　入所施設での家族支援

家族支援は、在宅介護をしている家族だけでなく、施設入所をしてからも行われなければなりません。入所をしても認知症の人は家族の一員です。入所にあたって自分の家族を他人にまかせてしまっているという罪責感を感じる家族も少なくありません。どのように生活しているか、迷惑をかけていないかといった不安感をもつ家族もいます。認知症の人も、入所後は環境になじめず、しばらく落ち着かなかったり、これまでにない症状があらわれたりすることがあります。介護福祉職は、家族から在宅生活の様子や本人の好みや趣向等を詳しく聞く機会を設けることが大切です。その機会をつくることで家族の安心感につながり、信頼関係にもつながります。それにより、認知症の人にとってよい介護計画や支援につながるヒントもえられることがあります。また、家族が施設に面会に訪れたときにもあいさつだけではなく、日常生活の様子、家族が不安なことはないかなどコミュニケーションをとることを心がけます。

第5章　介護者支援

277

2 居宅系サービスでの家族支援

訪問サービスや通所サービスの事業所の職員は、家族の負担感を軽減する役割もあります。家族とかかわる機会が多く、そのつど観察や声かけを積極的に行うことが望まれます。家族は、申し訳ないという気持ちも多くあり、要望を言いがたく遠慮している場合もあります。表情や様子から観察し、今困っていることはないか、何か不安なことはないかを察し、声をかけるようにします。家族の体調や睡眠時間、健康についてさりげなく聞き取り、サービスの提案や相談が必要であれば、介護支援専門員や相談員につなげることを伝えます。

うまくいっている、ていねいに行えているなどの在宅介護を評価することも介護福祉職の役割です。その評価は、見てくれている人がいると感じることで励みにもなり、孤立感も軽減していきます。また、通所介護等で家族が見ていないときの認知症の人の様子を伝えることも家族の安心と気づきにつながります。自宅では何もしなかった人が通所介護では明るく楽しそうに過ごしていることもあります。家族は、通所介護に行っているときも、どうしているか不安が頭から離れないことがあるので、こうしたことを伝えると、不安が軽減し介護サービスを利用してよかったと思える気持ちになります。

3 家族への情報提供と助言の方法

在宅介護をする家族に情報提供をする際には次の点に注意する必要があります。

（1）理想論だけを述べない

「認知症になってもこころは生きています」ということを伝えても、「あなたには何もわからない」と思われてしまうでしょう。同じように「問題行動という言葉はやめましょう、本人にとっては問題ではないのです」と言うのも同じように感じるでしょう。家族が知りたいのは、理想ではなくどのように今の状況を回避すればよいのかという現実的な生活の工夫なのです。家族にとっては、生活をおびやかす問題行動なのでしょう。その際は、まずは十分に今の話を聞くことが重要です。何に困っていてどんな気持ちなのかについて耳を傾けましょう。そして、す

第1節　家族への支援

ぐに助言をするのではなく、家族が望ましい生活をするためにどうしていくことがよいのかを助言しましょう。もしかしたら、買い物に行く時間や友人に会う時間がほしいのかもしれません。こうした要望をかなえるためにどうしたらよいのかをいっしょに考えたうえで、次に対応方法について助言するようにします。

（2）あいまいな概念を使わない

「その人らしさが大切です」「パーソン・センタード・ケアが基本です」「説得より納得」といったあいまいな概念での説明は避けましょう。家族は、具体的な助言を聞きたいのです。たとえば「何度も時間を聞いてきてイライラする」という悩みに対して「怒ってはだめです。その人の気持ちになってみましょう」では具体性がありません。まずは、家族の気持ちを受け止め、「怒りたくなる気持ち」を理解し、そのうえで、いくつかのアイデアを出していきます。たとえば、時計を目の前に置く、デジタル時計にしてみる、またはできるだけ本人の目の前に行って伝える、それでもだめなときは3回までしっかり答えてその後は別の話題にするなど、具体的で実用的な試すことができる助言を心がけます。概念的な話ではなく、今の話をするようにしましょう。けんかによる怒りの感情は家族だからこそ生まれるものであり、一方で家族だからこそ生まれる喜びもあります。けんかばかりでは疲れてしまうので、できるだけ笑顔が増えるような生活を送ることをめざす助言をしましょう。

（3）家族がうれしかったと感じる言葉

言葉は、同じ言葉でもだれに言われたかによって感じ方が異なります。図5－5は、838人の認知症の人を介護する家族の「専門職から言われてうれしかった言葉」を集計したものです。自分の「体調への気遣い」についてもっともうれしかったとの回答が多くありました。サービスを利用する認知症の人への声かけや体調の心配はあるものの、家族の体調を聞いてくれることがないと感じているからこそ、体調を気遣った声かけをうれしいと思うのかもしれません。介護者が健康でいなくては、在宅の介護は成り立ちません。介護者が健康であれば、介護福祉職の助言や情報提供をもっと活用できるでしょう。介護福祉職と家族が協力し合うことが、よりよい介護につながる近道なのかもしれません。

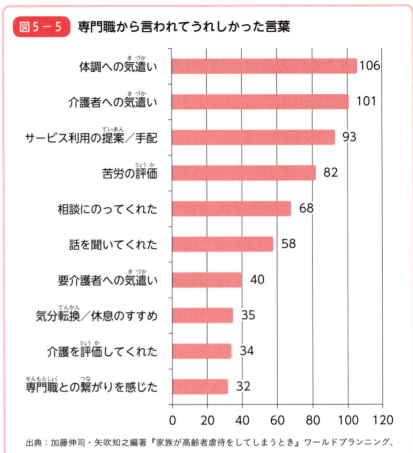

◆ 参考文献

- 厚生労働省「令和元年度『高齢者虐待の防止、高齢者の養護者に対する支援等に関する法律』に基づく対応状況等に関する調査結果」2020年
- 厚生労働省「平成28年 国民生活基礎調査の概況」2016年
- 厚生労働省「2019年 国民生活基礎調査の概況」2019年
- 矢吹知之・B. ミーセン編著『地域を変える認知症カフェ企画・運営マニュアル──おさえておきたい原則と継続のポイント』中央法規出版、2018年
- 加藤伸司・矢吹知之編著『家族が高齢者虐待をしてしまうとき』ワールドプランニング、2012年
- Arai, Y., Kudo, K., Hosokawa, T., Washio, M., Miura, H., Hisamichi, S., Reliability and validity of the Japanese version of the Zarit Caregiver Burden Interview, Psychiatry and Clinical Neuroscience, 51(5), 281-287,1997.
- 厚生労働省「平成29年 雇用動向調査結果の概要」2018年
- NTTデータ経営研究所「平成27年度 育児と介護のダブルケアの実態に関する調査報告書」2016年

演習5-1　家族介護者への支援

　家族の心理状況に応じた言葉かけを考えてみよう。助言の引き出しをたくさんもつことが大切であるため、できるだけたくさんの助言を考えてみよう。個人で考え、その後グループで共有してみよう。

認知症の診断をされてしまい、とまどい、ショックを受けている家族介護者への言葉かけ、助言

介護や見守りに日々追われて疲弊し、ときにイライラしている家族介護者への言葉かけ、助言

介護をすることを受け入れ、没頭している家族介護者への言葉かけ、助言

介護生活と社会生活を上手に両立し、安定している家族介護者への言葉かけ、助言

第 **2** 節

介護福祉職への支援

学習のポイント

- 介護福祉職が介護現場でやりがいをもって、安心して働き続けられる環境を整備する方法を学ぶ
- 介護の現場で、認知症のケアモデルを実践するための方法を学ぶ

関連項目 ① 『人間の理解』 ▶ 第3章第3節「人材育成・自己研鑽のためのチームマネジメント」

1 働きやすい職場環境の整備

　認知症の人の尊厳を支えるケアを実現するには、介護者である家族の支援が必要なように、介護福祉職への支援も不可欠です。それは、認知症の人にとって介護福祉職は人的環境であり、よりよい環境となるために介護福祉職が支援を受けることは、認知症の人へのよりよいケアにつながるからです。介護福祉職にとっては働きやすい職場環境整備と、ケアモデルを実践する環境整備の両者が必要です。本節では、2つの側面から介護福祉職への支援について紹介します。

1 介護関係の仕事を選んだ理由と仕事の満足度

　介護福祉職が「介護関係の仕事を選んだ理由」として、**表5－2**に示されているとおり約半数の人が、「働きがいのある仕事だと思った」ことを1位にあげています。さらに、約3割前後の介護福祉職が「資格・技能が活かせる」「人や社会の役に立ちたい」と考え、介護の仕事を選択したことがわかります。また、**表5－3**の「現在の仕事の満足度」には、仕事を選んだ理由と同様に「仕事の内容・やりがい」が1位にあげられています。この結果から、介護福祉職の多くが介護の仕事自体にやりがいや魅力を感じて就労していることがみえてきます。

第2節 介護福祉職への支援

表5-2 介護関係の仕事を選んだ理由（複数回答可）

あてはまる項目	令和元年度 n＝21,585	平成30年度 n＝22,183	平成29年度 n＝21,250
1. 働きがいのある仕事だと思った	49.8%	49.3%	50.1%
2. 資格・技能が活かせる	36.2%	35.5%	35.5%
3. 人や社会の役に立ちたい	30.9%	29.5%	29.7%
4. 今後もニーズが高まる仕事	29.0%	28.9%	29.0%
5. お年寄りが好きだから	23.9%	22.7%	22.9%

資料：公益財団法人介護労働安定センター「平成29年度～令和元年度 介護労働者の就業実態と就業
意識調査」

表5-3 現在の仕事の満足度（満足＋やや満足）

あてはまる項目	令和元年度	平成30年度	平成29年度
1. 仕事の内容・やりがい	52.7%	52.8%	53.3%
2. 職場の人間関係・コミュニケーション	47.2%	47.3%	47.4%
3. 職場の環境	39.9%	40.2%	40.3%
4. 雇用の安定性	37.1%	36.4%	36.9%
5. 労働時間・休日等の労働条件	36.0%	35.6%	34.8%

資料：公益財団法人介護労働安定センター「平成29年度～令和元年度 介護労働者の就業実態と就業
意識調査」

第5章 介護者支援

　介護福祉職の仕事の満足度の「仕事の内容・やりがい」は、仕事を選んだ理由の上位にあるように、専門職として「資格や技能を活かせること」、利用者の「役に立つこと」、高齢者が「好きであること」と関連しています。仕事の満足度には続いて、「職場の人間関係」や「職場の環境」があげられているように、職場の環境が関係しています。この2項目は離職理由とも関連していますが、自分1人では解決できない問題を含んでいます。介護現場では運営者側が、介護福祉職の専門職としてのやりがい感を充足し、職員間の関係性を含む職場環境を整備する必要があることを示しています。

2 介護福祉職の離職理由と離職防止対策

（1）介護福祉職の離職理由：「職場の人間関係」の背景

　表5－4のとおり、介護福祉職が介護関係の仕事を離職する理由として、**職場の人間関係**が1位にあげられています。この「職場の人間関係」は、現在の仕事の満足度とも深く関係し、人間関係のよさが介護福祉職の定着率につながることを示しています。3位の「法人や施設・事業所の理念や運営のあり方に不満」も、運営者や上司との関係性という面で職場の人間関係に含まれるものです。2位の「結婚・出産・妊娠・育児」、4位・5位の「自分の将来の見込みが立たなかった」「他に良い

表5－4　介護関係の仕事を辞めた理由

あてはまる項目	令和元年度 n＝5,579	平成30年度 n＝5,507	平成29年度 n＝5,985
1. 職場の人間関係に問題があった	23.2%	22.7%	20.0%
2. 結婚・出産・妊娠・育児のため	20.4%	20.3%	18.3%
3. 法人や施設・事業所の理念や運営のあり方に不満があった	17.4%	16.5%	17.8%
4. 自分の将来の見込みが立たなかった	16.4%	16.3%	15.6%
5. 他に良い仕事・職場があった	16.0%	17.6%	16.3%

資料：公益財団法人介護労働安定センター「平成29年度～令和元年度 介護労働者の就業実態と就業意識調査」

表5－5　職場の人間関係等の悩み、不安、不満等

あてはまる項目	令和元年度 n＝21,585	平成30年度 n＝22,183	平成29年度 n＝21,250
1. 部下の指導が難しい	20.8%	21.2%	22.3%
2. ケアの方法等について意見交換が不十分である	20.1%	20.6%	20.4%
3. 自分と合わない上司や同僚がいる	20.2%	20.9%	20.3%
4. 経営層や管理職等の管理能力が低い、業務の指示が不明確、不十分である	19.4%	19.5%	19.2%
5. 上司や同僚との仕事上の意思疎通がうまく行かない	15.8%	16.2%	16.1%

資料：公益財団法人介護労働安定センター「平成29年度～令和元年度 介護労働者の就業実態と就業意識調査」

仕事・職場があった」については、就労環境の整備が課題となっています。

また、働くうえでの悩みには、「職場の人間関係の悩み」として、**表5-5**のとおり、同僚および上司、部下との関係性や指導力に関する問題が示されています。上位4項目は僅差の割合で並び、ほぼ同様の結果となっています。しかし、2015（平成27）年度は、「ケアの方法等に関する意見交換が不十分」が1位で、「部下の指導の難しさ」が4位の順位となっています。2016（平成28）年度以降は、キャリアパスや研修制度の普及など国の施策が進み、「部下の指導」の重要性が認知された結果と考えられます。ケアの方法に関する意見交換が不十分な状態で、部下の指導は困難であることがうかがえます。

（2）認知症の人やその家族による介護福祉職への暴力・ハラスメント

認知症のおもなBPSD（Behavioral and Psychological Symptoms of Dementia：認知症の行動・心理症状）である「暴言・暴力・易怒性」（p.57参照）は、前頭前野の病変により現在の状況が把握できず、感情のコントロールがむずかしいなどの背景を理由に生じるケースが多くあります。このようなケースでは、介護者側が適切に対応できれば、症状の緩和や予防につながりますが、うまく対応できない場合はさらに症状を悪くさせ、けがや骨折などの事故につながります。また、近年では認知症の人に加えて、認知症状のない利用者や家族による介護福祉職への身体的暴力や精神的暴力、セクシュアルハラスメントなど（いわゆる介護ハラスメント）が増加していることが、2018（平成30）年度の厚生労働省等の実態調査で明らかになっています[1]。

利用者からのハラスメントの内容は、訪問・通所・居宅系サービスでは「精神的暴力」の割合が高く、入所系サービスでは「身体的暴力」および「精神的暴力」の割合がいずれも高くなっています。ハラスメントを受けた経験のある職員は、サービスにより違いがありますが、利用者からは4～7割、家族等からは1～3割になっています。さらに、ハラスメントを受けたことにより、けがや病気になった職員は1～2割、仕事をやめたいと思ったことのある職員は2～4割となっています。

介護ハラスメントが発生する要因については、「利用者・家族等の性格又は生活歴」「利用者・家族等がサービスの範囲を理解していないか

ら」「利用者・家族等がサービスへ過剰な期待をしているから」「利用者・家族等に認知症等の病気又は障害によるものであるから」等が上位にあげられています。このような課題に対して、厚生労働省は実際に事業者が具体的に取り組むべきこととして、次のような提案を示しています。

---

① 事業者自身が取り組むべきこと

・基本的な取り組み・環境整備とPDCAサイクルの考え方の応用

・利用者・家族等に対する周知

・相談しやすい職場づくり

・利用者等に関する情報の収集とそれを踏まえた担当職員の配置・申送り

・発生した場合の初期対応

・発生後の対応

・再発を防止するための対策

・管理者等への過度な負担の回避（組織としての対応）

・利用者や家族等からの苦情に対する適切な対応との連携

・サービス種別や介護現場の状況を踏まえた対策の実施

② 職員に対して取り組むべきこと

・必要な情報の周知徹底

・介護保険サービスの業務範囲の適切な理解の促進

・職員への研修の実施、充実

・職場でのハラスメントに関する話し合いの場の設置、定期的な開催

・職員のハラスメントの状況把握のための取り組み

・職員自らによるハラスメントの未然防止への点検等の機会の提供

・管理者等向け研修の実施、充実

③ 関係者との連携に向けて取り組むべきこと

・行政や他職種・関係機関との連携（情報共有や対策の検討機会の確保）

　ハラスメントの適切な対応や予防は、介護福祉職への影響だけでなく、利用者自身が継続的かつ円滑に介護サービスを利用するためにも必要な対策です。

（3）介護福祉職の離職防止対策：施設内研修プログラムの確立

　介護福祉職の離職を防止するには、離職理由と関係する**表5－3**（p.283参照）の「仕事の満足度」の充足をはかることが対策となります。介護福祉職は「仕事の内容」にやりがいや満足感をもっとも感じていますので、離職理由にあげられている「ケアの方法を話し合う機会」をつくり、チームケアを実現できる環境を整備する必要があります。そのためには、「尊厳を支えるケア」の方法について学習できる**施設内研修の機会**や、本音で話し合える会議を定期的に開催する必要があります。また、チームケアのもととなるケア・業務マニュアルや、施設サービス計画等を全職員が共通して実践できるような体制を整備する必要があります（**図5－6**）。

　このような学習や会議の機会を定期的に開催するのは、法人や施設等の運営者の責任になります。研修担当者をおき、計画的に施設内研修が進められるような環境を整備します。また、介護福祉職が法人の理念や運営のあり方への不満を理由に離職することを考えると、新任時だけで

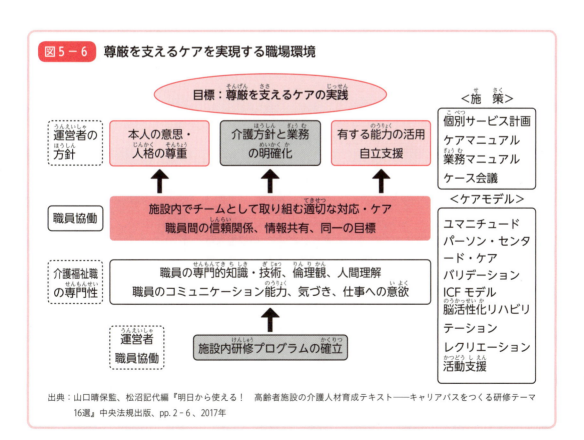

図5－6　尊厳を支えるケアを実現する職場環境

出典：山口晴保監、松沼記代編『明日から使える！　高齢者施設の介護人材育成テキスト──キャリアパスをつくる研修テーマ16選』中央法規出版、pp.2－6、2017年

なく繰り返し理解を深める研修の機会を設けることが、運営者側に求められていることがわかります。

施設内研修プログラムの種類と実施方法

（1）施設内研修プログラムの種類

これまで述べたとおり、尊厳を支えるケアを実現するには、介護福祉職の専門性の向上やチームケアは不可欠であり、それを実現するには施

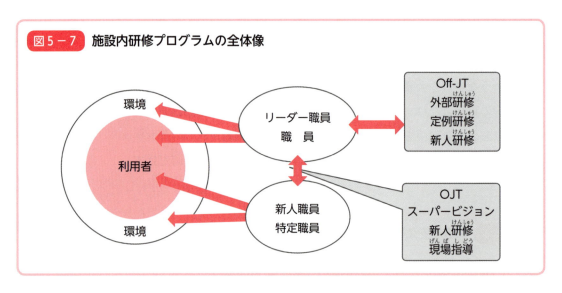

図5－7 施設内研修プログラムの全体像

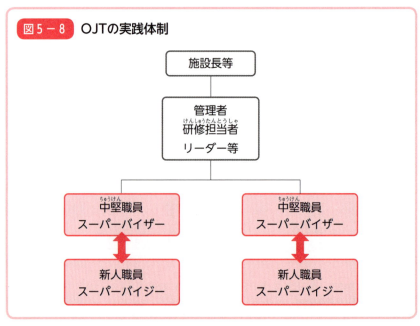

図5－8 OJTの実践体制

設内研修のシステム化が不可欠です。施設内で実施する研修の種類には、全職員を対象に定期的に開催する研修（Off-JT（Off the Job Training））と、新人職員等を対象に介護現場で一定期間教育するOJT（On the Job Training）があります。2種類の研修方法の全体像を図5－7に示します。

（2）OJT・スーパービジョン体制の整備

OJTは、新人の介護福祉職や実習生を専門職として育成するために、実際に働く現場で日常業務を行いながらトレーニングする方法です。認知症の人たちの行動パターンやBPSD（Behavioral and Psychological Symptoms of Dementia：認知症の行動・心理症状）への対応方法を学ぶには、介護現場で実際に模範的なケアを見て、実際にやってみることが重要です。OJTの過程では、スーパービジョンの管理・教育・支持機能を使って、中堅職員のスーパーバイザーが新人の介護福祉職であるスーパーバイジーを、直接指導し、育成します（図5－8）。

OJTおよびスーパービジョンを計画的に進めるために、研修担当者は施設の運営者と相談して、育成期間を6か月から1年のあいだで設定し、全体の育成プログラム計画を立案します。最初に施設の理念や概要、ケアや業務内容について、マニュアルにそって説明します。次にスーパーバイザーはスーパーバイジーの自己覚知をうながし、1か月ごとの目標を設定します。その目標にそって指導できるように、育成プログラムを計画します。実際の現場での状況や能力、意欲、理解度、ニーズ等に応じて定期的な面接のほかに、状況に応じて随時指導します。

（3）施設内定例研修（Off-JT、内部定例研修）

介護福祉職の専門性の向上やチームケアの推進をはかるために、施設内で定例研修を計画的に実施します。介護福祉職や利用者のニーズに応じたテーマを設定し、講師は介護現場のリーダー等が担当します。外部研修でえた情報を定例研修の場で伝達する機会をつくり、情報共有する場を設けます。研修は講義形式の一方向だけでなく、演習を毎回取り入れることで、介護福祉職同士の関係性が強化される効果もあります。

4 就労環境の支援

（1）介護福祉職のキャリアパス制度

　介護福祉職の**キャリアパス制度**は、2009（平成21）年に職員の確保・定着をはかることと、介護福祉職が仕事にやりがいをもち続けて、キャリアアップをはかることのできる職場づくりをめざして創設されました。キャリアパスには、「給与体系」「人事制度」「職員のキャリア形成支援」が含まれています。給与体系については、低いとされてきた賃金水準や賃金上昇率の割合を上昇させるために、介護福祉職に対して一律「介護職員処遇改善交付金」が支給されることになりました。2012（平成24）年には「介護職員処遇改善交付金」を介護報酬に移行し、「介護職員処遇改善加算」として、賃金改善に反映しやすいしくみへと改正されました（「介護職員処遇改善加算に関する基本的考え方並びに事務処理手順及び様式例の提示について（平成30年3月22日老発第2号）」）。

　2015（平成27）年、2017（平成29）年、2018（平成30）年の改正においては、人事制度やキャリア形成支援が強化され、介護福祉職の資質向上のための人材育成やキャリアアップのしくみを強化することが事業主に求められることになりました。

（2）介護福祉職の福利厚生

　介護福祉職の給与水準やキャリア形成は、前述したキャリアパス制度により改善傾向にありますので、次の課題として有給休暇の取得推進があがっています。しかし、有給休暇をとるにも、安定した職員数の確保が前提条件になります。介護職員処遇改善加算が今後さらに上げられることで、安定した人材確保が望まれます。

　また、**表5-4**（p.284参照）における介護福祉職の離職理由では、「結婚・出産・妊娠・育児のため」が2位に位置しています。妊娠・出産・育児を含む育児休暇制度は、労働基準法や育児休業、介護休業等育児又は家族介護を行う労働者の福祉に関する法律（育児・介護休業法）により勤務先の就業規則に規程されていますが、制度を利用しづらい介護現場の現状があります。出産後の職場復帰を可能にするために、保育所の待機児童問題など国や行政、勤務先が一体となって取り組むべき課題も残されています。

第 2 節　介護福祉職への支援

2 ケアモデルを実践するための環境整備

　介護福祉職がケアモデルを実践し、認知症の人の尊厳を支えるケアをチームで実現するには、**組織内の環境整備**や個々人の**気づきの育成**が鍵となります。ここでは、ケアモデルを実践するための具体的な方法を紹介します。

1 チームで認知症のケアモデルを実践するための方法

　前章で紹介された**パーソン・センタード・ケア❶**、**ユマニチュード❷**などのケアモデルは、組織全体でチームケアとして実践する必要があります。チームでケアモデルを実践するには、具体的な方策を立てて取り組む必要があります。表5－6にケアモデルを実践するための過程の一例をまとめました。

　これらに加えて、**BPSDやQOL（Quality of Life：生活の質）などの評価❸**を定期的に行うことで、ケア実践の効果を"見える化"でき、さらに有効な支援につなげることができます。

❶パーソン・センタード・ケア
p.154参照

❷ユマニチュード
p.225参照

❸BPSDやQOLなどの評価
p.62参照

表5－6　認知症のケアモデルを実践するための過程

過程		おもな内容
①	ケアモデルの決定	研修担当者が外部研修に参加したなかから、施設に合ったケアモデルを決定する
②	定例研修での伝達	全職員（介護福祉職、ほかの専門職）対象に、ケアモデルの考え方や方法を指導・伝達する
③	施設サービス計画等の作成	施設サービス計画等を作成する際、ケアモデルをもとにしたサービス内容を計画する
④	職員によるケアの実践	サービス内容を全職員が常に実践できるように、ケース記録などでチェックする方法を検討する。ケアの実践について評価する

（1）ケアモデルの決定

　パーソン・センタード・ケアなど1つのケアモデルを実践するには、まず、所属する組織の現状やニーズに合ったケアモデルを決定する必要があります。それぞれのモデルについて、研修担当者が実際に外部研修などに参加して実践事例や情報を集めるなかで、自分たちの現状に合ったケアモデルを決定します。

（2）定例研修での伝達

　決定されたケアモデルの方法や方向性については、全職員が情報共有できるように、介護福祉職だけでなくほかの専門職を対象にした定例研修を開催します。定例研修において、ケアモデルの考え方や方法について指導・伝達します。

図5－9　サービス内容を反映したケース記録様式

利用者名（　　　　　　　　）様

／（　） 記録者	①自力での食事摂取（促し）□　②移動時タオルを使用□ ③車いす時ずりおち注意□　④毎食後歯磨きうがい（促し）□ ⑤レク・行事への参加（促し）□
／（　） 記録者	①自力での食事摂取（促し）□　②移動時タオルを使用□ ③車いす時ずりおち注意□　④毎食後歯磨きうがい（促し）□ ⑤レク・行事への参加（促し）□

（3）ケアモデルをもとにした施設サービス計画等の作成

　所属組織単位ごとに定例研修で学んだケアモデルの方法を共有し、個々の認知症の利用者のケアにどのように応用していくかを検討します。具体的には、施設サービス計画等の作成時やケースカンファレンスでサービス内容を決定する際に、ケアモデルをもとにした具体的な対応方法を協議します。

（4）介護福祉職によるケアの実践

　最終的には、実践に向けて再度組織内で情報共有します。さらに、日常的にケアモデルにもとづいた支援が実践できるように、ケース記録ファイルの最初のページに施設サービス計画等を保存して、すぐに確認できるようにします。また、ケース記録のシートにサービス内容のキーワードを並列しておくことにより、その日実践できたかどうかをチェックすることができます（図5-9）。

2　認知症の人の自立支援を実現するための方法

（1）ケアプランとチームケアで自立支援を実践する方法

　介護保険制度の理念やケアプランは、利用者の自立や生きがいの実現を目的としています。そのため、介護福祉職と介護支援専門員はアセスメントの段階で、認知症の人が少しでも「できること」を増やせるような視点をもつ必要があります。最終的にサービス内容を決定する際も、すべての介護福祉職が実践できるように情報共有し、実践後もモニタリングして次にいかせるようなしくみをつくります。

　実際のケアに反映するには、チームケアを実現する前提条件となるリーダーの存在が鍵となります。介護福祉職個々の価値観を共有したうえで、決定したケア目標を日常的に実践できるように、管理・指導・支持していくことが必要です。

（2）廃用症候群予防とリスクマネジメント（危機管理）

　「特別養護老人ホームにおいてもっとも多い事故は、全体の約3割を占める歩行・移動中に発生し、続いて食事中や入浴中の事故がそれぞれ1割に達しています」[2)]。このような偶発的に発生するリスクを防止するために、リスクマネジメントは介護施設等において重要な課題となっ

ています。そのため、おもな対策として転倒事故等の事故を防止するために、歩行できる認知症の人であっても、歩行を禁止し、車いすを使用する好ましくない対応をするケースも多くみられます。

しかし、リスクマネジメントを優先することにより、廃用症候群や寝たきりを誘発することになりかねません。リスクマネジメントは、本来**クオリティーインプルーブメント**（福祉サービスの質の向上）に向けた取り組みの過程で、考慮されるべきものです。クオリティーインプルーブメントとは、「より質の高いサービスを提供することによって多くの事故が未然に回避できる」という考え方です。尊厳を支えるケアの実践を優先し、ヒューマンエラーが起こりやすい状況を、できる限り排除するしくみが求められています。

3 認知症ケアに求められる気づきの育成

（1）介護福祉職に気づきが求められる場面

認知症の利用者は、的確に状況に応じた要求や不安・不快感等を周囲の人に伝えることができないため、「BPSDに対するケア、その他のケア・業務場面」では、常に**気づき**が求められます。また、「ケアプラン・各種計画書・日誌等の作成時」「会議・研修・面接時」の3つのパターンが想定されます（図5−10）。それぞれの場面における気づきの概要と、必要な能力について考えてみましょう。

■ BPSDに対するケア、その他のケア・業務場面における気づき

認知症の人は、的確に状況に応じた要求や不安・不快感等を周囲の人に伝えることができないなどの理由から、BPSDを起こすことがあります。介護福祉職がBPSDの背景を理解し、的確に対処するには気づきが必要です。また、本人が発した言葉や非言語コミュニケーションから、**真意やニーズを理解する**必要があります。このように、介護現場で相手の状況や真意、真のニーズを把握して適切に対処する「気づき」が求められています。相手の言動を理解し、適切に対応するコミュニケーション能力は気づきそのものです。

② 会議・研修・面接時の気づき

介護現場で日常業務やケアを行う際に、ただルーティンで行うのではなく、よりよいケアの方法を追究して**問題意識**をもち続けていると、何気ないコミュニケーション時にも、新たな気づきが生じます。会議や研

第2節 介護福祉職への支援

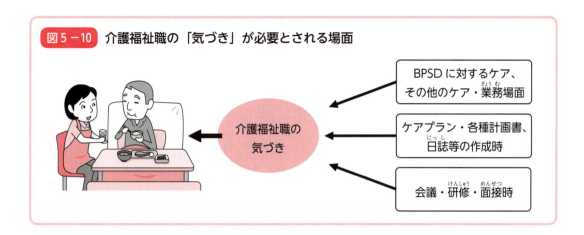

図5-10 介護福祉職の「気づき」が必要とされる場面

修に参加する際も、ただ参加するのではなく、提示されている内容を日常の介護場面におき換えて考えることで、新たな気づきが生まれます。さらに、内容を他人事ではなく自分のこととしてとらえることにより、日常の介護や業務における自己の問題点に気づくことができます。

❸ ケアプラン・各種計画書等の作成時における気づき

　認知症の人のできることに着目し、自立支援を実践する際にも気づきが必要です。アセスメントをする際は、面接時だけでなく日ごろから個々の利用者の特性に興味や関心をもち、共感的な視点で観察すると、本人の嗜好や残存能力等がみえてきます。施設サービス計画等のサービス内容を計画する際には、本人のできることをチームとして日常のケアに反映できる方法を分析しますが、このような過程でも気づきが求められます。

（2）個々の介護福祉職の気づきをチームケアにいかす

　上記の各場面で介護福祉職が個々に気づいた内容は、申し送りや会議などチームメンバーが集合する機会や、ケース記録等で共有し、ケアの質の向上につなげる必要があります。例えばBPSDがあらわれるサインやパターン、うまく行った場合の対処方法等について、気づいた介護福祉職がチーム内で共有することで、ケアプランに反映することができ、全介護福祉職が尊厳を支えるケアを実践できるようになります。

（3）気づきの構成要素と過程

　気づきが生じるには、最初に「あれ？」「大丈夫かな？」「あっ、そうだ！」など「遭遇した事象」（体験）に対して感情体験が起きるかどう

かが鍵となります。感情体験は、その事象に対して「興味・関心」をもつことから生じ、危険を察知した場合には不安感や警戒心を起こさせます。介入が必要と瞬時に判断した場合、次の段階の思考に移行します。思考の段階では、感情体験で感じた不安や驚きがどこから生じるのか概念化し、過去・現在・未来にあてはめて分析します。最終的に最適な対応方法について判断して、気づきのある行動へと結びつきます。

また、よい兆候をみたときにも驚きや期待感が生まれ、相手への賛辞の言葉とともに、思考を使ってそのよい状態の背景を分析し、さらによい状況に結びつくような支援へと広げていきます。図5-11は気づきの構成要素と過程を示したものです。各段階の右側には、前提条件となる能力を示しています。

さらに左側に示した記憶は、これまで蓄積した意味記憶やエピソード記憶、利用者の特性や介護の専門性に関する記憶・知識・情報を統括し、各過程で必要に応じて引き出されます。最終的に、適切な気づきの行動に導く基本情報となります。蓄積された基本情報の少しの変化で感情体験（警戒心や期待感）を起こさせ、思考の段階で深く柔軟に考えるもとになります。1つの気づきの体験は、毎回情報として蓄積され、次の気づきの体験に結びついていきます。

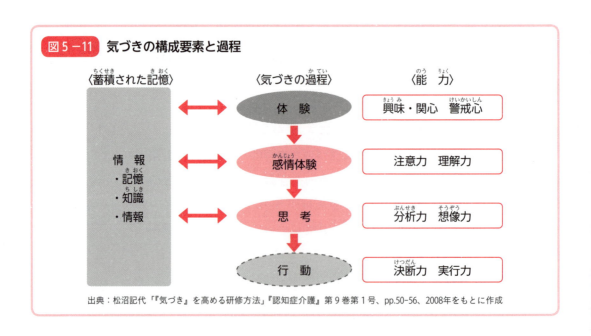

図5-11 気づきの構成要素と過程

出典：松沼記代「『気づき』を高める研修方法」『認知症介護』第9巻第1号、pp.50-56、2008年をもとに作成

◆引用文献
1）三菱総合研究所「平成30年度厚生労働省老人保健健康増進等事業　介護現場における
　　ハラスメントに関する調査研究事業実態調査」pp. 5 -23、2018年
2）厚生労働省「福祉サービスにおける危機管理（リスクマネジメント）に関する取り組
　　み指針〜利用者の笑顔と満足を求めて〜」2002年

演習5−2　働きやすい職場環境の整備

1. 5〜6人のグループをつくって、1人ずつ「なぜ介護福祉職をめざしたのか」について発表し、表5−2（p.283）の内容と比べてみよう。

2. どのような上司がいたら、よい職場環境になるか考えてみよう。そのために、どのような条件が必要になるかについても話し合ってみよう。

演習5−3　ケアモデルを実践するための環境整備

1. ケアチーム内で介護福祉職が個々の理念や方法で介護を実践した場合、どのような結果が生じるか話し合ってみよう。また、共通の理念や方法で介護を実践すると、どのような結果が生じるか話し合ってみよう。

2. 認知症の人の活動を支援することによるメリットについて考えてみよう。また、活動を支援する際のリスク（危険）についても考えてみよう。

第 6 章

認知症の人の
地域生活支援

第 1 節　地域包括ケアシステムにおける認知症ケア

第 2 節　多職種連携と協働

第 1 節

地域包括ケアシステムにおける認知症ケア

学習のポイント

■ 国が認知症施策として掲げている新オレンジプランの成立経緯を学ぶ
■ 新オレンジプランに位置づけられた機関やサービスを理解する

関連項目
② 『社会の理解』 ▶ 第4章第1節「高齢者保健福祉の動向」
④ 『介護の基本Ⅱ』 ▶ 第2章第4節「地域連携」

　認知症の人と家族の暮らしを支える制度やしくみは年々充実してきています。そのなかでよく聞く「介護保険制度」は、認知症の人に介護が必要になったときに利用する制度です。しかし、認知症の人は最初から介護が必要なわけではありません。鑑別、診断、治療といった医療のしくみや、暮らしの支援のしくみも不可欠です。そのため、現在多くの市町村で、認知症の人やその家族が、認知症の人の状態に応じて「いつ」「どこで」「どのような」医療や支援サービスが受けられるのかを地域ごとにまとめた認知症ケアパス（図6-1）が作成されています。

　本章では、近年わが国が、重度の要介護状態となっても住み慣れた地域で自分らしい暮らしを人生の最後まで続けることができるよう、住まい・医療・介護・予防・生活支援が一体的に提供される地域包括ケアシステム（図6-2）の深化・推進を進めるなかで、認知症ケアのシステムがどのように構築されてきているのかを説明します。

1 オレンジプランから認知症施策推進大綱へ

　わが国が認知症に対して本格的に計画を立案して取り組みを始めたのは、2012（平成24）年9月に厚生労働省が発表したオレンジプラン（認知症施策推進5か年計画）だといえます。2013（平成25）年度から2017

第1節 地域包括ケアシステムにおける認知症ケア

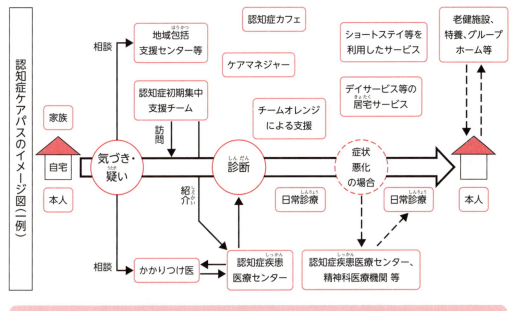

図6-1 認知症ケアパス

出典：厚生労働省資料を一部改変

（平成29）年度までの計画でしたが、その後、計画途中の2015（平成27）年1月に、オレンジプランを修正した**新オレンジプラン**（認知症施策推進総合戦略）を発表しました。

その経過は、以下のとおりです。オレンジプランの取り組みが開始された2013（平成25）年にイギリス・ロンドンで「G8認知症サミット」が開催され、認知症は世界的共通課題であることが確認されました。そして、2014（平成26）年11月に、わが国で世界10か国以上から300人を超える専門家等の参加があった「認知症サミット日本後継イベント」が開催されました。そこでは「新しいケアと予防のモデル」をテーマに、活発な議論が交わされ、当時の内閣総理大臣が、わが国の認知症施策を加速するための新たな戦略を、厚生労働省だけでなく政府一丸となって取り組むことを宣言しました。省庁横断的な総合戦略とすると同時に、

図6-2 地域包括ケアシステム

○ 団塊の世代が75歳以上となる2025年を目途に、重度な要介護状態となっても住み慣れた地域で自分らしい暮らしを人生の最後まで続けることができるよう、**住まい・医療・介護・予防・生活支援が一体的に提供される地域包括ケアシステムの構築**を実現していきます。

○ 今後、認知症高齢者の増加が見込まれることから、認知症高齢者の地域での生活を支えるためにも、地域包括ケアシステムの構築が重要です。

○ 人口が横ばいで75歳以上人口が急増する大都市部、75歳以上人口の増加は緩やかだが人口は減少する町村部等、**高齢化の進展状況には大きな地域差**が生じています。
地域包括ケアシステムは、**保険者である市町村や都道府県が**、**地域の自主性や主体性に基づき**、**地域の特性に応じて作り上げていく**ことが必要です。

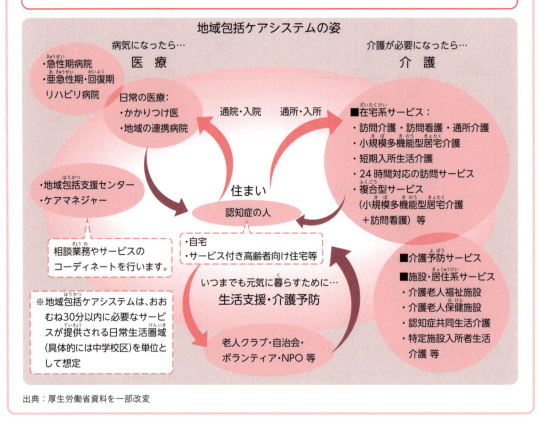

出典：厚生労働省資料を一部改変

　認知症の人やその家族の視点に立った施策を推進することになり、オレンジプランの見直しが必要になったというわけです。
　「日本における認知症の高齢者人口の将来推計に関する研究（平成26年度厚生労働科学研究費補助金特別研究事業）」によると、国内の認知症の人の数は増え続け、2012（平成24）年に約462万人、いわゆる団塊の世代が後期高齢者（75歳以上）になる2025（令和7）年には、認知症の人は約700万人前後になると推計されています。世界で最も速いスピードで高齢化が進んでいるわが国にとっては、認知症の人の増加に対

応する取り組みは緊急を要しています。

そのようななか、2019（令和元）年6月に、認知症施策推進関係閣僚会議において**認知症施策推進大綱**（以下、大綱）がとりまとめられました。

大綱は、認知症の人が、尊厳と希望をもって認知症とともに生き、認知症があってもなくても同じ社会でともに生きる「共生」と、認知症になるのを遅らせる、認知症になっても進行を緩やかにするという意味の「予防」を車の両輪として施策を推進しています。対象期間は、団塊の世代が75歳以上となる2025（令和7）年までとし、策定後3年をめどに、施策の進捗を確認することとしています。

新オレンジプランでは、「認知症高齢者等にやさしい地域づくり」を推進していくために、①認知症への理解を深めるための普及・啓発の推進、②認知症の容態に応じた適時・適切な医療・介護等の提供、③若年性認知症施策の強化、④認知症の人の介護者への支援、⑤認知症の人を含む高齢者にやさしい地域づくりの推進、⑥認知症の予防法、診断法、治療法、リハビリテーションモデル、介護モデル等の研究開発及びその成果の普及の推進、⑦認知症の人やその家族の視点の重視という7つの柱を立てて施策を進めていましたが、大綱では、以下の5つの柱に整理して施策を推進しています。

①普及啓発・本人発信支援

②予防

③医療・ケア・介護サービス・介護者への支援

④認知症バリアフリーの推進・若年性認知症の人への支援・社会参加支援

⑤研究開発・産業促進・国際展開

なお、これらはすべて、認知症の人の視点に立って、認知症の人やその家族の意見をふまえて推進することを基本としています。

2 認知症の人の地域生活支援

認知症の人と家族を支援する具体的なケアシステムについて説明します。

1 認知症疾患医療センター

　認知症疾患医療センターは、認知症のすみやかな鑑別診断や、BPSD（Behavioral and Psycological Symptons of Dementia：認知症の行動・心理症状）と身体合併症に対する急性期医療、専門医療相談、関係機関との連携、研修会の開催等の役割をにないます。実施主体は都道府県・指定都市（鑑別診断にかかる検査等の総合的評価が可能な医療機関に設置）で、2008（平成20）年から整備が始まりました。2020（令和２）年12月現在の設置数は477か所です。厚生労働省や自治体のホームページで所在地や連絡先が確認できます。

　認知症疾患医療センターには、総合病院が設置する「基幹型」、単科の精神科病院等が設置する「地域型」、診療所や病院が設置する「連携型」があります。もっとも多いのは地域型です。

　受診には予約が必要ですが、１人の鑑別には時間を要することから簡単に予約が取れない状況にあります。また、身近なところに認知症疾患医療センターがないために、利用しにくいという課題もあります。

2 地域包括支援センター

　地域包括支援センターは、介護保険制度の改正のなかで地域の中核機関として2006（平成18）年に誕生しました。設置主体は市町村です。地域の高齢者等の保健医療・介護等に関する相談窓口です。認知症の人や家族、地域からの電話や来所、訪問による相談に対応しています。保健師、社会福祉士、主任介護支援専門員等が配置されており、認知症の人のトラブルが生じやすいスーパーマーケットや金融機関等とも連携しています。身近な場所にあるので、認知症ではないかと思ったときや支援を受けたいと思ったときにもっとも相談しやすい窓口になっています。

　また、地域包括支援センターは地域ケア会議を主催しています。そこでは解決がむずかしい事案について多職種が協働して課題分析等を積み重ね、地域に共通した課題を明確化しています。そして共有された地域課題の解決に必要な資源開発や地域づくりを行っています。認知症の人や家族が地域のなかで困難な事態におちいった場合、地域ケア会議が重要な役割を果たしてくれると思います。

3 認知症初期集中支援チーム

　医療・介護の専門職が家族の相談等により認知症が疑われる人や認知症の人およびその家族を訪問し、必要な医療や介護の導入・調整や、家族支援などの初期の支援を包括的、集中的に行い、自立生活のサポートを行うチームが**認知症初期集中支援チーム**（以下、支援チーム）です。チーム員は、保健師、看護師、作業療法士などの医療系専門職や、精神保健福祉士、社会福祉士、介護福祉士などの福祉系専門職2名以上と、認知症サポート医などの資格を満たす専門医1名で編成します（図6－3）。

　支援チームが結成されることになったきっかけは、2012（平成24）年6月に厚生労働省認知症施策検討プロジェクトチームがめざすべき認知症施策の基本目標を定めた**「今後の認知症施策の方向性について」**という報告書のなかにあります。これまでのケアは、認知症の人がBPSD等により「危機」が発生してからの「事後的な対応」が主眼となっていま

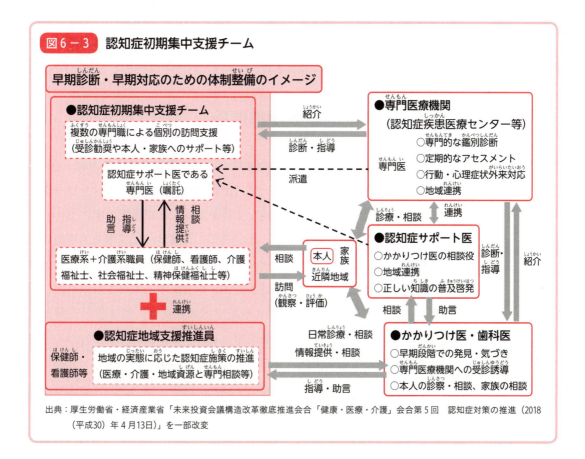

図6－3　認知症初期集中支援チーム

出典：厚生労働省・経済産業省「未来投資会議構造改革徹底推進会合「健康・医療・介護」会合第5回　認知症対策の推進（2018（平成30）年4月13日）」を一部改変

したが、今後は新たに「早期支援機能」と「危機回避支援機能」を整備し、これにより、「危機」の発生を防ぐ「早期・事前的な対応」に基本をおき、認知症になっても尊厳をもって質の高い生活を送れるようにする必要があるとしています。

　そして、2013（平成25）年度には、認知症の早期診断・早期対応の体制を整備するためのモデル事業として、認知症初期集中支援チーム設置促進モデル事業が全国14市区町で実施されました。その成果をふまえ、2014（平成26）年度の介護保険制度の改正によって再編された地域支援事業の任意事業である認知症初期集中支援推進事業に位置づけ、2015（平成27）年度は地域支援事業の包括的支援事業とし、さらに2018（平成30）年度にはすべての市町村で実施することとなりました。

　認知症は早期診断・早期対応が重要であることから、初期の段階で医療と介護との連携のもとに認知症の人やその家族に対して個別の訪問を行い適切な支援を行う支援チームには、今後ますます活躍が期待されています。かかりつけ医や、認知症疾患医療センター等の専門医療機関、地域包括支援センターや介護保険事業所等との連携体制を整えながら支援が行われていきます。対象者の多くは受診していない人や介護保険サービスの利用につながっていない人たちですので、窓口は市町村や地域包括支援センターになります。

4　認知症地域支援推進員

　認知症になっても住み慣れた地域で生活を継続するためには、医療、介護および生活支援を行うサービスが有機的に連携したネットワークを形成し、認知症の人への効果的な支援を行うことが重要です。

　このため、市町村において、医療機関・介護サービス事業所や地域の支援機関をつなぐコーディネーターを配置する必要があると考え、国は認知症地域支援推進員を2018（平成30）年度までにすべての市町村に配置することにしました。認知症地域支援推進員は、地域包括支援センター、市町村本庁、認知症疾患医療センター等に、次のいずれかの要件を満たす者を1名以上配置することとされています。

①認知症の医療や介護における専門的知識及び経験を有する医師、歯科医師、薬剤師、保健師、助産師、看護師、准看護師、理学療法士、作業療法士、社会福祉士、介護福祉士、視能訓練士、義肢装具士、歯科衛生士、言語聴覚

第1節　地域包括ケアシステムにおける認知症ケア

士、あん摩マッサージ指圧師、はり師、きゅう師、柔道整復師、栄養士、精神保健福祉士又は介護支援専門員。
②前記①以外で認知症の介護や医療における専門的知識及び経験を有する者として市町村が認めた者。

（平成18年 6 月 9 日老発第0609001号「地域支援事業の実施について」より）

　おもな業務は、**図 6 − 4** にあるように、①医療・介護等の支援ネットワークの構築、②認知症対応力向上のための支援、③相談支援・支援体制構築です。①では市町村等との協力による、認知症ケアパス（状態に応じた適切な医療や介護サービス等の提供の流れ）の作成・普及等、②では「認知症カフェ」等の開設等、③では「認知症初期集中支援チーム」との連携等による必要なサービスが認知症の人や家族に提供されるための調整等が具体的な役割です。

第6章　認知症の人の地域生活支援

図 6 − 4　認知症地域支援推進員

市町村
　↕協働
認知症地域支援推進員

【推進員の要件】
①認知症の医療や介護の専門的知識及び経験を有する医師、歯科医師、薬剤師、保健師、看護師、作業療法士、歯科衛生士、精神保健福祉士、社会福祉士、介護福祉士　など
②①以外で認知症の医療や介護の専門的知識及び経験を有すると市町村が認めた者

【配置先】
○地域包括支援センター
○市町村本庁
○認知症疾患医療センター　など

医療・介護等の支援ネットワークの構築
●認知症の人が認知症の容態に応じて必要な医療や介護等のサービスを受けられるよう関係機関との連携体制の構築
●市町村等との協力による、認知症ケアパス（状態に応じた適切な医療や介護サービス等の提供の流れ）の作成・普及　等

認知症対応力向上のための支援
※関係機関等と連携し以下の事業の企画・調整を行う
●認知症疾患医療センターの専門医等による、病院・施設等における処遇困難事例の検討及び個別支援
●介護保険施設等の相談員による、在宅で生活する認知症の人や家族に対する効果的な介護方法などの専門的な相談支援
●「認知症カフェ」等の開設
●認知症ライフサポート研修など認知症多職種協働研修の実施　等

相談支援・支援体制構築
●認知症の人や家族等への相談支援
●「認知症初期集中支援チーム」との連携等による、必要なサービスが認知症の人や家族に提供されるための調整

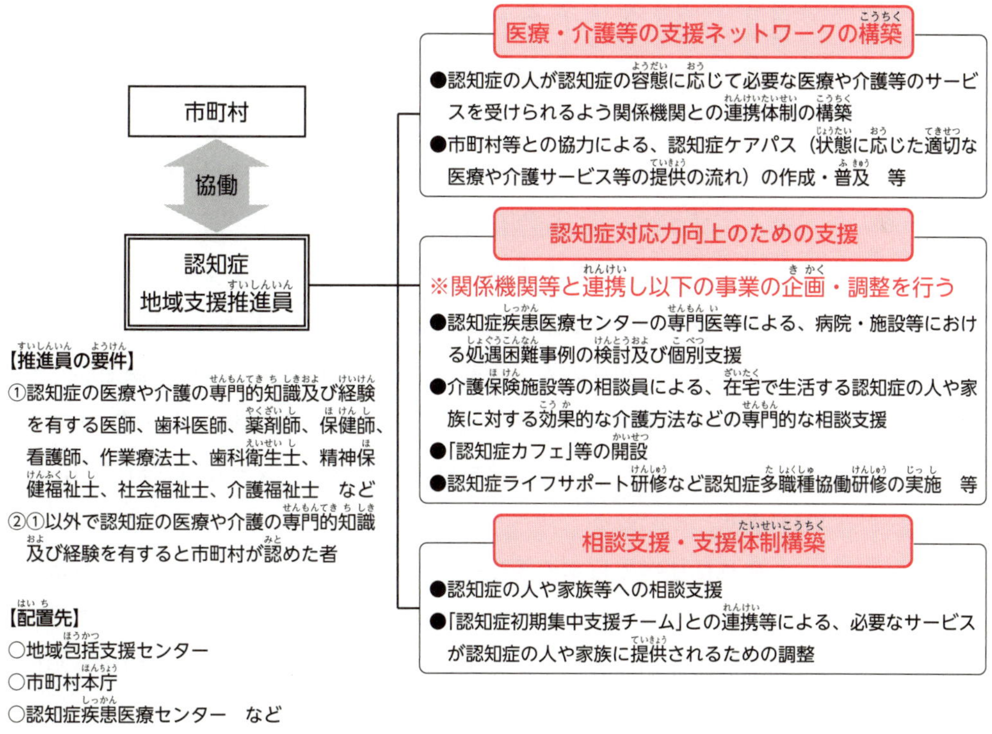

出典：厚生労働省老健局「認知症施策の最近の動向について（2017（平成29）年 9 月 7 日）」を一部改変

307

5 認知症カフェ

　認知症カフェとは、認知症の人や家族、地域住民、医療・福祉介護の専門職が集まり、認知症について語り合い、相互に情報を共有し、お互いを理解し合う場所のことです。国は認知症カフェに介護者支援の役割を期待しています。

　認知症カフェは、1997年にオランダの老年心理学者であるベレ・ミーセン（Miesen, B.）とアルツハイマー協会が協力して、ライデン大学で立ち上げた「アルツハイマーカフェ」を見本にしています。ミーセンは、認知症という病気を話題にすることは、夫婦間、あるいは家族のあいだでさえ、多くの場合タブーになっていることに気づき、認知症についてくつろいだ雰囲気のなかで話し合いができる場所があって、情報や自分たちの経験を分かち合えれば、この病気を受け入れて生きていけると考えました。

　オランダの「アルツハイマーカフェ」は、19時ごろから始まります。月1回、月曜日から木曜日のなかで年間10回程度開催しています。金曜日は友人と、土・日・祝日は家族と過ごす日なので開催しません。会場は交通の便がよく、地域の人がよく知っていて行きたくなる場所を探します。カフェやレストランとなるのはそのためです。参加しやすいことを大事にしているので、予約はとりませんし、受付名簿も名札もありません。プログラムは定型化しており、カフェタイム（情報収集）→情報提供（教育・ミニ講話・映画・本の紹介）→カフェタイム（休憩とコミュニケーション・相談）→ディスカッション（Q＆A）という流れです。参加者は、認知症の人、家族介護者、地域住民、地域の認知症介護にかかわる専門職です。ほとんどが家族もしくは地域の人です。「アルツハイマーカフェ」の設置や運営は、アルツハイマー協会が計画的に行っています。

　それに比べて日本の認知症カフェは、だれでも、どこででも始められるインフォーマルサービスです。運営基準はとくになく、さまざまな目的や形の認知症カフェが全国に広がっています。厚生労働省の2019（令和元）年度実績調査によると、47都道府県1516市町村にて、7988のカフェが運営されています（設置率：87.1％）。設置主体は、介護サービス施設・事業者（28％：施設・事業者内訳は、認知症対応型グループホーム（25％）、介護福祉・保健施設等（24％）、通所介護・リハビリ事業所

第 1 節　地域包括ケアシステムにおける認知症ケア

写真 6 − 1　障害者就労継続支援B型事業所のレストランで開催している認知症カフェ

写真 6 − 2　大学のカフェで開催している認知症カフェ

（21％）など）、地域包括支援センター（20％）、市町村（8％）、包括、介護サービス施設・事業所を除く社会福祉法人（8％）、NPO法人（4％）、認知症疾患医療センター（1％）、その他（ボランティアや地域住民、家族会など、31％）となっています。

　数は年々増えていますが、認知症の人が集まらない、介護家族が集まらない、何をしたらよいのかわからないというような声も聞こえてきます。認知症についての正しい知識をえて、認知症に備える人々も見受けられます。多様であることが日本の認知症カフェの特徴ともいえます。

6　認知症サポーター

　認知症ケアの歴史を学ぶとき、認知症の人たちが長いあいだ人間の尊厳をおびやかされ、身体拘束や虐待に代表されるような人権侵害の対象であったことがわかります。そして、地域のなかにもわたしたち自身のなかにも、認知症に対する偏見がまだ根強くあることに気づかされます。

　認知症サポーターは、認知症について正しく理解し、認知症の人や家

族を温かく見守り、支援する応援者です。 市町村や地域、職場、学校などで実施されている「認知症サポーター養成講座」を受講した人が「認知症サポーター」となります。キャラバン・メイトが講師となり、全国各地で講座が開催されてきた結果、運用が始まった2005（平成17）年度当初は100万人の養成を目標にしていましたが、2021（令和3）年6月30日現在、認知症サポーターは1327万9863人と1000万人を超えています。多くの人々が正しい知識をもつことで、認知症への偏見がなくなり、早期診断・早期対応が可能になって、認知症の人を取り巻く環境が向上することを期待しています。

大綱ではとくに、認知症の人と地域でかかわることが多いことが想定される小売業・金融機関・公共交通機関等の従業員等をはじめ、人格形成の重要な時期である子ども・学生に対する養成講座を拡大することを目標にかかげています。

7 若年性認知症の人への支援

❶若年性認知症
p.92参照

65歳未満で発症した認知症の人を**若年性認知症❶**といい、全国で4万人近くの人がいるといわれています。若年性認知症は、仕事や家事、子育てをになう年代に発症するため、経済的な問題をかかえることが多く、介護者はダブルケアといわれる介護と子育てを同時にになわなければならない状態になることもあります。したがって、就労支援など、高齢者の認知症とは異なる支援が必要となります。障害年金等の経済支援、介護や就労支援、居場所づくり、社会参加支援等の多岐にわたる支援を総合的に行う必要があります。

認知症が病気であることを普及・啓発し、認知症への偏見を払拭するなかで、若年性認知症の人を早期診断・早期対応へつなげていかなければなりません。そのために、医療機関や市町村窓口等を通じて、若年性認知症と診断された人やその家族に対して配布する「若年性認知症ハンドブック」が作成されています。

厚生労働省は、都道府県ごとに若年性認知症の人やその家族からの相談窓口を設置し、そこに若年性認知症の人の自立支援にかかわる関係者のネットワークの調整役を配置し、若年性認知症の人の視点に立った対策を進めることとしています。その調整役は**若年性認知症支援コーディネーター**と呼ばれ、全都道府県に配置されています。

310

3 認知症当事者の活動

　オーストラリアのブライデンさん（Bryden, C.）が1998年に出版した"Who will I be when I die ?"は2003（平成15）年に日本でも翻訳され、『私は誰になっていくの？　アルツハイマー病者からみた世界』が出版されました。ブライデンさんは2001（平成13）年からは世界各国で講演活動を始め、日本にも訪れ、その影響でわが国の認知症当事者に対するイメージに変化が生まれはじめました。

　2004（平成16）年10月には国際アルツハイマー病協会第20回国際会議が京都で開催されました。そこでは日本人としてははじめて越智俊二さん（当時57歳）が氏名を公表して登壇し、認知症当事者としての思いを語りました。それを契機に日本でも認知症であることを公表する人々が増えました。講演をしたり、書籍を出版したりして、認知症当事者みずからが気持ちや受けたい支援について世間に知らせる活動が広がりをみせています。

　2017（平成29）年４月に同協会の第32回国際会議が同じく京都で開かれたときには、多くの認知症当事者がスピーチを行い、分科会を当事者だけで運営するプログラムも実施されました。「私たち抜きに私たちのことを決めないで」というスローガンは、認知症当事者の口々から多く聞かれるようになりました。仙台市の「おれんじドア」、それに啓発されて始まった名古屋市の「おれんじドアも～やっこなごや」、八王子市の「おれんじドアはちおうじ」は、認知症当事者による認知症相談として全国から注目されています。

　また、スコットランドの認知症当事者たちによる活動に刺激を受けて、わが国で2014（平成26）年に活動を始めた認知症当事者の団体「日本認知症ワーキンググループ」は、2017（平成29）年に「日本認知症本人ワーキンググループ（JDWG）」と名称を変え、一般社団法人になりました。代表理事になった藤田和子さんは就任のあいさつで、「私たち本人がみずから活動する組織であることをより明確にするため、法人名に"本人"の２文字を新たに加えました」と述べています。認知症とともに生きる人が、希望と尊厳をもって暮らし続けることができ、社会の一員としてさまざまな社会領域に参画・活動することを通じて、よりよい社会をつくりだしていくことを活動目的にしています。具体的には、

各地の会員の声をていねいに集め、国や関係省庁、団体等に提案し、どこに住んでいても暮らしやすくなるための全国レベルでのしくみに反映させていくことや、海外の仲間とも国際的につながり、情報収集・連携を進めながら、活動の充実を図っていくこと等を方針として活動をしています。そして、2018（平成30）年11月に「認知症とともに生きる希望宣言」を発表しました。

　厚生労働省は、2020（令和2）年1月に、認知症への関心と理解を深めるための普及・啓発を行う認知症本人大使「希望大使」を5人、任命しました。そのなかには、JDWGの代表理事である藤田和子さんやメンバーの一人である丹野智文さんも含まれています。

　また、大綱のなかから生まれた「チームオレンジ」は、認知症当事者を単に支えられる側と考えるのではなく、認知症当事者も地域を支える一員としてメンバーに加え、社会参加を促進しようとしています。認知症の診断直後から生じる空白期間等における心理面・生活面の早期からの支援として、市町村がコーディネーターを配置し、地域において把握した認知症の人の悩みや家族の身近な生活支援ニーズ等と認知症サポーター（基本となる認知症サポーター養成講座に加え、ステップアップ研修を受講した者）を中心とした支援者をつなぐしくみです。現在全市町村での整備が進められています。

　これまで長いあいだ、介護の対象者としてしかみられてこなかった認知症の人たち自身がそれに対して異論をとなえ、認知症当事者の人権擁護を訴えるなかで確実に社会は変化しています。「認知症は決してはずかしい病気ではない。認知症になったら何もかもわからなくなるのではない。認知症になったらすぐに介護が必要になるのではない。認知症の人にもできることはたくさんある」。認知症当事者たちのこれらの声に耳を傾けながら、地域のなかでどのような支援体制を今後も整える必要があるのか考えていきたいものです。だれもが認知症になっても笑顔で暮らし続けることができる社会をつくっていきましょう。

第1節 地域包括ケアシステムにおける認知症ケア

◆ 参考文献

- 矢吹知之『認知症カフェ読本——知りたいことがわかるQ&Aと実践事例』中央法規出版、2016年
- 武地一編著・監訳『認知症カフェハンドブック——きょうからはじめる認知症カフェ』クリエイツかもがわ、2015年
- 厚生労働省ほか「認知症施策推進総合戦略（新オレンジプラン）〜認知症高齢者等にやさしい地域づくりに向けて〜」2017年7月改訂版
- 国立研究開発法人国立長寿医療研究センター「平成28年度 認知症初期集中支援チーム員研修テキスト」2016年
- 石橋亮一・川上由里子「認知症施策推進総合戦略（新オレンジプラン）制定までの経緯と概要について」 www.wam.go.jp/content/wamnet/pcpub/top/appContents/wamnet_orangeplan_explain.html
- 厚生労働省老健局「平成30年3月6日 全国介護保険・高齢者保健福祉担当課長会議資料」2018年
- 厚生労働省・経済産業省「平成30年4月13日 未来投資会議構造改革徹底推進会合『健康・医療・介護』会合第5回 認知症対策の推進」2018年
- 一般社団法人日本認知症本人ワーキンググループJDWGホームページ
- 厚生労働省ホームページ「認知症施策」
- 厚生労働省ホームページ「認知症ケアパス」
- 厚生労働省ホームページ「地域包括ケアシステム」
- 認知症サポーターキャラバンホームページ

第2節

多職種連携と協働

学習のポイント

- ■ 認知症の人が地域で継続して暮らすために、多職種連携と協働が必要であること を理解する
- ■ 多職種連携と協働で実践する認知症ケアの実際を理解する
- ■ 多職種連携と協働を実践する介護福祉職に必要な連携力を理解する

| 関連項目 | ④『介護の基本Ⅱ』 | ▶ 第4章「協働する多職種の機能と役割」 |
| | ⑤『コミュニケーション技術』 | ▶ 第5章第1節「チームのコミュニケーションとは」 |

1 多職種連携と協働の基本的な考え方

1 多職種連携と協働の基本的な考え方

（1）多職種連携と協働の必要性

　私たちの暮らしはたくさんの人々に支えられています。認知症の人は、認知症が疑われる時期、診断を受け医療が必要となる時期、要支援や要介護となって介護サービスを使う時期、さらに看取りの時期など長期にわたる療養生活を送ります。このあいだ、さまざまな医療や介護の専門職がかかわりますし、地域の民生委員やボランティアなどの支援を受けることもあります。また、警察や消防などがかかわることもあります。このように、認知症の人は、長期におよぶ療養生活を、多くの専門職や非専門職に支えられて暮らしています。つまり、介護福祉職だけで認知症の人を支えることはできません。おのずと認知症の人にかかわる多職種と連携し協働することになります。多職種連携と協働の考え方や技術を身につけて、認知症の人の地域生活を支援できるようになりましょう。

（2）多職種連携と協働とは何か

❶ インタープロフェッショナル・ワークという考え方

インタープロフェッショナル・ワークは、**専門職連携実践**と訳されています。英語でいうと "Interprofessional Work" です。Interは「あいだに、相互に」という意味で、Professionalは「専門家」という意味です。つまり、異なる専門家がお互いに影響をおよぼし合いながら連携し協働して働くことを意味しています（図6-5）。

インタープロフェッショナル・ワーク（専門職連携実践）の考え方は、「異なる専門家が認知症の人のために（当事者中心）互いの知識と技術を提供し合い（学び合い）互いに尊重して（パートナーシップ）共通の目標の達成をめざして行う援助活動です」[1]。

"連携"という言葉は、「つながる」と言い換えることができます。具体的には、「つながる相手を知っている」「目的に応じてつながる相手に連絡する」ということです。

「顔の見える関係」という言葉がありますが、相手がどこのだれで、どのようなサービス提供をしてくれる人であるかを知っていることが大事になります。相手を知っていれば、必要なときにその人の顔が思い浮かび、連絡していっしょに仕事をすることができます。

"協働"という言葉は、「いっしょに協力して働く」ということです。同じ場所で同じ行為をいっしょに行います。たとえば、連携してつながった相手といっしょに訪問し、認知症の人のケアをいっしょに行うことです。また、おむつ交換というケアを介護福祉職と看護職がいっしょに行うというときにも協働という言葉を使います。

異なる専門職同士が連携し協働するときには、お互いに影響をおよぼし合っています。インタープロフェッショナル・ワークは、認知症の人にとっても、専門職にとっても有益なものです。肯定的あるいは前向き

図6-5　異なる専門家同士の相互作用の例

Professional	Inter	Professional
介護福祉職	⇔	ケアマネジャー

（話し合いでケアプランにデイサービスを加えてもらえた）

介護福祉職	⇔	看護師

（いっしょにおむつ交換をして、認知症の人の負担軽減になった）

な影響を及ぼし合いながら、つまり、互いに尊重して学び合いながら連携し協働することをめざしています。

2 多職種連携と協働に欠かせない考え方

インタープロフェッショナル・ワークの考え方は、連携と協働に欠かせない大切な考え方です。その考え方は、認知症の人の多職種連携と協働でも同じです。注意したいことは、認知症ケアの多職種連携と協働にたずさわる人は、保健・医療・福祉の専門職ばかりでなく、ボランティアや近隣の人という非専門職もかかわるということです。多職種連携と協働では、非専門職の人々もその分野の専門家として尊重し、学び合って連携し、協働します。たずさわる人が資格のある専門職であっても、非専門職であっても、いっしょに認知症の人の支援を行う人たちとして尊重し、助け合って活動します。

3 多職種連携と協働をあらわすほかの用語

多職種連携と協働のほかに、**チームアプローチ❶**、**チーム医療❷**、機関間連携、地域連携など、連携と協働に関係する用語はいろいろあります。それぞれの言葉は、援助の場やかかわる専門職によって使い方が異なりますので注意しましょう（**表6-1**）。

❶**チームアプローチ**
たとえば介護保険サービスの利用、緩和ケア、リハビリテーションなど当事者の課題に応じて、医療や福祉の専門職がチームで取り組む援助活動のことである。

❷**チーム医療**
病院で医師と看護師に加え、理学療法士や作業療法士などのリハビリテーション職や薬剤師、管理栄養士、臨床検査技師、放射線技師、医療ソーシャルワーカーなど多様な専門職で行う医療のことをいう。

表6-1　多職種連携と協働に関係する用語

用語	連携するメンバー	連携する場	連携の目的
多職種連携と協働	専門職や非専門職も含め、支援にたずさわる人々	施設内、施設外	認知症の人のニーズ
チームアプローチ	専門職や非専門職も含め、支援にたずさわるチームメンバー	施設内、施設外	認知症の人のニーズ
チーム医療	おもに保健医療福祉職に限定されている	医療施設内	認知症患者の治療・ケア
機関間連携	異なる機関に所属している専門職同士	施設外	認知症の人のニーズ
地域連携	地域住民も含めた多様な人々	地域	認知症ケアについて地域で取り組む課題

（3）パートナーシップとヒエラルキー

▣ 多職種連携・協働の鍵となるパートナーシップ

インタープロフェッショナル・ワークの考え方では、互いに尊重するパートナーシップで取り組むことを示しました。認知症の人にかかわる専門職や非専門職は、"自分とはまったく異なる他者"に対して支援するのですから、1人で解決できない困難なことにも遭遇します。ほかの専門職や地域のボランティアと多職種連携・協働をしようとしても、うまくいかないこともあります。そのときに解決の鍵となるのが、パートナーシップです。パートナーシップとは、「友好な協力関係」ということです。

持続可能な開発目標（SDGs：Sustainable Development Goals）は、2015年に国連サミットで採択された国際社会の共通の目標です。持続可能でよりよい世界をめざそうと2030年までに達成する目標を掲げています。日本でも国や企業などさまざまなところで、この17の目標の具体的な取り組みが始まっています。達成すべき17の目標のなかには、「3.すべての人に健康と福祉を」という認知症ケアにたずさわる介護福祉職の目標となるものがあります。そして、16の目標を達成する実施手段として「17.パートナーシップで目標を達成しよう」という目標が掲げられています。

このように、パートナーシップは世界的な活動の実施手段なのです。多職種連携・協働においても、支援の目標を達成するために、ほかの専門職や非専門職を尊敬し意見を尊重し合い、協力し合うというパートナーシップは不可欠なのです。

▣ 組織のヒエラルキー

一方、介護施設は組織であり、組織には上司である管理者と部下となる職員という階層構造があります。このような階層性をヒエラルキーといいます。管理者は、社会福祉活動や経営など組織の目的を達成するために、組織のマネジメントをするという組織運営上の役割があります。職員は、それぞれに与えられた役割を果たします。組織のコミュニケーションでは、指示・命令・報告が行われています。ただし、一方的な管理者からの指示・命令では職員の意欲がそがれることもあります。職員が協力し合いながら能力を発揮できるような組織運営や職場の雰囲気が必要なのです。

3 職種間のヒエラルキー

多職種連携・協働では、原則として職種間のヒエラルキーはありません。各専門職は、その分野の専門的な教育を受けて資格をえており、法律でその役割が決められています。職能団体として倫理綱領をもち、専門職集団として社会から認められています。ですから、私たち1人ひとりも専門職としての自覚をもち、自立して研鑽し続けなければなりません。

しかし、実際に職種間のヒエラルキーがないわけではありません。1つの職種集団で固まってしまったり、介護福祉職自身が遠慮したり萎縮して、ほかの職種との間に壁をつくってしまうことがあります。医師と看護師の関係や看護職と介護福祉職との関係に上下関係をつくってしまっている職場の雰囲気や、年齢や経験年数、職場の役職などが影響していることもあります。このような職種間の目に見えないヒエラルキーの存在が、多職種連携・協働の実現を阻んでいることがあります。

（4）介護福祉職としてもつべき知識、ほかの職種への態度やこころ構え

1 人として礼節あるふるまいをする

クリスティーン・ポラス（Porath, C. ）という人が、職場では「礼節」が最強の武器になると言っています[2]。介護福祉の職場でも気持ちよく働くためには、同時に多職種と連携・協働して支援活動を行うためには、「礼儀正しいこと」すなわち「礼節」が大切だといえます。礼節は子どものころから教わってきたことですが、大人になり、まわりに無礼な人が多いと、無礼はストレスですから、それを避けるために自分も無礼になり、ついつい礼節なふるまいを忘れがちになります。

介護福祉職という専門職である以前に、人として礼節あるふるまいがまわりの人々を幸せにします。礼節は、職場のほかの専門職とのかかわりばかりでなく、非専門職とのかかわりでも、認知症の人本人や家族とのかかわりでも大切です。礼節あるふるまいの基本は他者に関心を向け、①笑顔を絶やさない、②相手を尊重する、③人の話に耳を傾けるということです。あたりまえのことですが、忘れがちになっていませんか。自分の態度、ふるまいを見直してみましょう。

2 介護福祉職として自立し、ほかの職種を尊重する

多職種連携・協働では、互いに影響し合い、学び合い、尊重し合って

支援活動をしますので、それぞれが専門的な機能をもった自立した専門職であることが前提になります。それぞれの専門職は、その分野の専門的な教育を受けていますので、同じ認知症の人を見ても観察する視点が異なります。たとえば、介護福祉士であれば、「食事はどのように食べているかな」「民謡が得意な人だな」など、その人の日常生活を観察するでしょう。社会福祉士であれば、「介護保険サービスは何を使っているかな」「家族の介護負担はどの程度かな」などに関心が向くようです。看護師であれば、「痛みはないかしら」「誤嚥は大丈夫かな」など、健康状態にまず関心が向きます。

このように、それぞれの職種は専門的な視点をもって認知症の人の特徴をとらえ、必要なケアを判断します。認知症の人のケアをするために介護福祉職としての専門的な知識と適切な介護技術を身につけ、自立した専門職になれるよう努めましょう。そして、ほかの専門職にもその専門性があることを認め、尊重する態度を示すことが大切です。そうすれば、互いに自立した、対等な専門職同士として、認知症の人のケアについて対話し、自分の意見を述べ合うことができるようになります。連携・協働する相手からの信頼を得ることが、円滑な多職種連携・協働につながっていきます。

3 互いに支え合う（相互支援）

相互支援❸とは、たとえば、相手の行為に「感謝する」「お礼を言う」ことや困難なことに取り組むときに「励まし合う」「士気を高める」ことなどです。ささいなことのようですが、いっしょに働く者同士が気持ちよく働くための秘訣です。

❸相互支援
相互支援は、多職種連携と協働を円滑にする。「感謝」「肯定的フィードバック」「謝罪」などはいっしょに働く多職種同士の情緒的なサポートとなり、大切なコミュニケーションスキルである。

2 多職種連携と協働に必要な要素

1 多職種連携と協働に必要なポイント

多職種連携と協働について、一般的なその成り立ちの要件から考えてみましょう。

（1）目標の共有と評価

　多職種連携と協働によるめざすべき目標がはっきりしていること、メンバーが目標を共有し、目標に照らした評価ができることが重要です。ケアプランの短期目標や長期目標がこれにあたります。

（2）役割づけは補完的（相互理解）

　目標が共有されると、次はメンバーお互いの役割をはっきりさせて、それを共有することです。まずは、ほかの職種が目標に対してどのような役割をになっているのかを知りましょう。

（3）取り組み状況、情報の共有

　取り組みの経過や知りえた情報をメンバー間で共有します。

（4）積極的な相乗効果

　このように、メンバーが協力し、お互いのもっている力をいかし合うことができます。ポイントは、個人よりもチームの達成を評価し、相乗効果を出すことです。

2 多職種連携や協働の形

　多職種連携や協働にはさまざまな形がありますが、ここでは次の3つを説明します。

（1）タスクフォース

　タスク（課題）を解決するために集められた形で、プロジェクトチームとも呼ばれます。緊急性が高く、短期的に課題解決に取り組むため、さまざまな機関や部署からメンバーが集められ、課題解決に向けて取り組みます。そのため、解決すべき課題が明確な場合に組織され、課題解決後に解散します。

（2）クルー

　ある業務を成し遂げるために専門職が集められた形をいいます。たとえば、手術のためのクルー、映画の撮影クルー、カーレースのピットクルーなどがあります。業務遂行が目的であり、業務の達成後には解散し

第2節　多職種連携と協働

（3）チーム

　上記のタスクフォースやクルーとは違い、メンバーが固定し、目標に向けて長期的に取り組みます。

　多職種連携と協働は、課題や業務ごとにメンバーが変わるなどタスクフォースやクルーとしての要素が強い反面、ある程度固定的なメンバーで長期的に取り組むという側面もあります。たとえば、課題解決や業務遂行のために集まったメンバーが、課題解決後もチームとして、別の課題や業務にたずさわることがあります。それは、チームとして固定化したほうがメンバー間の相互理解や相互支援などが深まり、チームの目標が変わっても課題への対応力が高まるからです。その点は、次のチーム形成の項で説明します。

3　チーム形成のプロセスとリーダーシップ

（1）チームの形成のプロセス

　チームは、次の4つのプロセスをたどるといわれます。

①形成期：メンバーはお互いのことを知りません。共通の目的などもわからず、模索する時期です。

②混乱期：徐々にお互いの考え方や価値観、感情がぶつかり合う時期です。

③統一期：行動規範ができ、他人の考えを受容し、目的、目標、役割期待などが一致し、チーム内の関係性が安定する時期です。

④機能期：チームの結束力と一体感が生まれ、チームの力が目標達成に向けられる時期です。

　チームは形成期から混乱期、そして安定した統一期、機能期に向かいます。そのためには、メンバー間のさまざまな対立を乗り越えることが必要です。

（2）混乱期の対立を乗り越える

　対立を生む要素には、所属や機関などの立場の違い、専門職間のケアに対する価値観の違い、性別や年齢、経験年数の違いなどがあります。そこでまず、対立のタイプと解決について理解しましょう。

第6章　認知症の人の地域生活支援

321

①支援内容や目標に関連した対立

　お互いの考え方を受けとめて、ほかの専門職が支援内容や目標の何にこだわっているのかを探し、支援内容や目標の変更について提案するなど、お互いがコミュニケーションを通じて理解し合うことで解決できます。

②対人関係に焦点があてられた対立

　専門職といえども人間で、いろいろな感情があります。ちょっとした気持ちのすれ違いを受けとめ、お互いが気持ちに共感し合うことで解決できます。

③支援方法にかかわる対立

　支援方法について、それぞれの要望を聞き、それが目標にそったものであればお互い合意することで解決できます。

　いずれも、対立の解決には相互理解、合意形成、共感的理解のためにコミュニケーションは欠かせません。

（3）リーダーシップとは

　リーダーシップとは、「ある状況のなかで行使され、コミュニケーションプロセスを通してメンバーまたはチームを目標に向けて動かしていく影響力」をいいます。

　リーダーシップを規定する特性には、以下の3つがあります。

①リーダーの行動特性

　主に、目標達成行動とチームメンバーへの配慮行動の2つの行動特性があります。目標達成のために、支援内容や目標の確認や修正をこまめに行う、また、メンバー間の相互理解、信頼ができるようメンバー交流やお互いの役割の理解を進めることなどです。

②メンバーの特性

　メンバーの目標に向かう意欲、知識や技術、経験など、チームとメンバーの成熟度によりリーダーシップは変化します。リーダーシップに対してメンバーシップといいます。

　チームのまとまりがよければ、それほど強いリーダーシップは必要としませんが、反対に、目標に対する意欲が低く、チームへの信頼関係や貢献意欲が低い場合などは、強いリーダーシップが必要になります。

③状況特性

　チームのおかれている状況によりリーダーシップは変化します。前述のチームの形成プロセスでの形成期、混乱期、統一期ではリーダーシップの発揮の仕方に違いがあります。また、支援する認知症の人の状態や家族の状況、社会資源の状況に応じてもリーダーシップは変わってきます。

4 多職種連携と協働が不足した実践例

　多職種連携と協働に必要なポイント、①目標の共有と評価、②役割づけは補完的（相互理解）、③取り組み状況、情報の共有、④積極的な相乗効果が不足した場合、チームはうまく動きません。次の事例は、これらが不足している実践です。

事例1　情報は伝えたけれど、スタッフへの周知不足

　特別養護老人ホームで暮らすＡさん、80歳、女性。月に１回、家族とともに病院を受診している。本日は受診日で、検査があるので朝食は食べないことになっていた。前日に看護師は食止めを栄養課の管理栄養士に連絡し、ユニットの介護福祉士にも伝えた。

　今朝、Ａさんの朝食はいつもどおり配膳されてしまった。早番の介護福祉士はいつもどおりＡさんに食事介助をした。家族が迎えに来て、食事を食べたことがわかり、本日の受診は中止となった。

　その後、ユニット内で、職員間の情報共有の方法について話し合った。また、管理栄養士、看護師、介護福祉士で、情報伝達のみえる化をはかった。

事例2　医療と介護の連携が不十分

　認知症が疑われるＢさん、75歳、男性、妻と２人暮らし。もの忘れ外来で認知症と診断を受けた。病院で介護保険制度の利用を勧められて介護支援専門員（ケアマネジャー）を紹介してもらった。Ｂさんは通所介護（デイサービス）に行くようになり、妻の介護負担は軽減さ

れた。妻は自宅でBさんの認知症の症状に困ると、医師に電話して薬の相談をした。

　認知症の症状をコントロールできたので自宅での症状は安定してきた。しかし、通所介護では混乱することが多く、Bさんは通所介護に行かなくなってしまった。

　妻は、病院と通所介護がもっと連携し（**医療と介護の連携**❹）、通所介護でも薬の調整ができればよかったのにとつぶやいた。

❹**医療と介護の連携**
医療と介護を一体的に提供するためには「連携」が不可欠であり、厚生労働省では、団塊の世代が75歳以上になる2025年問題に備え、「医療と介護の一体的改革」に取り組んでいる。

事例3　施設と病院の職員間のコミュニケーション不足

　認知症で要介護4のCさん、75歳、女性。自宅で介護できなくなり介護老人保健施設（以下、老健）に入所した。その後、誤嚥性肺炎で総合病院に入院した。Cさんは老健では、自分で立って車いすに乗り、トイレで排泄していた。病院ではおむつとなり、尿意があるCさんは、尿意が伝えられずに騒いだので身体拘束をされてしまった。肺炎は改善したが、Cさんは自分で立てなくなってしまった。食事も自分で食べられなくなってしまった。

　老健の職員は、老健でのCさんの排泄ケアのやり方やかかわり方の特徴を病院の看護師に伝えて、もっと話し合えばよかったと残念がった。

---

3 認知症ケアにたずさわる多職種

1 認知症ケアにたずさわるチーム

認知症ケアにたずさわるチームは、大きく次の2つに分けられます。

（1）事業所内チーム

　病院や施設、居宅介護事業所など認知症の人が利用する医療・介護事業所のなかのチームです。それぞれの事業所には、医師、看護職員、介

護職員、介護支援専門員、管理栄養士、薬剤師、歯科衛生士、理学療法士、作業療法士、医療ソーシャルワーカー、生活相談員などの多職種がチームとして認知症の人を支援しています（**表6－2**）。それぞれ常勤、非常勤、嘱託など身分の違いや所属の違いにより、事業所間で連携している場合があります。

事例4　嚥下障害のある認知症の人への支援

　D特別養護老人ホームでは、中重度者へのケアを進めるために「多職種協働室」を設置しました。メンバーは看護主任、介護主任、生活相談員、管理栄養士、介護支援専門員、作業療法士に加えて、非常勤で歯科衛生士です。必要に応じて配置医師に意見を求めています。

　このチームでの今年度の目標は、「誤嚥性肺炎による入院ゼロ」です。Eさんは、血管性認知症で嚥下機能が低下しています。このチームでは、医師、看護師、歯科衛生士により嚥下機能のアセスメントを行い、歯科衛生士は義歯の調整、管理栄養士はゲル化剤を使ったソフト食の開発、作業療法士は食事時の姿勢とシリコンスプーンの調整、介護主任と看護主任は食事介助と口腔ケアの手順表を作成しました。このチームでは、定期的にミールラウンドを行い、Eさんの摂食状況、口腔ケアの状況を確認し、問題があるとミーティングで情報と問題の共有を行い、必要に応じてケアの見直しを行います。その結果、取り組み開始から6か月、Eさんを含めて誤嚥性肺炎による入院者はありません。

（2）事業所外チーム

　認知症の人が在宅生活を送るためには、在宅生活のニーズを把握し、生活課題を改善するために必要な社会資源との調整が行われます。事業所内チームと違うのは、多職種が所属する機関が異なること、専門職だけではなく商店、金融機関、行政、交通機関や民生委員・児童委員、ボランティア、地域住民などインフォーマルな社会資源が加わることです。

　認知症の人の地域での生活は多様です。そのため、多くの関係者が支援に加わります。多くの関係者が加わるということは、それだけきめ細かな支援が可能になるということです。また、最近は認知症の人と同居

する家族を合わせた世帯単位の支援や、障害者、児童、生活困窮者を包括的に支援する「地域共生社会の実現」（第3章第1節参照）に向けた取り組みが始まり、多職種協働や多機関連携がいっそう重要になっています。

　事業所内外を問わず、認知症ケアにたずさわる専門職は多様なことがわかります。そこで、認知症ケアにたずさわる専門職は、**表6－2**に示しました。

事例5　　**障害のある息子を支援していた認知症の母親への支援**

　知的障害のある息子Fさん（40代）をこれまで支援してきた母親Gさん（70代）は、最近、認知症が進行し、Fさんの身のまわりの世話や薬の管理、また、買い物や家事などで支援が必要となりました。民生委員から地域包括支援センターに相談があり、地域ケア会議を開くことになりました。

　会議では、地域包括支援センターのH主任介護支援専門員が進行を担当し、まず、息子と母親、それに加えて個別に息子への支援を調整するため、障害者相談支援センターの職員、病院の精神保健福祉士、母親の介護支援専門員、通所介護事業所の生活相談員、福祉課職員、民生委員が自己紹介をして始まりました。

　親子の意向を確認し、息子への心理的なサポート役としての母親と息子の両者を自宅で支援することをケアの方針として共有しました。その後、そのために必要な生活上の課題と支援目標について話し合われました。Fさんの支援のキーパーソンは、障害者相談支援センターのJ相談支援専門員、Gさんの支援のキーパーソンは、K介護支援専門員に決まり、今後のFさんのサービス利用やGさんのサービス利用と自宅での家事全般について情報を共有することになりました。

---

2 認知症ケアにおける多職種協働の基本的考え方

（1）基本的な考え方

　認知症は、原因疾患や加齢による既往症などから医療の領域での支援が必要です。一方、これまでの生活習慣や価値観など、長い人生のなか

第 2 節 多職種連携と協働

表6-2 認知症ケアにたずさわる人々の例

職種名	おもな役割機能
介護福祉士	障害のある人の日常生活の介護等を行う。
社会福祉士	社会福祉業務全般を行う。
精神保健福祉士	精神障害者の保健福祉分野にかかわる。
介護支援専門員	ケアマネジャー。介護保険制度におけるケアマネジメントを行う。
生活支援コーディネーター※1	地域支え合い推進員。自治体ごとに設置され地域の社会資源をコーディネートする。
医師	診断と治療という医療行為を行う。
看護師	傷病者や妊産婦の療養上の世話や診療の補助を行う。
管理栄養士	傷病者の療養のため必要な栄養の指導や施設の給食管理および栄養管理などを行う。
薬剤師	処方箋にもとづき医薬品を調剤し供給する。
理学療法士	運動療法や物理療法などの医療行為を行い、基本的動作能力の回復をはかる。
作業療法士	手芸、工作などの作業を通して応用的動作能力または社会的適応能力の回復をはかる。
言語聴覚士	言語や聴覚、認知、音声、摂食嚥下にかかわる障害に対する支援などを行う。
歯科医師	歯科医療、保健指導を行う。
歯科衛生士	歯科予防処置、歯科診療補助および歯科保健指導などを行う。
公認心理師※2	心理的行為として心理検査、カウンセリングなどの心理的支援などを行う。
福祉住環境コーディネーター	商工会議所が主催、医療・福祉・建築に関するコーディネーター、福祉用具等のアドバイザー。

※1：生活支援コーディネーターは、各自治体で位置づけており、地域住民の生活支援や介護予防のためのさまざまなサービス調整が仕事である。地域で暮らす認知症の人のサービスにも参加している。

※2：2017（平成29）年に公認心理師法が施行され、2018（平成30）年から正式に資格取得がスタートした。

第6章 認知症の人の地域生活支援

で大切にしてきたこだわりを中心に支える介護や生活支援の領域が必要です。しかし、これらはバラバラに提供されてきました。認知症ケアにおける多職種協働では、この2つの領域が一体的に提供することをめざしています。そこで、医療と介護の分野が一体的に提供されるためには、次の2点を基本的な考え方として認知症ケアに取り組む必要があります。

1 認知症の人のニーズを多面的にとらえること

施設の利用者、病院の入院患者など一面的なとらえ方ではなく、生活者としてとらえると、健康状態、日常生活、趣味、住まい、家族、社会とのつながりなど、さまざまなニーズを多面的にとらえる必要があります。

2 チームケアで取り組むこと

1人の認知症の人に対する支援がバラバラになる原因として、かかわる専門職がチームとして機能していないためということがあり、目標の共有、役割の理解、相互交流、情報の共有など、これまで学んできたチームケアの基本的な取り組みが必要になります。

（2）多職種間の共通の考え方

次に、これまで学んできた認知症ケアの理念、生活支援の方法などから、次の6点を多職種間の共通の考え方とします。

1 本人主体のケアを原則とすること

認知症の人を何もできない、何もわからない人ととらえるのではなく、生き方や暮らし方について、認知症の人の意思を最大限に尊重した支援に取り組むことです。

2 社会とのつながりを継続しつつ、生活のなかでのケアを提供すること

これまで暮らしてきた地域社会や人間関係のなかで継続した人生が過ごせるよう、周囲の人の理解や協力をえることを念頭に、支援のネットワークをつくることです。

3 本人の力を最大限にいかしたケアに取り組むこと

認知症の人がもつ力とそのまわりにある環境の力を活用して、できる限り自立した生活が営めるよう支援することです。

4 早期から終末期まで継続的なかかわり、支援に取り組むこと

市町村にある認知症ケアパスなどから、認知症の人と早期に出会う機

会や場所をつくり、長くかかわることで、認知症の人の状態に合わせて伴走する支援をすることです。

5 家族支援に取り組むこと

認知症の人ならびに家族双方のQOLを高める支援をすることです。

6 介護・医療・地域社会の連携による総合的な支援をめざすこと

認知症の人の複雑で多様なニーズにきめ細かく応えるために、多職種や多機関が連携・協働した一体的、総合的な支援を行うことです。

最後に、認知症の人の支援におけるチームケアの視点を整理します。
・認知症の人のおかれている現状の把握や情報を共有する。
・認知症の人の医療、介護、生活上のニーズを把握する。
・多職種で目標を共有する。
・目標達成に向けた役割と相互理解、相互信頼を構築する。
・目標に対する達成状況や新たにみえた課題を共有し目標や方法の修正を行う。

これらを目標から役割分担、方法、評価、改善について循環的に取り組み、コミュニケーションをベースに活動を繰り返すことで、チームが一体感をもち、さらに、このチームがメンバーを入れ替えながら、ほかの認知症の人への支援に取り組むことで成長していきます。

事例6　早期からの継続的ケアによる事例

72歳のLさんは、5年前に夫に先立たれ、現在は1人暮らしです。隣の市に1人娘家族が住んでいます。Lさんは、最近娘（Mさん）に何度も通院日の確認をしたり、卵や牛乳など同じものを買ってきたりするなど、認知症の疑いのある症状が出てきました。

Mさんは、心配で毎週末様子をみにきていますが、飲み忘れの薬が茶の間のいたる所にあり、台所の洗い場には焦がした鍋があり、客室は汚れた洗濯物が山になっていました。Mさんは、母は1人暮らしは無理ではないかと考え、かかりつけのN医師に相談したり、地域包括支援センターのP主任介護支援専門員にも相談したりしました。

P主任介護支援専門員は、Mさんを交えてLさんへの意思決定支援会議を自宅で開催し、本人の意向を確認しました。そこで、可能な限り在宅での生活を継続したいという本人の希望を尊重し、生活ニーズ

の把握と今後の支援について検討することになりました（**本人主体のケアを原則とする**）。介護サービスを利用するために要介護認定の申請とQケアマネジャーを紹介しました。また、P主任介護支援専門員は、Lさんとの面談を通じて地域の人とのつながりについて、編み物教室の友人との雑談や老人クラブの旅行に出かけることを楽しみにしていること、友人が多いがこのところ会えていないのでさびしいことなどの話を聞きました。

Qケアマネジャーは、要介護1、認知症生活自立度IのLさんが、通所介護を希望しないので、身のまわりの整理やゴミ出しなどをLさんと一緒に行う訪問介護を週1回計画し、できる限り自宅の中でLさんのできることの支援を考えました。また、Lさんの何か手伝いがしたいという意向から、社会福祉協議会の認知症地域支援推進員に相談して、認知症カフェの運営ボランティアをめざすことにしました（**本人の力を最大限にいかしたケアに取り組む**）。地域包括支援センターのP主任介護支援専門員やQケアマネジャーからの「情報連携カード」により、Lさん家族の情報を共有しているN医師は、本人と家族に認知症の診断と今後の生活のこと、糖尿病などの既往症の治療のため薬の服用について説明しました（**介護・医療・地域社会の連携による総合的な支援をめざす**）。また、Mさんには、時々Lさんが運営ボランティアに行く認知症カフェをのぞいてみることや、心配事があったらQケアマネジャーに相談するよう伝えました（**家族支援に取り組む**）。

その後5年が経過し、Lさんの認知症は進行し、現在は週2回の通所介護、週3回の訪問介護を利用し、月1回の認知症カフェの運営ボランティアを行い、そのほかに民生委員が企画したLさん宅での茶話会を月1回開催しています。また、Mさんは週末にLさんといっしょに買い物に出かけ、昨年から認知症の人と家族の会に加入し、定期的な集まりに出るようにしています（**社会とのつながりを継続しつつ、生活のなかでのケアを提供する**）。Mさんは、「いつまで自宅で暮らせるかわからないけど、みなさんの支えがあって母の好きなように暮らせるよう私も手伝っていきたいです」と話しています。LさんとMさんは、ケアチームと早期に出会い、医療や介護、生活にかかわる支援をえて、近隣住民とのつながりも続いています（**早期から終末期まで継続的にかかわり、支援に取り組む**）。

◆引用文献

1) 大塚眞理子「「食べる」ことを支える専門職連携実践」諏訪さゆり・中村丁次編著『「食べる」ことを支えるケアとIPW──保健・医療・福祉におけるコミュニケーションと専門職連携』建帛社、p.28、2012年

2) クリスティーン・ポラス、夏目大訳『Think CIVILITY──「礼儀正しさ」こそ最強の生存戦略である』東洋経済新報社、pp.106-134、2019年

◆参考文献

● 山口裕幸『チームワークの心理学──よりよい集団づくりをめざして』サイエンス社、2008年

● 実戦的用語解説「タックマンモデル」 http://www.educate.co.jp/2008-10-05-11-32-59/126-2010-12-14-10-01-01.html

● 酒本隆敬・大塚眞理子「専門職連携教育（IPE）の受け入れにより生じた職員の行動変容と介護現場における専門職育成の取り組み」『認知症ケア事例ジャーナル』第6巻第1号、2013年

● 地方独立行政法人東京都健康長寿医療センター『平成26年度「認知症初期集中支援チーム」テキスト』中央法規出版、2014年

● 田村由美編著『新しいチーム医療──看護とインタープロフェッショナル・ワーク入門 改訂版』看護の科学社、2018年

● 大塚眞理子「高齢者の健康問題から高齢者ケアを再考する──医療と福祉の連携・協働そして統合へ」『社会福祉研究』第106号、2009年

● Tuckman, B.W.& Jensen, M.A.C."Stages of Small-Group Development Revisited", *Group and Organization Management*, 2 (4), 1977.

● 外務省ホームページ「SDGsとは」

演習6-1　多職種連携と協働の実践

　p.323の事例1の特別養護老人ホームの介護福祉士として、このような事故を二度と起こさないようにするために、「多職種連携」や「協働」について、以下の❶〜❸のことを話し合ってみよう。

❶ 状況分析—情報共有不足の原因は何か、考えてみよう。
- 情報伝達は、だれからだれへ伝わったか？
- 情報がどこで途切れたのか、途切れた要因として予測できることは何か？

❷ 対策検討—情報が多職種に通知され、情報共有されるためには、どのようにしたらよいか、考えてみよう。
- 情報共有を周知する対象はだれか？
- 情報共有する内容（どのような情報を共有したらよいのか）は何か？
- 情報共有を周知する方法はどのようにするか？
- 情報共有するための手段は何を使えばよいか？

❸ このような多職種連携と協働で事故を防いでいくために、日常的に多職種が心がけることは何か、まとめてみよう。

索引

欧文

ACP	133
ADL	42、43
ADL障害のケア	198
BMI	187、204
BPSD	7、27、49、138、156、164、192、219、248
…の治療薬	99
…の定義	49
…の評価尺度	62
…の分類	51
…の誘因	56
…の要因	52
BPSD+Q	62
CDR	73
CT	71
CT検査	184
DASC-21	43、70
DBD13	62
DCM	157
DDQ-43	92
DSM-5	5
FAST	19、73、241
GDS-15	70
HDS-R	40、65
IADL	42
IADL障害	6
…のケア	197
ICD-10	5
JDWG	118、311
MCI	6、69、79
MMSE	40、65
MRI	71
NHPCO	241
NPI	62
Off-JT	289
OJT	289
PD	156
PE	156
PEG	243
REM睡眠行動障害	41、84
SDGs	317
SED-11Q	6、40、70
Zarit介護負担尺度	265

あ

アートセラピー	236
アイデンティティの危機	137
明るさ	258
悪性の社会心理	177
アセスメント	165、182
アセチルコリン	96、97
遊びリテーション	218
アドバンス・ケア・プランニング	245
アドバンス・ディレクティブ	243、245
アドレナリン	97
アパシー	23、60
阿部式BPSDスコア	62
アミロイドPET	25、72
アルツハイマー型認知症	17、79、142
…の症状	8、80
…の進行過程	12
…の日常生活機能にもとづく重症度	20
アルツハイマー型認知症治療薬	96
…の副作用	46
アルツハイマー病	17、79
αシヌクレイン	83
アロマセラピー	236
意識障害	21、71、203
異食	61、221
異所排尿	62
痛みの指標	186
一次領野	16
移動	43
易怒性	57

意味記憶	16、34、87
意味性認知症	39、86、87、147、196
医療と介護の連携	324
医療倫理4原則	123
色	257
…のコントラスト	257
インタープロフェッショナル・ワーク	315
うつ	23、60
エクササイズ	104、105
エピソード記憶	34、140
園芸療法	237
嚥下障害	201
オートフィードバック	227
オキシトシン	97
音	256
落とし紙	207
オレンジプラン	118、300
音楽療法	235

か

介護関係の仕事を選んだ理由	282
介護関係の仕事を辞めた理由	284
介護者	265
…のストレス	265
…の悩み	265
介護者教室	276
介護の仕事の満足度	282
介護の職場の悩み	285
介護の4つの柱	226
介護ハラスメント	285
介護福祉職への支援	282
介護放棄	130
介護保険	274
介護保険法	115
介護離職	266
回想法	234

333

ガイド …147	空間認知障害 …37	五感 …143、177、254
画像診断 …71	クオリティーインプルーブメント …294	小刻み歩行 …44
家族 …46、264	苦痛 …186	語義失語 …87、196
…の葛藤 …272	グリア細胞 …14	呼吸数 …185
…の心理 …269	クルー …320	個性 …254
…への情報提供 …278	グループホーム… 113、114、252	誤認 …142
…への助言 …278	グルタミン酸 …97	誤認妄想 …61
…への支援 …277	ケアなきケア …112	個別性 …194
家族会 …275	ケアプラン …293	ごみの処理 …198
家族介護支援事業 …275	ケアマネジメント …167、168	コミュニケーション …191
家族介護者 …266	ケアモデル …291	根拠にもとづいた介護 …180
家族性アルツハイマー型認知症 …79	経管栄養 …243	今後の認知症施策の方向性について …118、305
カプグラ症候群 …61	経済的虐待 …130	コンタクトケア …192
ガランタミン …96、97	芸術療法 …236	コントラスト …257
眼球運動 …204	軽度認知障害 …6、69、79	根本的治療薬 …25
環境 …248	経皮内視鏡的胃ろう造設術 …243	
環境アプローチ …114	傾眠 …214	**さ**
環境づくりのポイント …252	血圧 …184	サーカディアンリズム …258
感情体験 …295	血管性認知症 …81	座位姿勢 …200
観念運動失行 …39	結晶性知能 …24	在宅介護 …265
観念失行 …39	原因疾患 …9、78、90	サイン …258
緩和ケア …240	幻視 …21、61、84	作業回想法 …235
記憶 …34、140	見当識障害 …36、206	差別 …126
…の補助 …145	権利擁護 …127	ジェスチャー …147
記憶障害 …34、204	更衣 …44	視覚失認 …38
危機管理 …293	口腔ケア …211	視覚認知障害 …38
義歯 …211	高次脳機能障害 …21、82	事業所外チーム …325
偽性球麻痺 …82	甲状腺機能低下症 …90	事業所内チーム …324
偽性認知症 …23	口唇傾向 …34	視空間認知機能 …37
帰宅願望 …249	抗精神病薬 …99	軸索 …14
気づき …294	…の種類 …100	思考内容 …7
キットウッド,T. …154	行動障害型前頭側頭型認知症 …38、86、87	自己決定 …243
虐待 …130、269	行動症状 …49	自己肯定感 …148
客観的情報 …166、180	行動・心理症状 …7、27、49、138、156、164、192、219、248	姿勢 …187
キャリアパス制度 …290	後頭葉 …16	施設内研修プログラム …287
休息 …213	高齢者虐待 …130、269	…の種類 …288
キューブラー-ロス,E. …270	高齢者虐待の防止、高齢者の養護者に対する支援等に関する法律（高齢者虐待防止法） …115、131、269	施設の環境 …252
共感的理解 …125、167、174、180		事前意思 …245
共感脳 …38		事前指示書 …204、243、245
協働 …314、315		持続可能な開発目標 …317
拒否 …59	誤嚥性肺炎 …242	自尊心 …254
緊急やむをえない身体拘束 …129	コーン,N. …270	自宅の環境 …251
空間失認 …142		失禁 …205、206
		失語 …39

索引

…のフォロー	147
失行	39、142、202、207
失認	34、39、142、202
視点取得	30、154、174
シナプス	14
ジネスト,Y.	225
社会参加	47
社会参加活動	233
社会的認知	38
社会脳	5、38
若年性認知症	47、92、233、269、310
若年性認知症支援コーディネーター	47、93、269、310
シャント手術	89
周回	58
羞恥心への配慮	208
終末期	239
…における食事支援	244
…の意思決定	245
…のおもな症状	242
主観的情報	166
樹状突起	14
手段的日常生活動作	6、197
手段としてのコミュニケーション	194
小規模多機能型居宅介護	116、274
焦燥	59
情報	166
静脈認証	58
ショートステイ	275
食事	46、187、197、198
褥瘡	241
職場環境	282
食欲	199
食欲低下	46
自立心	254
視力	186
新オレンジプラン	118、301、303
神経原線維変化	17
神経細胞	14
神経症状	41
神経伝達物質	96、97

神経変性疾患	17
人権	127
人権擁護	115
進行性非流暢性失語	87
人生会議	133
身体拘束	128
身体拘束ゼロ作戦	115
身体拘束ゼロへの手引き	128
身体的虐待	130
診断基準	65
心理症状	49
遂行機能	36
遂行機能障害	36
髄鞘	18
推定意思	245
水分摂取	203
髄膜腫	90
睡眠	105、214
スーパービジョン	289
図記号	260
スクリーニングテスト	68
スティグマ	126
生活障害	7、42、54
生活の継続性	150
生活背景	147
生活リズム	214
生活歴	221
清潔	187
…の保持	211
生産的高齢者	237
正常圧水頭症	44、88
精神疾患	70
精神的虐待	130
性的虐待	130
整容	45、212
セクシュアルハラスメント	285
舌苔	201
設備	260
セロトニン	97
全人的ケア	115
センター方式	167
…の5つの視点	168
センター方式シート	170
前頭前野	15、38
前頭側頭型認知症	86、196

前頭葉	15
前頭葉症状	87
全米ホスピス・緩和ケア協会	241
せん妄	21、54、215
専門職連携実践	315
相互支援	319
喪失感	27
相貌失認	20
側頭葉	16
素材	257
咀嚼	201

た

体温	185
体格指数	187、204
大脳白質虚血	82
大脳皮質	16
大脳辺縁系	16
代理意思	245
タウたんぱく	17
宅老所	114
多職種協働	127
…の考え方	326
多職種連携	314
タスクフォース	320
脱水	215
タッチケア	236
タップテスト	89
脱抑制	20
多発性脳梗塞	82
ダブルケア	267
短期入所生活介護	275
短期入所療養介護	275
男性の介護者	266
地域ケア会議	304
地域包括ケアシステム	115、300
地域包括支援センター	304
チーム	321
チームアプローチ	316
チーム医療	316
チームオレンジ	312
知覚認知	7
痴呆	116

335

痴呆性老人処遇技術研修事業 ……… 112

着衣失行 ……… 37、39、44、142、145

中核症状 ……… 7、34、52、138、164、191

重複病変 ……… 79

聴力 ……… 185

治療可能な認知症 ……… 9、88

治療薬 ……… 96

通所介護 ……… 274

通報の義務 ……… 269

低カリウム血症 ……… 99

デイサービス ……… 274

手続き記憶 ……… 34、141

動作 ……… 186

当事者 ……… 149、311

頭頂葉 ……… 16

ドーパミン ……… 97

特別養護老人ホーム ……… 252

時計描画テスト ……… 69

閉じこもり予防 ……… 216

ドネペジル ……… 96、97

トリソミー ……… 79

な

ニーズ ……… 160、165

2015年の高齢者介護〜高齢者の尊厳を支えるケアの確立に向けて〜 ……… 115

日常生活動作 ……… 198

日本認知症本人ワーキンググループ ……… 118、150、311

日本老年医学会 ……… 239

入浴 ……… 45、209

人間関係づくり ……… 217

人間関係のケア ……… 202

認知期 ……… 200

認知症介護実践者等養成事業 ……… 115

認知症カフェ ……… 47、276、308

認知症ケアにたずさわる専門職 ……… 326

認知症ケアの理念 ……… 121

認知症ケアの倫理 ……… 123

認知症ケアパス ……… 300

認知症ケアマッピング ……… 157

認知症高齢者数 ……… 2

認知症高齢者の日常生活自立度判定基準 ……… 73

認知症サポーター ……… 217、309

認知症疾患医療センター ……… 304

認知症初期集中支援推進事業 ……… 306

認知症初期集中支援チーム ……… 43、305

認知症初期症状11項目質問票 ……… 6、40、70

認知症施策推進5か年計画 ……… 118、300

認知症施策推進総合戦略 ……… 118、301

認知症施策推進大綱 ……… 56、117、303

認知症施策等総合支援事業 ……… 116

認知症対応型共同生活介護 ……… 116

認知症対応型通所介護 ……… 274

認知症地域支援推進員 ……… 306

認知症デイサービス ……… 274

認知症とともに生きる希望宣言 ……… 119、312

認知症の原因疾患 ……… 9、78、90

認知症の診断 ……… 65

認知症の定義 ……… 4、73

認知症の人と家族の会 ……… 111、275

認知症の人の介護過程 ……… 181

認知症の人の健康状態のアセスメントのための3つのステップ ……… 183

認知症の人の個人の価値を高める行為 ……… 156

認知症の人の個人の価値を低める行為 ……… 156、177

認知症の人のためのケアマネジメントセンター方式 ……… 167

認知症の人のニーズ ……… 160

認知症の人の日常生活・社会生活における意思決定支援ガイドライン ……… 119、132

認知症の人の背景要因 ……… 176

認知症の人の理解 ……… 164

認知症の人へのケアの原則（20か条） ……… 249

認知症の予防 ……… 103

認知症病型分類質問票 ……… 92

認知症有病率 ……… 2、3

認知症を知り地域をつくる10カ年 ……… 116、117

認知的共感 ……… 30

認認介護 ……… 268

ネグレクト ……… 130

脳 ……… 14

…の各部位 ……… 15

脳活性化リハビリテーション5原則 ……… 232

脳幹網様体 ……… 200

脳血流SPECT ……… 72

脳腫瘍 ……… 90

脳脊髄液 ……… 89

脳卒中 ……… 81

脳病変 ……… 19、152

ノーマライゼーション ……… 115

は

パーキンソニズム ……… 7、85

バーセルインデックス ……… 43

パーソン・センタード・ケア ……… 30、127、154、165、291

…を実践するための3つのステップ ……… 157

パーソン・センタード・モデル ……… 158、174

パーソンフッド ……… 154

パートナーシップ ……… 317

徘徊 ……… 58

背景因子 ……… 52

排泄 ……… 45、187、205

バイタルサイン ……… 184

背面開放端座位 ……… 200

廃用症候群 ……… 206、216、294

長谷川式認知症スケール ……… 40、65

パターン化 ……… 146

8050問題 ……… 267

バトラー,R. ……………………… 234
歯みがき ……………………………… 211
ハラスメント ………………………… 285
バリデーション ………… 149、229
判断的理解 …………………………… 167
ピア・カウンセリング ……… 150
ピア・サポート ……………………… 271
ヒエラルキー ………… 317、318
ピクトグラム ………………………… 260
ビタミンB$_{12}$の欠乏 ……………… 90
ピック,A. …………………………… 86
ピック病 ……………………………… 86
1人歩き ……………………………… 220
ひもときシート ………… 55、172
評価的理解 …………… 167、174
氷山モデル図 ………………………… 175
表示 …………………………………… 258
病識 …………………………………… 40
病識低下 ………………… 29、40
表情 …………………………………… 186
頻尿 ……………………… 46、216
ファイル,N. …………………………… 229
不安 ……………………… 27、59
不穏 …………………………………… 59
副作用 …………… 46、96、185
服薬管理 ……………………………… 197
不同意メッセージ ………………… 56
不飽和脂肪酸 ………………………… 105
ブライデン,C. ………… 136、311
プライミング ………………………… 34
フレイル ……………………………… 105
触れるコミュニケーション方法
……………………………………… 188

プロダクティブ・エイジング
……………………………………… 237
分析的理解 ……… 174、175、178
文脈探索型ケア ……………………… 113
βたんぱく …………………………… 17
ベック-フリス,B. …………………… 113
ヘルプカード ………………………… 144
偏見 …………………………………… 126
便秘 …………………………………… 199
暴言 ……………………… 57、220
暴力 ……………………… 57、220
歩行障害 ………………… 44、89

ホスピス ……………………………… 241
ポラス,C. …………………………… 318
本人可能性指向ケア ……………… 113
本人主体のケア ……………………… 132
翻訳の倫理 …………………………… 125

ま

マルチモーダル・ケア ……… 226
マレスコッティ,R. ………………… 225
慢性硬膜下血腫 …………………… 89
ミーセン, B. ………… 276、308
みえにくい障害 …………………… 38
ミニメンタルステート検査
……………………………… 40、65
脈拍 …………………………………… 185
無断外出 ……………………………… 58
メマンチン ……………… 96、98
妄想 …………………………………… 61
燃え尽き ……………………………… 30
目的としてのコミュニケーション
……………………………………… 194
モデル ………………………………… 147
もの盗られ妄想 ………… 36、222
問題対処型ケア ……………………… 112

や

夜間せん妄 ………………………… 215
夜間頻尿 ……………………………… 216
薬剤 …………………………………… 54
…の副作用 …………………………… 185
役割 …………………………………… 218
…の再構築 …………………………… 219
山口キツネ・ハト模倣テスト
……………………………………… 68
ヤングケアラー …………………… 267
ユニット型施設 …………………… 255
ユマニチュード … 149、225、291
…の5つのステップ ……………… 228
…の4つの柱 ………………………… 226
抑肝散 ………………………………… 99
予防 …………………………………… 103

ら

ライフレビュー …………………… 235
リアリティオリエンテーション

…………………………………………… 233
リーダーシップ …………………… 322
リスクマネジメント ………… 293
リバスチグミン ………… 96、97
リボー,T.A. ………………………… 35
流動性知能 …………………………… 24
リロケーションダメージ …… 178
臨床認知症評価尺度 …………… 73
倫理 …………………………………… 123
倫理的ジレンマ …………………… 124
ルーチン化療法 …………………… 59
礼節 …………………………………… 318
レクリエーション ………………… 233
レスパイトケア ………… 57、273
レビー小体型認知症
………………… 11、61、83
…の症状 ……………………………… 85
連携 …………………………………… 315
連合野 ………………………………… 16
老化 ……………………… 24、36
老人医療費支給制度 ………… 111
老人斑 ………………………………… 17
老人福祉法 …………………………… 110
老人保健施設 ……………………… 112
老人保健法 …………………………… 112
老年期うつ病評価尺度 ……… 71
老年症候群 …………………………… 182
弄便 …………………………………… 209
老老介護 ……………………………… 268

『最新 介護福祉士養成講座』編集代表 (五十音順)

秋山 昌江 (あきやま まさえ)
聖カタリナ大学人間健康福祉学部教授

上原 千寿子 (うえはら ちずこ)
元・広島国際大学教授

川井 太加子 (かわい たかこ)
桃山学院大学社会学部教授

白井 孝子 (しらい たかこ)
東京福祉専門学校副学校長

「13 認知症の理解 (第2版)」編集委員・執筆者一覧

編集委員 (五十音順)

中司 登志美 (なかつかさ としみ)
福山平成大学福祉健康学部教授

宮島 渡 (みやじま わたる)
日本社会事業大学専門職大学院福祉マネジメント研究科特任教授

山口 晴保 (やまぐち はるやす)
社会福祉法人浴風会認知症介護研究・研修東京センターセンター長

執筆者 (五十音順)

石井 敏 (いしい さとし) ………………………………………………… 第4章第7節
東北工業大学建築学部教授

大塚 眞理子 (おおつか まりこ) ………………………………………… 第6章第2節1
宮城大学看護学群教授

沖田 裕子 (おきた ゆうこ) …………………………………………… 第3章第3節
特定非営利活動法人認知症の人とみんなのサポートセンター代表

國清 浩史 (くにきよ ひろふみ) ………………………………………… 第4章第4節
特定非営利活動法人いい介護研究会理事長

下山 久之 (しもやま ひさゆき) ………………………………………… 第4章第3節
同朋大学社会福祉学部教授

鈴木 みずえ (すずき みずえ) ………………………………… 第4章第1節・第2節4
浜松医科大学医学部教授

都村 尚子（つむら なおこ）‥‥‥‥‥‥‥‥‥‥‥‥‥‥‥‥‥‥ 第 4 章第 5 節 2
関西福祉科学大学大学院教授

中島 民恵子（なかしま たえこ）‥‥‥‥‥‥‥‥‥‥‥‥‥‥‥ 第 4 章第 6 節
日本福祉大学福祉経営学部准教授

中司 登志美（なかつかさ としみ）‥‥‥‥‥‥‥‥‥‥‥‥‥‥ 第 6 章第 1 節
福山平成大学福祉健康学部教授

中村 考一（なかむら こういち）‥‥‥‥‥‥‥‥‥‥‥‥‥‥‥ 第 4 章第 2 節 2
社会福祉法人浴風会認知症介護研究・研修東京センター研修部長

本田 美和子（ほんだ みわこ）‥‥‥‥‥‥‥‥‥‥‥‥‥‥‥‥ 第 4 章第 5 節 1
国立病院機構東京医療センター総合内科医長

松沼 記代（まつぬま きよ）‥‥‥‥‥‥‥‥‥‥‥‥‥‥‥‥‥ 第 5 章第 2 節
高崎健康福祉大学健康福祉学部特任教授

宮島 渡（みやじま わたる）‥‥‥‥‥ 第 3 章第 1 節・第 2 節、第 4 章第 2 節 1・3、第 6 章第 2 節 2・3
日本社会事業大学専門職大学院福祉マネジメント研究科特任教授

矢吹 知之（やぶき ともゆき）‥‥‥‥‥‥‥‥‥‥‥‥‥‥‥‥ 第 5 章第 1 節
社会福祉法人東北福祉会認知症介護研究・研修仙台センター研修部長、東北福祉大学総合福祉学部准教授

山口 晴保（やまぐち はるやす）‥‥‥‥‥‥‥‥‥‥‥‥ 第 1 章、第 2 章、第 4 章第 5 節 3
社会福祉法人浴風会認知症介護研究・研修東京センターセンター長

最新 介護福祉士養成講座 13
認知症の理解　第2版

| 2019年3月31日 | 初 版 発 行 |
| 2022年2月1日 | 第2版発行 |

編　　　集	介護福祉士養成講座編集委員会
発 行 者	荘村　明彦
発 行 所	中央法規出版株式会社
	〒110-0016　東京都台東区台東3-29-1　中央法規ビル
	TEL 03-6387-3196
	https://www.chuohoki.co.jp/
印刷・製本	サンメッセ株式会社

装幀・本文デザイン	澤田かおり（トシキ・ファーブル）
カバーイラスト	のだよしこ
本文イラスト	土田圭介
口絵デザイン	株式会社ジャパンマテリアル

定価はカバーに表示してあります。
ISBN978-4-8058-8402-7

本書のコピー、スキャン、デジタル化等の無断複製は、著作権法上での例外を除き禁じられています。また、本書を代行業者等の第三者に依頼してコピー、スキャン、デジタル化することは、たとえ個人や家庭内での利用であっても著作権法違反です。
落丁本・乱丁本はお取り替えいたします。

本書の内容に関するご質問については、下記URLから「お問い合わせフォーム」にご入力いただきますようお願いいたします。
https://www.chuohoki.co.jp/contact/